Avant de lui enseigner quoi que ce soit, assurez-vous que Johnny est bien décidé à apprendre à nager... S'il en a vraiment le désir, votre tâche sera facilitée.

Votre but principal restera toujours de protéger la vie de Johnny.

Johnny apprend à nager
(American Red Cross)

La Leçon de natation

ÉDITION DU CLUB QUÉBEC LOISIRS INC.

Dépôt légal — Bibliothèque nationale du Québec, 1999
ISBN 2-89430-378-5
(publié précédemment sous ISBN 2-89077-181-7)

Imprimé au Canada

Lynne Hugo
Anna Tuttle Villegas

La Leçon de natation

traduit de l'américain
Laurel : Emmanuelle Demange
Marna : Annick Duchatel

À nos filles, Brooke Hugo deCourcy et Adria Tuttle Villegas,
toutes deux d'excellentes nageuses.

RESPIRER

Pour enseigner la respiration rythmée, la méthode du jeu de bascule est en général efficace... Si elle ne fonctionne pas, utilisez votre imagination pour trouver un autre exemple.

Cette étape ne devrait pas poser de difficultés particulières.

Johnny apprend à nager
(American Red Cross)

Laurel

Tim nageait aussi bien que n'importe quel autre garçon de onze ans mais ça ne l'a pas sauvé. Je n'ai jamais bien compris où était l'intérêt de savoir nager depuis sa mort.

Pour se balancer au-dessus du Harker's Run, un affluent de l'Ohio, mon frère et ses amis attachaient un pneu à un sycomore gigantesque dont les branches amicales surplombaient le courant près du confluent. Ils poussaient des cris de joie comme les Indiens à la télévision et se lançaient jusqu'au milieu de la rivière, en gesticulant avec les jambes et un bras — Dieu leur avait donné l'autre main pour se boucher le nez. Je connaissais leurs habitudes parce que je les espionnais avec mon amie Amy : en se tortillant pour plonger, les garçons perdaient parfois leur maillot de bain dans la rivière et nous étions à la fois excitées, fascinées et horrifiées par l'aspect étrange et grossier de leur « saucisse », selon l'expression correcte employée par Amy — il ne fallait pas dire « zizi », comme me l'avait appris ma mère.

Le courant du Harker's Run n'était pas aussi fort que celui de l'Ohio, c'est vrai. Mais à Bridgewater, notre ville située à trois quarts d'heure en amont de la grande banlieue de Cincinnati et à un jet de pierre à l'est de la frontière de l'Indiana, la force du courant aurait été suffisante pour emporter rapidement les enfants s'ils n'avaient pas donné de bonnes poussées avec les jambes pour revenir au bord, tout en s'aidant de leurs bras. Mais Tim était bon nageur, comme eux tous d'ailleurs, et ils n'avaient jamais l'air de chercher à reprendre leur souffle, à moins que l'eau de la rivière n'ait été vraiment froide après la pluie. Et je n'avais donc jamais craint exagérément ni le Harker's, ni le grand Ohio, ni encore moins l'eau elle-même. En fait, je l'avais même aimée à une époque et je me sentais chez moi dans son sein et près d'elle, comme s'y sentent les enfants nés et élevés dans ses alentours. Je n'étais pas assez forte pour résister au courant, m'avait dit papa l'été précédent quand j'avais cinq ans, mais il allait m'apprendre à nager quand j'en aurais six comme il l'avait fait pour Tim.

Pas besoin d'être un génie pour comprendre d'où vient ma phobie. Mon doctorat et mon autorisation de pratiquer la psychologie clinique n'étaient pas non plus nécessaires pour ça. Mais je me demande vraiment si une partie de ma motivation ne me vient pas de mon expérience : je sais ce qu'on ressent quand on est retenu en otage par son esprit, je sais ce qu'est la terreur, comment la poitrine se resserre sur le cœur, le vertige, la manière qu'a le sang de mugir dans un débordement assourdissant quand le seul bruit qu'on entend est celui de la mort.

Avant, j'étais honnête et je disais que j'avais peur de l'eau. Je ne le fais plus. Même s'ils connaissent la raison de ma phobie, les gens rient sous cape devant une psychologue qui redoute ce qu'eux fréquentent sans la moindre difficulté. Personne n'attendrait d'un médecin qu'elle soit immunisée contre le cancer et une cancérologue peut aider son patient qu'une tumeur ait ou non germé dans ses poumons à elle. Les gens oublient que toute blessure n'est pas guérissable et ils s'attendent à ce qu'on soit parfait. Alors je fais de mon mieux — je me vernis les ongles, je porte même une ombre à paupières appelée *Velours d'eau* qui fait ressortir le vert de mes yeux, je me maintiens en forme, je lis beaucoup et je joue bien mon rôle. Les gens sont rassurés : ils pensent que je peux les aider et je les aide effectivement.

De toute façon, j'évite le sujet facilement maintenant. Après mes études, je me suis installée à Auburn, à trois quarts d'heure au nord de Bridgewater, une vraie ville — pas la petite ville où on peut se souvenir des détails d'un compte rendu journalistique vieux de trente ans et continuer à les commenter. J'y ai ouvert mon cabinet grâce à un emprunt colossal et j'utilise mes connaissances pour rassurer mes patients durablement.

Mais il suffit qu'il pleuve un peu trop fort pour que je sois incommodée.

Le printemps de la mort de Tim, il avait plu pendant des semaines et le Harker's avait déjà débordé, charriant des épaves dans son flot abondant. Même proche de son niveau maximal, l'Ohio ne présentait pas un danger imminent. De toute façon, je ne faisais pas attention aux prévisions quelles qu'elles soient à l'époque alors que maintenant je les cherche partout. Je ne me rends même pas compte que je suis à l'affût jusqu'à ce que je trouve un de ces signes, que je le retourne comme un miroir de poche pour lui faire attraper un rayon de soleil, et que je décide d'accueillir ce qui vient. Mes patients sont constamment à la recherche de signes, comme tous les êtres humains d'ailleurs, mais ils n'imaginent pas que les principes de la nature humaine puissent s'appliquer aussi à moi.

« Laurel, ma chérie, tu vas m'aider à monter ces choses au deuxième étage. » Ma mère déménageait dans le grenier tout ce à quoi elle et mon père tenaient, au cas où. Voilà pourquoi j'y étais. Elle m'y avait envoyée avec une boîte de leurs papiers importants, mais je ne me pressais pas de redescendre parce qu'elle allait me charger les bras d'autres paquets. Sous le faîte, il y avait une fenêtre à guillotine au bois gonflé que je n'avais pas réussi à ouvrir jusqu'à ce que je donne un grand coup sur le cadre, comme maman et papa lorsqu'ils laissaient éclater leur frustration après de vains efforts; la fenêtre a cédé. J'ai rêvassé en regardant Tim et son ami Aaron faire les imbéciles en bas dans la cour. Je crois que maman leur avait demandé de charger la voiture mais ils préféraient faire des cabrioles et s'éclabousser à grands coups de pied dans la boue, et c'était à qui la ferait jaillir le plus haut.

Je me souviens qu'on aurait dit le bruit d'un train approchant. C'est à ça que j'ai pensé, à un train. Mais mes idées se sont embrouillées car notre maison était très loin des voies ferrées qui verrouillaient la ville au nord, juste au sud de la rivière; on n'entendait pas les trains d'habitude. Et puis, *la chose* est arrivée et je n'ai même pas su d'abord ce que c'était, une sorte de mur liquide mugissant qui a déferlé vers la maison et s'est engouffré dans la véranda des Mitchell avant de monter jusqu'à la fenêtre du salon. Craignant la vengeance de Tim dont il avait couvert le tee-shirt de boue, Aaron s'était enfermé dans notre voiture. C'est lui qui avait attiré mon attention, avec ses mains plaquées contre les vitres de l'auto et son regard figé entre la peur et l'incrédulité. Mon frère, lui, se démenait comme un beau diable et martelait la portière de la voiture. Mon regard a suivi celui d'Aaron. J'ai vu ce qu'il voyait, le gigantesque mur brun et écumeux qui avançait derrière Tim. Paralysée, le souffle coupé, j'ai regardé — pendant combien de temps ? — et j'ai fini par voir le bras de mon frère, les doigts écartés et rigides, et j'ai entraperçu son jean et ses chaussures de sport au moment où la crue subite le soulevait et l'emportait dans son tourbillon. Et pendant tout ce temps, le cri qui aurait pu le prévenir était resté prisonnier de ma poitrine, écrasé sous un rocher aussi gros que celui qui marquait l'entrée de notre chemin. J'en sens toujours le poids.

Mon père était bloqué à son bureau en ville. Maman est accourue dans le grenier pour me rejoindre et c'est là que nous sommes restées jusqu'à ce que l'eau commence à lécher le plafond au rez-de-chaussée, elle penchée à la fenêtre et appelant Tim disparu depuis longtemps, et moi silencieuse, tremblante, glacée. Lorsqu'une équipe de sauvetage est arrivée dans un canot, je me suis agrippée au cadre de la fenêtre et me suis finalement mise à crier — trop tard —, secouée de sanglots rauques, presque animaux. Un pompier a dû m'attraper par les poignets et tirer d'un coup sec pour me faire lâcher prise.

Tim est mort dans l'inondation de 1971, et onze autres personnes avec lui. Un monument commémoratif leur est dédié sur l'esplanade et on y a ciselé dans le marbre l'inscription *Timothy John McArthur*, à sa place dans l'ordre alphabétique. Personne n'avait jamais appelé mon frère Timothy, à moins d'être sur le point de le réprimander. Ma mère n'a plus jamais été elle-même depuis sa mort.

Je n'ai pas dit à maman que j'avais vu la chose se produire, même avant qu'on retrouve le corps de Tim, quand elle récitait de folles prières à voix haute — elle qui préférait travailler à la garderie de l'église plutôt que d'écouter des sermons qui ne lui disaient rien — avec madame Mitchell et madame Rand, ses bras soudés dans les leurs. Pourquoi le lui aurais-je avoué ? Elle aurait su que j'aurais pu le prévenir ; elle ne m'aurait pas crue pour le rocher. Une nuit, je l'avais entendue s'adresser à madame Ryan, la voix toute rocailleuse :

« J'aurais dû aller le chercher. Oh, Dottie, mon Dieu, j'aurais dû le surveiller. Il aurait eu le temps d'atteindre la maison. »

Madame Ryan se balançait d'avant en arrière sur le canapé et serrait ma mère dans ses bras en murmurant « chh... chh... chh » au rythme de son balancement. Quand on a retrouvé Aaron, quinze heures plus tard, trois kilomètres en aval, toujours en vie, toujours dans notre voiture, ma mère a vécu de café et d'espoir pendant encore une semaine. Pour dire la vérité, je ne pense pas qu'elle y croie même aujourd'hui. Maman disait que c'était absurde, que Dieu ne pouvait pas lui avoir pris Tim et avoir sauvé Aaron.

Il est peut-être juste de penser que si je n'ai rien dit à ma mère, qui avait le droit de savoir, je ne suis pas non plus prête à parler à Jake de rien de tout cela. Quelque chose en moi refuse de lâcher cet unique secret. Je ne veux pas qu'il me voie aussi imparfaite ; je pense que ce qu'il aime en moi, c'est que je sois faite « tout d'une pièce », comme il dit. Je vois là une petite faille dans ma confiance en lui : j'ai peur qu'il ne se retourne contre moi, car j'ai vu comment ce que l'on n'avait jamais eu de raison de craindre, qu'on aimait même, pouvait en arriver là — se retourner contre vous sans prévenir — et je ne l'ai jamais oublié.

— Ça serait formidable, non, mon amour ? On y va, d'accord ? L'entreprise paye la note de toute façon et je peux prendre quelques jours de vacances de plus.

C'est un jeudi soir où nous sommes au lit, Jake et moi, qu'il mentionne pour la première fois le séjour aux Bahamas, une prime de vente offerte par son entreprise. Il l'a bien gagnée : il donne l'impression d'être toujours en déplacement, de vivre à l'hôtel et dans ses valises.

— On pourra faire un peu de plongée en apnée. Je me demande même si je ne vais pas suivre des cours de plongée sous-marine... Enfin, peut-être pas après tout, j'en manquerais trop : ils demandent une espèce de brevet pour la plongée, non ?

Il rêve tout haut, joue avec mes cheveux. De temps en temps, sa main s'égare autour du bout d'un de mes seins ou sur le contour d'une oreille. La tête ailleurs, il me donne des petits baisers légers.

— Quand est-ce qu'on retrouvera une occasion pareille ? demande-t-il.

— Je t'ai dit que j'aimerais aller au Colorado...

— Là-bas, tu peux y aller quand tu veux, répond-il. Et pour notre voyage, tout ce que tu as à faire, c'est réserver quelques jours dans ton emploi du temps. Après tout, c'est toi le chef dans ton cabinet.

— Tu n'as aucune idée de ce que c'est. Quand je ne travaille pas, je n'ai aucun revenu, mais il faut continuer à payer les frais.

— Mais regarde un peu autour de toi, mon amour. Tu t'en sors très bien. Et je t'aiderai si tu en as besoin, tu le sais, ça.

Il désigne la chambre d'un grand geste circulaire. Le décor semble prouver que j'ai réussi, en effet. La moquette blanc cassé est épaisse, la chambre, que j'aime vraiment, décorée dans les tons mauve et vert mousse. Au mur faisant face à la penderie sont accrochées des reproductions des *Nymphéas* de Monet. À côté de mon fauteuil de lecture, il y a un lampadaire Stiffel et une table en verre sur laquelle plusieurs piles de livres penchent dangereusement. Et nous sommes dans un lit immense de très bonne qualité et qui a coûté très cher. (C'est la seule chose qui a suscité un commentaire spontané de ma mère quand elle a visité l'appartement que je venais d'acheter et de meubler.

— Tu avais vraiment besoin d'un lit de cette taille ?

C'était sorti comme une accusation.

— J'ai le sommeil agité, lui ai-je dit. J'aime avoir de la place.

À l'époque, cette phrase répondait honnêtement à la question.)

Ce que Jake ne sait pas, c'est à quel point je m'attache à lui quand il me dit : « Je t'aiderai si tu en as besoin ». Il y a dans ces mots une force douce et réconfortante qui m'invite à me laisser aller, à le laisser m'aider même si je n'en ai pas réellement besoin. C'est lui déjà qui a insisté pour prendre en charge tous les frais de notre « relation longue distance » : c'est toujours lui qui m'appelle, toujours lui qui se déplace. « C'est cher, mais ça me rapporte trois fois plus que ce que j'ai dépensé », a-t-il répondu en riant à mes protestations.

J'en ai assez de tout supporter toute seule. Dans les années qui ont suivi la mort de Tim, j'ai essayé de prendre soin de ma mère et de mon père. Depuis que papa est mort, surtout, j'ai toujours été là pour épauler maman en cas de besoin. Toutes ses forces l'avaient quittée à la suite de l'inondation. Elle restait assise dans une chaise berçante devant la fenêtre, le regard fixé au-dehors, toute la tension contenue dans son corps agissant comme une vague invisible qui le gardait en mouvement pendant que la bouilloire chauffait à vide et que la maison s'emplissait de l'odeur âcre du cuivre brûlé. Elle commençait alors à se remuer pour dénicher quelque chose pour le repas, la plupart du temps des spaghettis en boîte et des petits pois congelés. Tout d'un coup, sans raison, elle pouvait être prise d'une peur panique qu'il m'arrive quelque chose mais, l'instant d'après, résignée devant son impuissance, je pense, elle se réfugiait de nouveau derrière l'écran de ses yeux. Je ne lui en veux pas. Je ne lui en ai jamais voulu, bien qu'à l'époque j'aurais aimé être assez intéressante et lui apporter suffisamment de satisfactions pour la tirer de sa torpeur. À neuf ans, je soulevais régulièrement la bouilloire de la cuisinière pour vérifier qu'elle était pleine et je rentrais à la maison le midi au lieu de manger à la cafétéria de l'école.

Jake est un homme robuste, grand et svelte, et assez musclé pour avoir une très très belle prestance dans ses vêtements. Je le trouve beau, tout en reconnaissant qu'il ne l'est pas au sens conventionnel du terme. Son nez est peut-être un peu trop gros pour être vraiment séduisant — mais qui juge les traits isolément? Il a de beaux yeux bleus, écartés et ourlés d'une vague de cils noirs, et un rire que j'adore, un petit rire de baryton que je cherche à provoquer par des réponses spirituelles. Ses grandes mains noueuses sont la seule chose qui ne soit pas douce chez lui, mais elles lui donnent un air spontané et naturel. Et puis sa douceur est mêlée d'un charme enfantin, d'une tendance à la taquinerie. Et il s'attend à être taquiné en retour. Ses cheveux, droits et d'un brun commun, n'attirent pas l'attention, mais ils ne donnent aucun signe de calvitie naissante, courante chez les hommes ayant passé la trentaine. J'ai découvert un tout petit éclat au coin de l'une de ses incisives. Je me demande si une autre femme l'a déjà remarqué. J'espère que non, mais je ne poserai pas la question. Je perçois intuitivement qu'il veut conserver une certaine distance entre nous et, bien que quelque chose me pousse à essayer de la franchir, je suis consciente d'avoir moi aussi mes secrets. C'est probablement la raison pour laquelle je ne suis pas mariée. Personne n'a encore mérité ma totale confiance. Je fais instinctivement un test décisif avec ces deux révélations : comment j'ai laissé mourir mon frère et ma peur panique de l'eau. Si, après un certain temps, je n'ai toujours pas décidé de m'ouvrir sur ces sujets, eh bien, je m'éloigne. Je n'en ai parlé à personne jusqu'à aujourd'hui.

Jake pourrait bien être celui à qui je vais m'en ouvrir. Non que je puisse un jour me surprendre à lui dire pourquoi je ne veux pas aller aux Bahamas, mais je me surprends à envisager de lui faire cette révélation.

— Quelle est la date limite pour ton — notre — départ ? lui ai-je demandé.

Une idée a commencé à germer dans mon esprit.

— C'est une prime pour le dernier trimestre : j'imagine qu'il faudrait que je parte avant la fin du prochain trimestre.

Il parle sur un ton facétieux, comme si c'était évident. Cela l'est peut-être. Je pince quelques poils de sa poitrine entre l'index et le majeur.

— On va voir, d'accord ? Je veux dire, voir combien je vais avoir de patients. Je pourrai peut-être nous réserver une semaine en mai.

Je remets en place le drap vert foncé, le replie soigneusement sur le liseré de la couverture.

— Mai ? Oh, ma chérie, c'est tellement loin.

J'adore l'entendre me dire des mots tendres. J'estime ne pas être le genre de femme à les encourager, et que Jake donne dans cette faiblesse me fait une forte impression.

— Je sais, dis-je, mais... il y a des dispositions à prendre, des affaires à régler... tu comprends.

— Je comprends, dit-il. Je sais. Mais on ira... J'ai hâte de te voir en bikini. Hum, non, pas besoin de plongée après tout ; la pêche, ça suffira peut-être. On verra ce que je peux attraper dans l'eau... comme dessert.

Il prend un air lubrique et se met à rire.

— Ce sera la célébration de notre relation, ma chérie. Après ça, j'arrête les déplacements. On s'installe quelque part et on met un *bambino* en route, hein ?

— Holà ! dis-je en riant. Commençons par le commencement.

Mais Jake sait bien que je veux un bébé.

Il m'embrasse alors et, en réponse, j'arque le dos, offrant ma poitrine. Il gémit :

— Je ne peux pas, il faut que j'y aille.

— Non... Je croyais que tu restais ce soir.

— Peux pas, mon amour. Faut que j'y sois tôt demain. Je vais partir ce soir. J'ai une réservation sur le vol navette.

Il pivote et pose les pieds à terre, attrape le pantalon bleu marine qu'il a laissé sur mon fauteuil de lecture et reboutonne sa chemise Oxford à manches longues. C'est la rayée bleu très clair et bleu brillant que j'ai achetée pour lui.

— Tu sais que tu as ton chandail vert dans le tiroir. Je l'ai lavé.

Jake a pris possession d'un des tiroirs de ma commode et il fait pression sur moi pour en avoir un deuxième.

— Je sais. Je vais porter ce que j'ai sur moi ce soir, ça sera un souci de moins.

Il noue sa cravate en cachemire bleu. Tout ce bleu fait ressortir celui de ses yeux. C'est ce que j'avais pensé en achetant la cravate.

Je ramène le drap sur moi.

— Tu vas me manquer, dis-je, un sentiment que je ne m'autorise que depuis peu.

Je n'aime pas que mon appartement soit devenu comme incomplet quand il n'est pas là.

Plus tard, après m'être lavée et avoir sorti mon tailleur vert pâle pour le lendemain, je m'allonge dans le noir et repense à l'idée que j'ai eue. Peut-être n'est-ce pas seulement Jake qui a besoin d'être testé.

~

Cette idée m'est d'abord venue indirectement, de l'un de mes collègues qui proposait une thérapie de groupe bon marché aux gens que la peur empêche de prendre l'avion même quand ils y sont obligés. Les séances avaient lieu tous les mercredis soir pendant huit semaines. Mon collègue avait fait de l'argent et deux participants (sur quinze, un taux de succès qui peut sembler décourageant quand on ne sait pas combien il est difficile de guérir les phobies) avaient pris l'avion à l'issue de la session. À l'époque, je m'étais demandé si on pouvait suivre un cours similaire pour la peur de l'eau, mais je n'ai jamais donné suite. Je n'avais pas vraiment de raison de le faire, peut-être jusqu'à maintenant. Et si je pouvais me débarrasser de cette phobie ? Et si je pouvais apprendre à nager ?

Même si je n'y donne pas suite, le fait d'envisager ce genre de chose en dit long sur ma relation avec Jake. Je ne sais pas exactement ce qui m'attire chez lui (cela me perturbe quand je prends le temps d'y penser d'ailleurs). Je vis, tout simplement, ma première expérience de ce que mes patients — prêts à tout justifier — appellent « une réaction chimique ». Issu d'un milieu relativement aisé, instruit (mais moins que moi, quoique, dans son domaine, à la différence du mien, on n'ait pas besoin d'un doctorat), il est représentant et dépanneur chez IBM et s'occupe des énormes ordinateurs centraux qu'on trouve dans les universités et les grandes entreprises. Il y a beaucoup de choses dont nous n'avons pas parlé, ce qui étonnerait grandement ceux qui me connaissent. Plus d'un ami m'a déjà dit qu'il n'était pas nécessaire de discuter à n'en plus finir mais, jusqu'à ce que je rencontre Jake, je demeurais persuadée que la communication entre les âmes passait par le langage.

Je ne veux pas dire par là que nous ne parlons pas. Bien sûr que nous parlons. Je veux dire que nos espaces psychiques semblent avoir été en harmonie l'un avec l'autre dès le début. J'avais le sentiment d'avoir rêvé Jake avant de le rencontrer ou de l'avoir connu dans une vie antérieure, pas sur un stationnement de *McDonald's*, ce soir où il s'était jeté en arrière pour éviter un adolescent en patins à roulettes, envoyant du même coup dans les airs mon gobelet de café.

« Oh, mon Dieu, je suis vraiment désolé. Vous êtes brûlée ? » a-t-il demandé en se retournant, me voyant secouer la main droite.

Il a tout de suite attrapé dans sa poche un mouchoir blanc soigneusement repassé et plié.

« Tout va bien, ne salissez pas votre mouchoir, j'en ai en papier », lui ai-je dit en ébauchant un mouvement pour les atteindre.

Mais il a été plus rapide que moi. Il a ramassé ma main, littéralement, et l'a essuyée d'un geste qui m'a donné envie de pleurer tant il était tendre. Jamais un homme ne m'avait touchée de cette manière auparavant. Mon père était du genre réservé, bon, mais distant, même à l'approche de la mort.

« Oubliez le mouchoir. Est-ce que vous avez reçu du café ailleurs ? Je suis vraiment désolé », a-t-il dit en me regardant droit dans les yeux.

Je sais, c'est ridicule, mais j'ai fait comme lui à ce moment-là. Je ne suis pas de celles qui se font draguer ; si c'était le cas, je sortirais plus que je ne le fais. J'ai eu des aventures comme tout le monde, mais les relations sans lendemain ne m'intéressent pas et les sérieuses n'ont pas duré.

« Je vous en prie, laissez-moi vous accompagner à l'intérieur. Ça rougit, vous êtes brûlée. Je suis sûr qu'ils ont une trousse de premiers soins. Je m'appelle Jake Whitney », a-t-il dit.

Disons-le honnêtement : j'ai vérifié, pas d'alliance. Et il était tellement... tellement gentil, c'est le mot. Il n'a pas cherché à me draguer tout en étant gentil, et il m'est apparu d'autant plus sexy.

« Il n'y a vraiment aucun mal », ai-je dit, mais le ton de ma voix laissait entendre qu'il ne fallait pas qu'il abandonne.

Une voiture s'est engagée dans le stationnement et il m'a prise par le coude pour me ramener sur le trottoir. Il était plus grand que moi, malgré les talons hauts que je porte pour aller travailler. Une femme d'un mètre soixante-dix en talons hauts est aussi grande que bien des hommes et j'en suis généralement contente, mais la taille de Jake et son geste me plaisaient.

Notre relation a débuté aussi simplement que ça.

Je ne le voyais pas souvent au début, mais je pensais à lui et je ressentais un plaisir viscéral quand il m'appelait. Nous ne parlions jamais de choses trop personnelles. Plutôt, une ombre fugace et prometteuse se dessinait sous la surface des choses, suggérant que nous ne faisions que remettre les confidences à plus tard.

Un soir, après plusieurs soupers en tête-à-tête, il m'a appelée d'Atlanta, son point de chute :

« Je vais pouvoir passer la nuit à Auburn mardi prochain. Je me demandais si tu étais libre pour souper. Je pourrais...

— Oui, dis-je. »

Et je savais exactement quel type d'invitation j'acceptais et quel type d'invitation je lançais.

Je me suis endormie en pensant aux cours de natation hier soir et ce matin. Je me dis que non, il n'y a rien à perdre à examiner la question. Rien ne me force à suivre ces cours. Je peux me limiter à voir si c'est possible. Ces efforts pour me convaincre moi-même me rendent fébrile ce matin entre mon premier patient, Sam Hamilton, dont la dépression s'est de nouveau aggravée, et le deuxième rendez-vous de la matinée, une nouvelle patiente. Tracy Haltman m'a été adressée par son médecin qui en avait assez que Tracy l'appelle chaque fois qu'elle se pensait, à tort, terrassée par une crise cardiaque, elle qui n'en avait jamais eu. Nous travaillons ensemble dans mon bureau, un appartement au deuxième étage, baigné d'une verdure prospère grâce à la lumière qui arrive de la baie vitrée. Une patiente satisfaite me dit qu'elle a l'impression d'y être dans un nid. Cette image me plaît à moi aussi, pour la sérénité et la sécurité qu'elle évoque. Les murs sont de couleur crème, les sièges couverts d'un tissu beige neutre et j'ai mis une moquette brun terre. Des touches de bleu lient l'ensemble — des coussins et quelques photos encadrées prises au cours de mes rares vacances, pour la plupart des paysages où le ciel est toujours clair et bleu.

Pendant ma pause du midi, j'appelle deux clubs de sport. L'un n'a pas de piscine. L'autre oui, mais :

— Nous n'avons pas de maître nageur, dit la femme qui me répond. Vous signez une décharge et nagez à vos risques et périls.

— Il y a des cours ?

Ma question sous-entend « de natation ».

— D'aquajogging, répond-elle joyeusement. Par des moniteurs brevetés.

— Des cours de natation ?

— Non. En fait, d'habitude on ne vient pas chez nous pour nager...

— Vous connaissez un endroit pour ça, où on donne des cours ?

— Le YMCA [1], peut-être, dans l'ouest de la ville.

Je cherche le numéro et me force à le composer.

— Oh, mais bien sûr ! Des cours de natation, nous en avons des centaines, répond l'employée du YMCA.

— Il y en a pour adultes ? dis-je en espérant qu'elle réponde par la négative.

— On en a beaucoup, dit-elle avec enthousiasme. Est-ce que vous voulez apprendre à nager ou est-ce que c'est un cours de perfectionnement que vous cherchez ?

— Je suis débutante, dis-je pour débuter.

---

1. Young Men's Christian Association. Lieu de rencontre proposant diverses activités, sportives ou non. Abrégé fautivement en « Y» (prononcer ouaï). (NDT)

Marna

Parfois, je rêve que je noie mon mari.

Ça pourrait arriver, vous savez. Je suis assez forte pour ça. Quand on vivait sur le campus de Sacramento State, il avait le don de me taquiner en ramenant sur le tapis la traversée de la Manche. Il arrivait à la piscine où je m'entraînais, se penchait par-dessus la balustrade des tribunes et me sifflait comme une otarie savante. Tout ça pour me dire qu'avec son nouveau logiciel tout marchait comme sur des roulettes, pas le moindre pépin. « Alors, si on en profitait pour mettre les voiles et quitter le campus un peu plus tôt, hein ? » Et moi d'agiter docilement la main, de bâcler mes sprints en style libre et de filer avant la fin de l'entraînement. Coach m'aurait bien tordu le cou. J.W., lui, se contentait de donner une claque désinvolte sur mon derrière mouillé en disant avec son petit rire charmeur : « Relaxe, Coach, tu sais bien qu'elle pourrait traverser la Manche à la nage, aller et retour ! »

Depuis quelque temps, j'arrive à la piscine du YMCA très tôt, avant que les surveillants ne soient à leur poste. Avant de parcourir mon kilomètre et demi de réchauffement, je fais la planche. Je flotte sur le dos et le même cauchemar se met à défiler dans ma tête : mon mari est dans l'eau, je m'approche de lui par-derrière, comme on fait pour porter secours à quelqu'un qui se noie. Mais c'est pour le saisir aux épaules et l'entraîner dans ces profondeurs où je suis dans mon domaine, pas lui. À ce moment précis, j'entends des pas. C'est Eric ou Chris qui grimpe l'escalier, glisse une cassette de R.E.M. ou des Indigo Girls dans le lecteur et me crie : « Hé, Marna, tu veux bien mettre les flotteurs des couloirs en place, s'il te plaît ? » J'arrête alors de me ronger en pensant à J.W., au moins pour la matinée. Je fais mon réchauffement. Puis c'est le début de ma leçon de natation du matin pour les arthritiques. J'aide Selma et Louise à descendre dans la piscine. Mon mari a provisoirement la vie sauve.

Maintenant que J.W. passe son temps sur la route, sans arrêt en voyage d'affaires, je passe de plus en plus de temps à la piscine. L'automne dernier, j'ai accepté de me charger de deux cours de natation pour adultes de plus, l'un destiné aux arthritiques, l'autre aux convalescents qui se remettent d'une crise cardiaque. Même si ça m'a obligée, pendant tout le mois de septembre, à me mêler dans un hôpital à des infirmières chaussées de gros souliers blancs à semelle de crêpe pour rafraîchir mes connaissances en techniques de réanimation.

Malgré tout, c'était plus facile de noircir d'activités le calendrier aimanté sur la porte du frigo que de soupirer sans arrêt en pensant au temps fou que J.W. consacre à son boulot depuis qu'on a emménagé dans l'Ohio. Pour la première fois en treize ans de mariage, quelque chose au fond de moi m'exhorte à ne pas me morfondre à attendre son retour. Quelque chose au fond de moi me répète comme autrefois Roxie, ma mère : « Débrouille-toi comme une grande, Marna. T'es capable, non ? »

~

Après tout, c'est en me débrouillant comme une grande que j'ai appris à nager. Quand ma mère a coupé les ponts avec mes grands-parents, que j'appelais Gamma et Poppa, j'avais deux ans et Roxie, à peine dix-huit. Nous vivions chez eux depuis ma naissance, qui a chambardé lamentablement la deuxième année de collège de Roxie et lui a valu d'être relevée sans gloire de ses fonctions de meneuse de claque, catégorie universitaire junior, au collège de Roseville. Gamma et Poppa semblaient prendre ma présence en ce monde avec un peu plus d'enthousiasme que ma mère, c'est pourquoi je n'ai jamais compris qu'elle m'ait traînée dans ses bagages quand elle a quitté la chic demeure ombragée d'arbres de grand-papa pour le parc de maisons mobiles de Gold Strike. J'étais sans doute mignonne à l'époque, et elle me voyait comme un accessoire plus original que les petites voitures de sport rouges ou les chiens bassets qui défilaient jusque-là dans son existence. Mon premier vrai souvenir, celui que je peux retrouver sans avoir à me fier à la version de Roxie, me ramène à la cuisine, à peine plus grande qu'une boîte de conserve, de la caravane jaune citron toute déglinguée où nous vivions en Californie. Roxie, les doigts en éventail crânement posés sur la hanche, me mettait au défi : « T'es pas capable, Marna ? Tu peux pas y arriver toute seule ? »

Croyez-le ou non, le terrain du Gold Strike possédait une piscine intérieure de vingt mètres de long, avec une baie vitrée sous le niveau de l'eau qui donnait sur une salle de loisirs humide, au sol de béton, agrémentée d'une table de billard et d'une chaîne stéréo d'avant le déluge. La baie s'ouvrait du côté du grand bain, pour que les résidents qui préféraient se divertir au sec puissent voir les plongeurs fendre l'eau dans une gerbe de bulles. Un peu plus tard, quand j'ai eu quatre ou cinq ans, je jouais avec ma petite copine Debbie Smart, dont la mère avait un salon de beauté dans la maison mobile voisine de la nôtre, à changer de position devant cette fenêtre. « Toi d'abord, disait-elle, et attends que j'arrive à la fenêtre. » Je grimpais l'échelle métallique qui menait au plongeoir et je me lançais à l'eau, plongeant au fond de la piscine les yeux grands ouverts. Puis je remontais jusqu'à la baie donnant sur la salle de loisirs, je pressais mes lèvres comme une carpe contre le verre et je faisais d'affreuses grimaces pour faire rire Debbie. J'étais une experte car, dès que j'ai su nager, l'eau ne m'a plus jamais fait peur. Le tour de Debbie venait, et sa performance était loin de valoir la mienne : elle n'avait pas mes poumons d'acier. Toute dégoulinante, j'allais me planter devant la fenêtre, le cou enveloppé dans une serviette moelleuse chipée dans la pile de Roxie, et j'attendais l'entrée en scène de Debbie. Elle se contentait de plonger la tête dans l'eau en restant sur le bord de la piscine. Des bulles s'accrochaient à ses narines et à ses lèvres comme des perles de mercure, ses beaux cheveux noirs flottaient comme des algues autour de son visage, agités par les tourbillons d'eau. Elle essayait de me faire rire.

Mais je m'égare. Je disais donc que les principes d'éducation adoptés par Roxie se résumaient à ces mots : « Débrouille-toi sans moi. » Lancée dans la vie comme un chiot dans l'eau froide, j'avais développé seule mon plus grand talent, celui qui m'a valu la première place dans le cœur de J.W., m'a permis d'entrer au collège munie d'une modeste bourse d'espoir sportif et m'a empêchée de devenir la réplique de ma mère.

J'ignore toujours ce qui a causé le départ de Roxie de chez Gamma et Poppa. Refus de rentrer à l'heure, de réciter la prière avant le repas, petit ami introduit de nuit dans la maison? Toujours est-il qu'un jour, elle a rassemblé dans sa chambre rose de la Quatrième Rue ses quelques possessions, se souvenant de justesse de moi et de mon berceau. Elle s'est trouvé un travail de secrétaire au cabinet du docteur Decker, s'est inscrite à des cours de rattrapage. Et bien sûr, elle s'est installée dans la vieille caravane jaune du parc Gold Strike. À l'intérieur flottait la même odeur de pauvreté qu'à la banque alimentaire où Roxie s'approvisionnait en conserves toutes cabossées. « Spaghetti en boîte, maïs en crème, pêches au sirop. On a là tous les groupes alimentaires, Marna », me disait-elle en me versant la nourriture dans des assiettes en carton, doublées pour que je ne les renverse pas. Une fois que ma mère a pris la décision de vivre sa vie, elle n'a jamais demandé un sou à personne, ni au gouvernement ni à ses parents, je dois l'avouer. Elle n'était pas parfaite, mais elle a su assumer sa plus grande erreur (ma naissance) et, au moins, elle a fait son chemin dans le monde en se débrouillant par elle-même.

Après avoir travaillé toute la semaine et payé la mère de Debbie pour me garder, Roxie estimait que le week-end lui appartenait. Roseville avait des étés torrides, et la canicule faisait parfois grimper le thermomètre jusqu'à trente-cinq degrés pendant plusieurs jours. La grande piscine où on pouvait se baigner gratuitement et le bikini dans lequel ma mère exhibait son hâle exerçaient sur les jeunes mâles du coin une telle force d'attraction que Roxie n'était jamais à court de petits amis. C'était pour elle une sorte de trophée : une marque à la fois de sa déchéance et de son indépendance, des attributs qui la rendaient séduisante aux yeux des hommes et lui valaient en ville une réputation douteuse. Je me souviens de l'odeur du chlore mêlée à celle de l'huile à bronzer, des gerbes d'eau soulevées par les gamins du parc qui s'amusaient à « faire des bombes », des bouteilles de bière débouchées qui laissaient échapper leur écume. Et surtout, des muscles minces et durs des petits amis de ma mère quand ils me portaient au bord du petit bain et faisaient mine de vouloir me noyer, tandis que Roxie rabattait ses lunettes de soleil sur ses yeux et sirotait sa bière avec indifférence.

L'un de ces hommes avait un penchant pour la cruauté : avec lui, le jeu ne se limitait pas à faire semblant de me noyer. Roxie jure maintenant que c'était T-Bone, mais dans mes souvenirs, c'est Don Ray, qui est venu plus tard et a duré plus longtemps. Disons donc que c'était T-Bone, puisque Roxie y tient mordicus et que, de toute façon, le nom importe peu à présent. Il me lançait en l'air et me rattrapait juste avant que ma tête ne s'enfonce dans l'eau. Roxie raconte encore sa propre version de l'histoire : je hurlais à pleins poumons en l'appelant à l'aide mais elle ne levait pas le petit doigt, persuadée que c'était une manière de m'endurcir. « C'est en se cognant aux meubles que les gamins apprennent à marcher, non ? »

Et puis, jure-t-elle maintenant, T-Bone ne m'aurait jamais laissée me noyer. Toujours est-il qu'un jour j'ai cessé de résister. Quand il m'a lancée dans la piscine, je n'ai ni hurlé ni gesticulé. Et ce jour-là, T-Bone ne m'a pas rattrapée. Je me suis enfoncée dans le petit bain, où il y avait à peine un mètre d'eau : de quoi paniquer tout de même quand on l'a au-dessus de la tête et qu'on est encore un bébé. Roxie raconte que j'ai coulé au fond en retenant mon souffle, sans boire la tasse et friser la noyade comme le font les enfants effrayés. Les joues gonflées d'air, je me suis immobilisée au fond de la piscine comme si c'était un refuge sûr d'où je pouvais narguer T-Bone. C'est à ce moment-là que j'ai appris à flotter. Et la fois suivante, quand il m'a soulevée et a fait mine de me jeter dans le grand bain, j'ai glissé de ses bras, la bouche fermée et les yeux bien ouverts. En remuant les bras et les jambes comme un jeune chien, j'ai regagné le bord par mes propres moyens. Je leur ai montré que j'étais capable de nager. Seule et sans aide.

On ne peut pas narguer J.W. comme on nargue T-Bone. Pour une raison évidente : J.W. n'est pas homme à lancer dans les airs quelqu'un de plus faible, histoire de prendre son pied. Ce genre de motivation n'appartient qu'aux gens de la trempe de T-Bone, et ceux-là, j'ai appris à les éviter. Ce que fait J.W., en s'éclipsant parfois trois ou quatre jours quand il installe de gros réseaux, n'est pas dirigé contre moi, contre notre foyer ou la vie de couple que nous menons depuis presque treize ans. J.W. parcourt le vaste monde pour lui-même, pour améliorer sa place dans son entreprise, parce qu'un homme se doit de rechercher le succès quand il gravite dans un univers où amour-propre et accomplissement personnel riment avec échelon hiérarchique et gros compte bancaire. Ce que je trouve dur à avaler, ce qui me blesse même, c'est qu'il ne semble jamais se soucier de moi quand il accepte sans préavis d'aller travailler à quatre États de chez nous. Il ne se donne même pas la peine de faire semblant de me consulter. Le matin, quand j'ai moulu son café préféré, servi son jus d'orange, disposé bien à plat le journal sur la table comme il l'aime, il n'a pas la délicatesse de me demander : « Marna, il est possible que j'aille installer un système au Nouveau-Mexique, à un ou deux endroits. Y verrais-tu un inconvénient ? » Au lieu de cela, J.W. me parle de son emploi du temps comme si je ne pouvais qu'être d'accord avec ce qui est déjà décidé. Bien entendu, chaque fois je m'efface docilement, comme d'habitude. Mais depuis quelque temps, quand je lui dis : « Bien sûr, chéri » et que je vais marquer d'une croix ses absences sur le calendrier, je ressens une irritation, une impatience, comme si je me forçais à entrer dans un vêtement trop étroit. Comme si, d'un coup, j'avais grandi.

Mon mari a toujours tout décidé pour moi. Depuis le collège, c'est comme ça. Depuis notre première rencontre, c'est comme ça. En quelques mots, il a fixé à jamais la manière dont les choses allaient se passer entre nous.

~

C'était au printemps de notre dernière année au collège de Roseville, qui venait d'accueillir les Jeux régionaux de Californie du Nord, édition 1980. Cet honneur, le digne établissement le devait sans doute beaucoup moins au prestige de ses athlètes qu'à sa piscine olympique équipée de rigoles extérieures. J'étais considérée comme l'espoir de l'équipe féminine. L'année précédente, mes performances en style libre dans le cinquante mètres m'avaient permis d'être sélectionnée pour les Jeux nationaux, un résultat remarquable pour une gamine qui n'avait pas suivi la filière des clubs mais s'était entraînée dans la piscine d'un parc de maisons mobiles. Cela, les journalistes sportifs locaux aimaient à le raconter à leurs lecteurs. J'étais assez rapide pour ne pas être associée à la réputation bovine que les nageuses avaient parmi les footballeurs et leurs meneuses de claque. Et j'étais assez discrète pour ne jamais fournir à personne l'occasion de me remettre à ma place. J'étais bien la fille de Roxie sur ce plan : obstinée dans la poursuite de mes objectifs, mais bouche cousue quand il s'agissait de les faire partager à autrui.

Jusqu'à ce que J.W. fasse irruption dans ma vie.

Je venais de remporter le cent mètres en style libre avec une longueur d'avance sur une fille de Santa Clara dont Coach Templeton m'avait dit de me méfier. « Surveille-la bien, Marna ! » Comme si une sprinteuse pouvait sentir autre chose que le furieux afflux d'adrénaline qui la propulse à travers la piscine, et l'effort de ses bras qui fendent l'eau et l'air. Quand j'ai touché le mur, j'ai vu arriver ma concurrente derrière moi. Et avant même qu'elle ait retiré ses lunettes de plongée, je lui tendais la main par-dessus les flotteurs du couloir.

Honnêtement, il n'y avait rien de sincère dans cette marque d'esprit sportif. J'obéissais aux consignes de Coach, c'est tout. En vérité, je haïssais cette fille de Santa Clara. C'est par pure vengeance que je lui avais volé la victoire. Pour lui faire payer le regard insolent qu'elle avait eu pour mon équipe dans le vestiaire. En secouant son casque de cheveux blonds bien coupés, elle avait murmuré à son amie, assez fort pour que nous puissions l'entendre : « Seigneur, regarde un peu cette bande de péquenaudes ! »

Après sa défaite, ignorant ma main tendue, elle a balayé l'eau d'un geste rageur. Déjà Coach m'avait tirée de la piscine et me serrait dans ses bras, en hurlant que j'allais faire un malheur aux Jeux nationaux, que je venais encore d'améliorer mon meilleur temps.

J.W. avait assisté à l'épreuve. Il devait être dix-huit heures, trop tôt pour que les spots soient allumés. Le soleil couchant jetait un éclat vitreux sur l'eau calme de la piscine. J'ignore pour quelle raison il s'était arrêté en chemin pour assister à ma course. En général, les joueurs de football se préoccupent bien peu des compétitions de natation ! Cependant, nous n'étions pas des inconnus l'un pour l'autre. Durant notre première année de collège, nous avions fréquenté le même cours d'anglais, et parfois, quand nous nous croisions dans les couloirs, il accrochait mon regard avec un demi-sourire : « Hé, salut, là ! » Je le connaissais assez pour savoir ce qui lui avait valu d'être surnommé par ses deux initiales. Pour lui, j'étais sans doute Marna, tout simplement, la brave fille qui a toujours un stylo-bille de rechange à prêter.

Debbie Smart en savait beaucoup plus sur lui que moi à l'époque. Il faut dire que sa mère avait fini par grimper dans l'échelle sociale :

un industriel de Roseville qui avait fait fortune dans les produits laitiers l'avait enlevée au Gold Strike pour convoler en justes noces. Au moment où nous sommes entrées au collège, Debbie vivait dans la banlieue cossue de Parkwest, où J.W. et sa famille avaient aussi leur maison. Nous sommes restées bonnes amies parce que, aux yeux de Debbie, j'avais cette aura de future championne qu'elle n'a jamais réussi à acquérir, et aussi parce qu'elle aimait être pour moi le lien entre deux univers. On s'échangeait des services : Deb était sûre de faire partie de mon équipe de relais, quelles que soient les circonstances. Et grâce à elle, j'avais une fenêtre ouverte sur l'univers raffiné de Parkwest, où personne n'ornait son jardin de hideuses jonquilles en plastique et où beignets et lait au chocolat ne faisaient pas un petit-déjeuner digne de ce nom. La plupart des résidences de Parkwest avaient des piscines. De dimensions plus modestes que celle de Gold Strike, cependant. Elles étaient ovales ou en forme de haricot; on y descendait par des marches en céramique au design recherché. Roxie et la mère de Debbie s'y prélassaient parfois et revivaient les meilleurs moments de leur folle jeunesse dans Gold Strike tout en buvant du vin blanc dans des tasses en carton.

Les parents de J.W., Merle et Olive Whitney, avaient aussi une maison avec piscine, à deux coins de rue de la nouvelle résidence de Debbie. Pourtant, les gamins du quartier préféraient à ces pataugeoires de luxe le Grand Bourbier, comme on surnommait par plaisanterie un canal d'écoulement dont les eaux inondaient au début du printemps le bord des longues pelouses mais serpentaient paresseusement à travers les jardins en été. La maison des Whitney était une des plus anciennes du secteur. Adossée au canal, elle était située sur un terrain si bien dissimulé aux regards des passants qu'on ne pouvait apercevoir de la rue les grandes baies vitrées du salon qui donnaient sur une pelouse tondue avec la précision d'une coupe militaire par une discrète équipe de jardiniers mexicains.

« Les Whitney ont été les premiers à s'installer ici », avait dit une fois le beau-père de Debbie. Cela sous-entendait qu'ils étaient à leur aise : les terrains les plus près du canal avaient été acquis par les résidents les plus fortunés.

Vers huit ou neuf ans, J.W. construisit dans le grand chêne qui dominait le canal une cabane qui devint le point de rassemblement des gamins les plus privilégiés de Parkwest jusqu'à ce qu'ils aient l'âge d'entrer au collège. Les copains de J.W. l'appelaient Tarzan parce qu'il avait l'habitude de se balancer au-dessus du canal au bout d'une grosse corde accrochée à l'une des plus hautes branches du chêne. Un jour, il se mit à ponctuer ses atterrissages d'un cri aigu qui glaçait le sang des mères du voisinage. On le rebaptisa alors Johnny Weissmuller en l'honneur du héros de la jungle à la chevelure sombre et à la poitrine nue, incarné par un ancien champion olympique dans les vieux films en noir et blanc que les gamins regardaient en sifflant la bière volée dans les minibars de leurs pères. Johnny Weissmuller fut ensuite abrégé en J.W., et pendant vingt-cinq ans même Merle et Olive ont pris l'habitude d'appeler ainsi leur fils unique, aujourd'hui mon mari.

Quand Coach a finalement desserré son étreinte, ce fut au tour de nos cocapitaines, Debbie et Ardena Wales, de me sauter au cou et de m'envelopper d'une serviette. Je me suis retournée et j'ai vu J.W., debout près de notre banc. Il me regardait comme s'il venait de trouver quelque chose de précieux, qu'il avait failli manquer par négligence ou par ignorance.

« Belle course, Marna, dit-il en prononçant mon nom comme s'il lui appartenait.

— Merci, balbutiai-je en m'essuyant la bouche du coin de la serviette.

— C'est ton meilleur temps ?

— D'après Coach, oui.

— Tu les as bien eues, hein ?

— Je les ai bien eues.

— T'es vraiment rapide, dit-il en me regardant, la tête penchée. »

Son regard me donnait une puissance que je ne m'imaginais pas posséder.

« Vraiment, vraiment rapide. »

J'ai ôté ma serviette de mes épaules et j'ai tendu la main vers un tee-shirt sec étendu sur le banc. J.W. a intercepté mon geste, a secoué les manches du tee-shirt et m'a aidée à l'enfiler. Il ne faisait pas froid, mais la chute d'adrénaline après la course, le toucher de ses doigts, sa manière de me masser les épaules comme si j'étais une enfant qui venait de se cogner, tout cela m'a fait frissonner.

« Je te ramène chez toi? Et après, qu'est-ce que tu dirais d'un hamburger chez *Mel*? »

J'ai enfilé mon survêtement, glissé mes pieds dans des sandales en caoutchouc jaune.

« Ça va.

— Ça veut dire quoi, ça va? Oui ou non, merci? »

J'ai levé les yeux vers son visage encadré de cheveux châtain clair juste un peu plus longs que ceux des autres garçons de l'équipe des Raiders de Roseville, j'ai plongé mon regard dans ses yeux bleu lagon qui m'avaient toujours tant intimidée et j'ai répondu :

« Ça veut dire oui. C'est d'accord. »

Ainsi, J.W. m'a choisie. Il m'a choisie mais il aurait dû savoir que le fait même de me choisir était une manière de décider pour moi.

Je suis retournée au vestiaire pour dire à Deb de ne pas m'attendre dans le stationnement, parce que J.W. me ramenait à la maison. Les filles de Santa Clara étaient encore sous la douche, s'interpellant les unes les autres et critiquant d'une voix perçante le style de notre équipe de relais, même si — ou peut-être parce que — nous les avions battues à plates coutures. La blonde qui avait refusé ma poignée de main avait enturbanné sa chevelure d'une serviette jaune. Elle me barra le passage et me lança une insulte si basse que même aujourd'hui je déteste m'en souvenir. Deb contourna les armoires et vint à la rescousse.

« Répète un peu ce que tu viens de dire à ma copine?

— Ta *copine*? Je ne vois rien de féminin ici, dit la blonde en minaudant.

— Répète ce que tu lui as dit.

— J'ai dit que ce n'est pas étonnant qu'une bande de gardiennes de vaches comme vous autres ait gagné.

— Ah oui? répliqua Debbie sans élever la voix. On a gagné parce qu'on est les meilleures. Pas besoin d'être savant à la NASA pour le comprendre.

— Vous avez gagné parce que cette chose au sexe indéterminé est bourrée de stéroïdes », dit la blonde en déroulant son turban et en peignant de ses doigts sa chevelure humide.

Tout en parlant, elle s'éloignait prudemment de Debbie.

Vous pensez sans doute que Debbie s'est jetée sur elle pour passer aux arguments musclés, mais Deb n'était pas fille à céder à la provocation. Elle avait plus de force et de grâce. Elle s'est tournée vers moi, m'a pris la main et m'a conduite vers la porte en jetant par-dessus son épaule :

« Marna, n'en veux pas à cette pauvre idiote. Le jour où Dieu a distribué les cervelles, elle a cru qu'on disait poubelles, et elle ne s'est pas présentée. »

Puis elle m'a tirée à l'extérieur, m'envoyant vers J.W.

Il m'a conduite à la maison mobile de Roxie dans sa Coccinelle assortie au bleu de ses yeux. Pendant que je prenais ma douche, il s'est assis sur le canapé au hideux motif fleuri tout en sirotant un Pepsi. Rien ne l'a dissuadé de son choix. Ni le décor minable du Gold Strike, ni les tableaux douteux du salon représentant des chevaux cabrés sur fond de velours noir, ni les salutations articulées d'une voix pâteuse de Ferill Flocks, un bellâtre qui venait de s'ajouter à la liste des petits amis de Roxie. Ni même les épaisses boucles brun terne que j'ai rageusement passées au séchoir tout en me disant que j'échangerais bien ma victoire contre le casque blond de Miss Santa Clara — non par vanité, mais pour le plaisir des yeux de J.W. J'en ai éprouvé envers lui une immense reconnaissance. Et même encore aujourd'hui, je le remercie du fond du cœur d'avoir choisi, avec tant de force et de constance, de m'aimer pour ce que j'avais fait de mieux.

~

J.W. m'a raconté comment il s'était gagné son surnom après que nous ayons quitté Roseville, notre diplôme en poche. Nous sortions ensemble depuis presque trois mois. Même si je haussais les épaules au début quand Debbie utilisait ce terme, « sortir ensemble », j'ai fini par l'aimer car il symbolisait le lien qui se créait entre J.W. et moi. Quand J.W. m'a dit que ses initiales étaient celles de Johnny Weissmuller, j'y ai vu un clin d'œil du destin. L'acteur dont j'avais découpé la photo dans un hebdomadaire de télé pour la coller au coin du miroir de ma commode ! C'était un signe qui semblait me dire : « Qu'est-ce qu'il te faut encore pour que tu arrêtes de douter de ta chance, Marna ? Comment oses-tu manquer de confiance à ce point ? »

Par une chaude soirée du début de juillet sans un souffle d'air, nous regardions le dernier film à la télévision, dans le petit salon de la maison des Whitney rafraîchie par l'air climatisé. Olive venait de passer la tête par l'entrebâillement de la porte en disant :

« Bonne nuit, les enfants. J.W., mon chéri, n'oublie pas que tu dois te lever à sept heures. »

J'adorais sa façon de me mettre à l'aise dans cette maison. Elle m'appelait « ma chérie » ou « trésor » comme si j'avais été sa propre fille. J.W. s'adressait à elle en disant « man » ou, par jeu, « mère » tout en enlaçant tendrement ses épaules rondelettes. Roxie et moi, nous n'avions jamais été l'une pour l'autre que Roxie et Marna. L'idée que Roxie avait du langage, c'est que, si on l'utilisait de manière impersonnelle, il tenait efficacement les gens à distance. Nos prénoms étaient le carcan, la camisole de force emprisonnant les sentiments qui, dans un environnement normal, c'est-à-dire une vraie maison et non une vieille caravane rongée par la rouille, s'épanouissent librement entre une mère et sa fille. Parfois, nous étions ligotées par cet anticonformisme au point de manquer d'oxygène, mais les nœuds étaient si serrés que, même aujourd'hui, il m'est impossible d'appeler Roxie « maman », comme mon mari le fait si naturellement avec Olive.

Après que sa mère se soit éclipsée, J.W. me proposa d'aller contempler les étoiles filantes dans la cabane qu'il avait construite tout gamin dans le grand chêne du jardin. Il éteignit les projecteurs qui illuminaient le patio, grimpa le premier et me tendit galamment sa large main. Nous savions tous les deux que j'étais capable d'escalader le tronc sans aucune aide, mais j'ai pris sa main et je l'ai laissé me tirer vers lui, me déposer sur ses genoux puis sur le plancher branlant en contre-plaqué de la cabane. Sans joindre nos lèvres, nous avons entrelacé nos doigts. Au-dessus de nos têtes, la corde accrochée à une branche haute, baignée par le clair de lune, faisait un trait d'union lumineux entre les eaux sombres du canal et le ciel d'été. J.W. me raconta alors comment il avait gagné dans cette cabane le privilège d'être nommé par les initiales de Johnny Weissmuller. Nous comptions les étoiles filantes, mais je n'avais plus besoin de signes ni de présages pour admettre que j'étais à ma place auprès de J.W. et sentir que, pour la première fois de ma vie, je goûtais un bonheur sans mélange.

J'aime à penser que lorsqu'il a retiré mes lunettes et qu'il a débarrassé mon front de mes boucles en broussaille, il m'a sincèrement trouvée jolie. Il me l'a dit, et j'ai accepté le compliment. J'avais la peau hâlée à force d'être assise huit heures par jour en plein soleil sur la chaise de sauveteur de la piscine où j'étais surveillante. Mes cheveux, brun terne en hiver, s'illuminaient de mèches plus claires. Mes muscles étaient sculptés par les trois heures d'entraînement quotidiennes imposées par Coach tôt le matin. Et j'étais rapide, si rapide que je venais de recevoir une offre pour faire partie de l'équipe de l'université de l'Indiana à Bloomington, une offre qui était encore sur le coin de ma commode, pliée dans une enveloppe vierge. Coach m'avait chaudement encouragée à l'accepter : une place dans cette équipe prestigieuse me conduirait droit aux Olympiques de 1984, disait-il.

« Penses-y bien, Marna, avait-il ajouté en ébouriffant mes cheveux, aussi fier et rempli d'espoir que si j'avais été sa propre fille. On sera tous à Los Angeles pour te regarder gagner. »

Je n'avais parlé à personne de cette proposition. Ni à Roxie, ni à Coach Templeton, encore moins à J.W. Je pressentais sans doute que quelque chose allait transformer ma vie, et cet événement était justement en train de se passer dans la cabane du vieux chêne. J'allais devenir une Whitney, j'allais échapper à cette terreur enfouie au fond de moi qui m'éveillait parfois la nuit, haletante et tétanisée de frayeur, comme si j'avais été encore un bébé sans défense et que T-Bone avait fait irruption dans mes rêves pour m'emporter et me noyer pour de bon. Une autre chose m'effrayait. Ce qui était en train de naître entre J.W. et moi me semblait trop précieux et trop fragile pour prendre le moindre risque de le briser. Même le soumettre à l'épreuve des mots me faisait peur. Cela revenait à défaire un nœud dont la solidité était encore incertaine.

« Tu es bien jolie, ce soir, Marna », me murmura J.W. à l'oreille.

Il glissa les mains sous mon tee-shirt, dégrafa mon soutien-gorge et me coucha sur le plancher branlant. J'enlevai mes vêtements. Il nicha sa tête entre mes seins, les yeux fixés sur les étoiles qui scintillaient entre les branches. Quand nous fûmes nus l'un contre l'autre, il pénétra en moi tandis que j'enlaçais son dos musclé. En le sentant bouger en moi comme s'il entamait le dernier tour de piste au bout d'une longue course, je me sentais enfin telle que j'avais toujours voulu être. Et quand nous avons de nouveau fait l'amour, plus lentement, comme si nous explorions l'un dans l'autre un territoire inconnu, j'ai su que J.W. m'aimait pour tout ce que j'étais, même pour les trous béants que je sentais en moi. À ce moment-là, j'ai fait mon choix en secret. C'était clair à présent : nager pour cette équipe de l'Indiana ne pouvait me sauver de mes cauchemars, alors que J.W., lui, avait ce pouvoir.

~

Maintenant, je le sais. Quand mon mari m'a informée au petit-déjeuner qu'il allait mettre sur pied un nouveau réseau au Nouveau-Mexique — pour moi, cela signifie une autre absence de plusieurs jours —, j'ai senti qu'il tenait une fois pour toutes ma fidélité pour acquise. Cette assurance, j'ai fini par le comprendre, n'est que le prolongement de sa propre confiance en lui, de sa certitude d'être parfaitement aimable. Je ne possède pas cette aptitude, et ce handicap a toujours rendu le jeu inégal entre nous. Loin de moi l'idée de blâmer Roxie de ce trait de caractère. Comment pourrais-je lui en vouloir? On ne peut pas demander à une mère célibataire âgée de seulement seize ans de plus que sa fille de réaliser ce qu'ont fait pour leur fils Olive et Merle. De toute façon, Roxie m'a suffisamment appris de choses, volontairement ou non, pour que je ne la tienne pas responsable des liens qui se relâchent entre J.W. et moi, comme ces nœuds de magicien aussi solides en apparence que des nœuds marins mais qui se défont quand on tire dessus d'un habile coup de poignet.

Parfois, ce qu'on dissimule peut agir avec autant de force qu'un aveu. Les secrets trop bien gardés peuvent nous faucher comme une lame de fond et nous emporter loin de la terre ferme. On voit les vagues de surface venir se briser sur le rivage, on sait que c'est là qu'on veut être, mais quelque chose de sournois venu des eaux sombres de la dissimulation nous entraîne au large.

Je n'ai jamais dit à J.W. que j'avais renoncé pour lui à nager pour l'équipe de l'Indiana.

Il est persuadé — inconsciemment, bien sûr — qu'il était pour moi la meilleure offre, celle qu'on ne peut pas refuser. Il y voit sans doute un trait de sa propre générosité. Quand il m'a dit qu'il restait en Californie et qu'il s'installait à Sacramento State, à quinze minutes de Roseville, il ne s'est pas informé de mes propres projets, tout comme à présent il ne me pose jamais aucune question sur ma classe d'arthritiques ou sur le nouveau monte-charge installé à la piscine. En fait, il m'a présenté les choses comme s'il voulait rester en Californie pour ne pas s'éloigner d'Olive et de Merle. Quelque chose me dit que, dans son esprit, il me faisait la faveur de rester pour que je ne sois pas séparée de ses parents. Puisque de toute façon j'étais prête à le suivre jusqu'au bout de la terre, il se devait de trouver une solution qui me permette de rester auprès des parents qu'il m'avait donnés.

À présent, quand je constate qu'il continue à décider de tout sans m'en parler, je pense à cette enveloppe officielle posée sur ma commode au Gold Strike. Que se serait-il passé si j'avais mis le cap sur l'Indiana ? Je chasse vite cette pensée quand elle se présente, mais je n'avais qu'un pas à faire pour me retrouver aux Olympiques, comme la petite Miss Santa Clara. J'ai suivi sa carrière tout en battant obscurément ses temps de qualification pour les Jeux nationaux à la piscine de Sacramento. À quoi bon flanquer maintenant cette dette sous le nez de J.W. ? Lui aussi m'a donné quelque chose que je ne veux pas rembourser. Je sais qu'il serait injuste de dire à J.W. combien il m'a coûté cher. Mais parfois je brûle qu'il sache cela : au lieu de récolter des médailles aux Olympiques, j'ai appris à mettre la table et à tenir une maison aussi bien qu'Olive. Contre ma volonté, je sens une lame de fond qui m'entraîne dans les eaux troubles de la rancune.

— Marn ! Marnie !

Je brasse une salade de laitue, poivrons rouges et concombres avant de sortir du four les poitrines de poulet marinées. Ensuite, je n'aurai plus qu'à faire réchauffer pendant dix minutes le pain à l'ail, et nous pourrons nous mettre à table.

— Marn !

La table de la salle à manger est mise avec raffinement, exactement comme Olive et J.W. l'aiment : napperons, serviettes, bols à salade et verres à vin. Moi aussi, je l'aime ainsi, mais il m'arrive de me demander quelle tête ferait J.W. si je servais des hot dogs et du maïs en crème dans des assiettes en carton. Que penserait-il ? Difficile à dire. Prendrait-il cela pour une plaisanterie ? Pour une étourderie ?

— Nom d'un petit bonhomme, Marnie, où as-tu mis les chemises propres ?

Je l'entends dévaler l'escalier quatre à quatre, martelant bruyamment les marches à chaque pas.

Il pivote autour de la rampe, fait irruption dans la cuisine et, par-dessus mon épaule, rafle une épaisse tranche de concombre dans mon saladier.

— Marnie ! Les chemises ! dit-il la bouche pleine, en infraction totale avec les règles de savoir-vivre inculquées par Olive.

— J. ! Elles sont dans ta valise, et ta valise est dans le placard de l'entrée, dis-je en mimant son irritation. Elles sont déjà emballées.

Ce n'est pas un mauvais bougre, mon mari, mon J.W. Il me prend le menton et m'embrasse.

— Bien sûr, tu penses à tout, j'aurais dû m'en douter.

Pas une trace de sarcasme dans le ton de sa voix. Pour lui, je suis l'épouse parfaite, et il m'en est reconnaissant. Avec sincérité.

Nous nous mettons à table. Je le regarde servir la salade. Il est aussi mince qu'au temps où il était quart-arrière dans l'équipe de football de Roseville. Son corps, j'en connais chaque centimètre carré d'épiderme. Je reconnaîtrais les yeux fermés la saillie de chaque muscle sous la peau. Et même si, il y a quelques secondes, j'ai fait semblant de ne pas l'entendre quand il m'appelait, même si, l'espace d'un instant, je me serais enfuie en hurlant s'il avait crié mon nom une fois de plus, j'aime J.W. à en mourir. Il porte son vieux tee-shirt gris-vert. Quand il sera parti — cette fois, c'est pour quatre jours —, je ne le mettrai pas au lavage. Au contraire, je le porterai chaque nuit pour respirer son odeur, comme un talisman qui empêchera T-Bone de venir me tourmenter dans mes rêves.

— T'as pas faim ? T'as pas nagé tes deux kilomètres aujourd'hui, ma jolie ?

Je me rends compte que je n'ai pas touché à mon repas.

— J'ai la tête ailleurs, dis-je en coupant mon poulet.

— Dix sous pour tes pensées...

— Tu me manques, J.W.

— Impossible, je ne suis pas encore parti.

— Je... Je...

— Marnie, voyons donc. Quatre petits jours. T'appellerai de Santa Fe.

— D'accord.

J.W. repousse sa chaise et se lève. Je le regarde d'un air impuissant. Roxie en serait horrifiée.

— On monte un moment ?

J.W. désigne de la tête l'étage supérieur.

— D'accord, dis-je en me levant sans desservir la table, prenant ce qui passe sans me demander si mon mari ne me fait pas l'aumône.

Je sais que je ne devrais pas supporter ça. J'ai lu assez pour savoir qu'à notre époque c'est une attitude dépassée, malsaine, soumise. Mais quand nous faisons l'amour, J.W. me comble à tel point que plus rien au monde n'existe. En bons athlètes, nous connaissons si bien nos corps que nous jouissons presque toujours ensemble. Presque toujours. Mais ce soir, c'est expédié trop vite. On se retourne chacun de son côté et quand J.W., me croyant endormie, se lève et descend s'installer dans son bureau devant son ordinateur, je pourrais jurer que T-Bone rôde dans l'ombre, attendant le départ de mon mari.

Laurel

Les crises de Tracy Haltman sont des crises d'angoisse, pas des crises cardiaques. Elle n'est pas la première à faire cette confusion. Sa poitrine se serre, elle a beaucoup de mal à respirer, son cœur bat la chamade et un bruit strident siffle à ses oreilles et la rend sourde. La tête lui tourne, elle a la nausée et son champ de vision s'assombrit. Elle se voit mourir.

— Tracy, écoutez-moi. Écoutez. Regardez-moi. Votre respiration s'affole en ce moment et c'est pour ça que vous avez le vertige. Regardez ce que je fais. Mettez votre main comme ça, vous voyez, à dix centimètres de votre bouche à peu près. Regardez, vous faites comme si c'était une chandelle. Elle est allumée. Soufflez pour faire vaciller la flamme mais ne la laissez pas s'éteindre. Inspirez, expirez, doucement, doucement... Non, non, vous venez de l'éteindre.

Je suis dos à mon bureau et je tends le bras vers l'arrière pour prendre une photographie, en gardant l'œil sur Tracy qui a les lèvres grises et les mains agrippées sur les manches de son chemisier blanc.

— Il fait trop chaud, je suis gelée, dit-elle, le souffle court.

— Concentrez-vous sur le ciel de cette image. Dites-moi où se trouve ce ciel. Dites-moi ce qu'il y a dessous.

Je veux distraire son attention mais aussi la sonder pour entrevoir ce lieu terrifiant où elle est peut-être allée : si elle est en train de revivre un traumatisme ancien, il se peut qu'elle projette un indice que je pourrai utiliser.

Mais je n'ai pas cette chance. « Trop... grand... peux pas » sont les seuls mots qu'elle peut articuler, les yeux fermés et le visage crispé. Je ne m'attendais à rien de vraiment déterminant, pas aussi tôt. Il faut d'abord qu'elle croie en moi. Et qu'elle respire.

Je sors d'un tiroir une chandelle entamée et une petite boîte d'allumettes dont je me sers pour allumer la mèche.

— Allez, dis-je, vous pouvez y arriver. Prenez une grande respiration à pleins poumons, voilà... Et il faut toujours commencer à compter par la fin. Dix... inspirez... expirez. Doucement, tout doucement, faites vaciller la flamme de la chandelle mais ne la laissez pas s'éteindre.

Elle éteint deux fois la chandelle et se remet à pleurer la seconde fois, mais je prends sa main pour l'empêcher de trembler et rectifier la distance entre la flamme et sa bouche. Mon contact l'aide; le contact physique aide toujours, mais j'essaie de ne pas utiliser cette technique car je ne serai pas toujours avec elle.

À la fin de l'heure, elle sait à peu près comment respirer pendant une crise. Je lui explique qu'elle doit avoir recours à cette méthode dès qu'elle en sent une approcher, mais elle ne le fera pas, pas encore. Mes patients ne le font pas tant que nous n'avons pas travaillé ensemble un certain temps, tant qu'ils n'y croient pas.

~

Tout ne remonte pas à l'enfance et je ne connais aucun psychologue digne de ce nom qui soit d'avis contraire, malgré ce qu'on pense, à tort, de notre profession : nous passerions notre temps à chercher le moyen de faire peser sur la mère d'un patient ou d'une patiente la responsabilité de tous ses problèmes. Peut-être Tracy souffre-t-elle d'un trouble organique; son cerveau ne fabrique peut-être pas suffisamment de sérotonine et elle aurait besoin de médicaments; peut-être a-t-elle été violée il y a six mois; ou encore, son frère s'est peut-être noyé dans une inondation qui l'a balayé comme l'aurait fait le gigantesque balai de Dieu, emportant avec lui panneaux de signalisation, arbres, niches de chien, toits, meubles de jardin, voitures. Je ne sais pas — je ne peux pas savoir — tant que nous ne sommes pas restées suffisamment longtemps en tête-à-tête; c'est nécessaire pour que je puisse sentir à quel moment elle approche du secret à découvrir. Je considère cette faculté comme un instinct que j'ai maîtrisé; les choses ne se passent mal que lorsque je néglige mon intuition pour ne m'intéresser qu'à ce que j'entends.

Je réussis parfois à faire cesser les crises d'angoisse. Les médicaments ou ma perspicacité, ou les deux, parviennent à les maîtriser et le patient retrouve une certaine confiance en lui. C'est cette confiance qui a alors, plus que toute autre chose, un poids déterminant, car l'angoisse est un ferment qui s'entretient lui-même et qui peut mener à une véritable crise à la moindre occasion. Bien sûr, il ne sert à rien de dire à quelqu'un de ne pas être angoissé. Il y a une recette de l'échec. Non, on en revient aux rapports que j'ai avec les patients, à la confiance en eux qu'ils développent à partir de la confiance qu'ils ont en moi, comme se développe une plante grimpante.

Mais tout ne fonctionne pas toujours aussi parfaitement. Quelquefois, le mal est tellement profond qu'il n'existe pas de remède. Mon but est alors de donner aux patients un moyen de s'en sortir malgré les symptômes, de prendre conscience qu'il est possible de vivre avec, même si c'est très inconfortable, et d'échapper à la mort. Cette idée peut constituer à elle seule un gilet de sauvetage et son utilisation exige aussi une grande confiance. Il faut l'enfiler ; il faut se sentir capable de sauver sa propre vie.

Le jeudi, d'habitude je vais à Bridgewater après ma journée de travail pour manger avec ma mère et vérifier que tout va bien. Ce serait évidemment beaucoup plus facile si elle venait s'installer plus près, à Auburn — pas chez moi, chez elle. Mais elle ne répond à cette suggestion que par un : « Qu'est-ce que j'irais faire dans une ville pour l'amour du ciel ? Ce n'est pas pour moi ». Peut-être n'est-ce pas pour elle en effet, mais « Auburn n'est pas une si grande ville », lui fais-je remarquer inutilement. À l'entendre, elle serait une sorte de paysanne, elle, la diplômée de l'université de Cincinnati qui aurait pu choisir de franchir les limites de la petite ville dans laquelle elle s'est installée et qu'elle a acceptée.

Après l'inondation et avant la mort de papa, ils ont finalement déménagé, mais seulement pour gagner des terres plus élevées, une de ces nouvelles maisons en lotissement qui avaient poussé comme des champignons au sud des voies ferrées. La maison me semblait bien conventionnelle comparée à leur ancienne demeure de trois étages avec ses planchers en bois franc, sa balançoire sous la véranda et son allée bordée d'arbres. Mais je savais pourquoi papa voulait quitter la maison : ce n'était pas seulement parce qu'elle se trouvait dans la dangereuse plaine de l'inondation. Autant il arrivait à maman de fixer le coin de cour d'où son fils avait disparu, autant papa, lui, ne regardait jamais. J'ai découvert que les gens s'en sortent chacun à leur manière : il faut leur laisser le choix.

C'est aussi bien qu'ils aient déménagé. Maman est toute fluette maintenant, aussi discrète qu'une ombre, même si, lorsqu'une de ses voisines l'invite à faire une partie de bridge l'après-midi, elle s'y rend encore docilement. Elle met une jupe et des chaussures à talons plats et s'en va au bout de la rue, dans une petite maison de type ranch qui ne diffère de la sienne que par la couleur ou par la disposition des pièces ; peut-être même qu'elle est exactement pareille. Elle s'en va à petits pas, le nez poudré, un peu de rose sur les lèvres et les joues, l'air guindé avec son sac calé sous le bras. Elle emporte parfois une assiette de petits biscuits au citron en cadeau. Je ne pense pas que ces femmes soient les amies de maman, mais elles sont de bonnes voisines. J'ai le sentiment d'être la seule personne à qui maman parle vraiment, et encore notre conversation est-elle superficielle et froide.

Cette semaine pourtant, il va falloir que j'aille voir maman pendant le week-end. Je me suis inscrite au cours de natation du YMCA pour adultes débutants, le jeudi. J'étais ennuyée quand Jake m'a dit qu'il appellerait vendredi en pensant que je serais chez maman jeudi. J'avais décidé d'y aller vendredi soir, puisque Jake ne pouvait pas être ici ce week-end de toute façon. Je n'avais pas voulu lui dire que j'irais voir maman vendredi parce qu'il m'aurait immanquablement demandé ce que je faisais jeudi. Dans les deux cas, je lui aurais menti à propos de l'un ou l'autre soir. Il a tendance à m'appeler à n'importe quelle heure et je ne veux pas qu'il s'imagine que je sors avec quelqu'un d'autre. Il faudra donc que je fasse un saut chez maman à un autre moment, quand il pourra penser, s'il appelle, que je fais des courses ou vaque à mes occupations. Je ne veux vraiment pas qu'il sache pour les cours. Je mets toujours en garde mes patients qui se préparent trop volontairement à l'échec, car leurs prédictions finissent pas se réaliser. Mais c'est exactement ce qui m'attend moi-même.

Il serait faux de dire que je n'ai jamais essayé d'apprendre à nager auparavant. Je reconnais que c'était il y a longtemps, mais j'ai réellement essayé. Papa et maman m'ont inscrite à des cours à la piscine municipale, l'été où la construction a été achevée. J'avais treize ans. Avant cela, peut-être avaient-ils cru que j'évitais la rivière par déférence pour eux. Je ne pense pas qu'ils aient soupçonné mon incapacité à mettre tout mon pied dans l'eau sans trembler, même dans une piscine. C'était comme si Tim était toujours en train de tourbillonner dans la masse d'eau d'une crue subite et comme si l'eau de la piscine était aussi glacée que celle dont m'avaient arrosée les rames du canot de sauvetage.

C'est ce que je leur avais dit, je m'en souviens. Pas ce qui concernait Tim, bien sûr, mais que l'eau était trop froide pour y entrer. Peut-être qu'elle l'avait été en mai, à l'ouverture de la piscine, mais en août, au moment des dernières leçons de natation de la saison, l'eau était tellement chaude qu'on aurait probablement pu la verser dans une tasse pour y faire du thé. Heureusement, mes parents ne le savaient pas. C'était la deuxième fois que je leur mentais. La première fois, je leur avais dit : « Non, je n'ai rien vu pour Tim », ce qui était tout à fait plausible, car qui aurait pensé que je puisse être assez malchanceuse pour avoir eu la tête à la fenêtre du grenier à ce moment précis ?

« N'insistons pas », avait dit maman à papa, ne pouvant imaginer que je m'étais plaquée comme une feuille contre le mur du hall d'entrée pour écouter leur conversation. « Je crois qu'elle hésite à s'y mettre parce que c'est la mauvaise période du mois. L'eau froide, ça peut donner des crampes. »

J'avais eu mes premières règles au printemps et maman ne voyait qu'une raison à tout ce que je refusais de faire, que ce soit laver une poêle à frire ou prendre des leçons de natation, c'était celle-là. Papa n'était pas à même de discuter de la question des règles. Je ne leur ai jamais dit que le froid était intérieur même si les tremblements, eux, étaient visibles.

~~~

Ce jeudi après-midi, j'atteins le vestiaire pour enfiler le maillot de bain que j'ai acheté la veille. Là, six ou sept autres femmes d'environ cinquante ans sont déjà en train de se changer, pieds nus sur le carrelage. Deux d'entre elles me disent bonjour avec un sourire et je réussis à leur répondre. Je me sens déjà me refermer, comme se refermait au soleil couchant le pourpier planté par maman près de la boîte aux lettres de la vieille maison. Je suis extrêmement mal à l'aise dans mon maillot; je ne pense pas en avoir porté un depuis l'été de mes treize ans et le cours avorté. L'espace d'un moment, je
~~~

suis envahie par la nostalgie des années précédant la mort de Tim, quand ce qui inondait notre cour, c'était l'arc-en-ciel des dahlias de maman et que le système d'arrosage était la seule source d'eau que je faisais semblant de craindre. Je poussais des cris perçants :

« Au secours ! Sauvez-moi ! »

Et je me souviens encore de ma mère me criant depuis la véranda :

« Sauve-toi toi-même ! »

« Eh bien, c'est ce que j'essaie de faire », me dis-je en m'enroulant dans une serviette, les épaules voûtées comme une vieille femme. La pièce est une véritable chambre sonore où chaque claquement de porte d'un casier résonne aussi fort qu'un coup de feu. « Pas de panique, me dis-je. Tu vas y arriver. »

Devant la piscine, deux hommes attendent, dont l'un est de toute évidence le maître nageur à en juger par sa planchette porte-papier et le sifflet pendu autour de son cou ; l'autre réussit à ressembler au nageur débutant rien que par son attitude. Ils sont plus âgés que moi. Le maître nageur a le nez crochu et les cheveux blancs et son corps commence à s'avachir.

— Et vous êtes… dit-il en regardant de mon côté.

— Laurel McArthur, dis-je, devinant que c'est à moi qu'il s'adresse.

Mes pieds s'arquent pour tenter d'éviter le contact avec le carrelage. Le chlore épaissit et aiguise l'air à la fois.

Il vérifie dans sa liste et a dû m'y trouver car il coche un nom et se tourne vers les femmes qui arrivent en groupe derrière moi.

Après avoir terminé l'appel, il commence :

— Je m'appelle Tom Banks. Bon, tout le monde à l'eau. On reste dans le petit bain aujourd'hui.

Je pense en moi-même que le gars ne s'embarrasse pas de préambules. Mais j'ai répété de si nombreuses fois en silence cette partie de la première leçon que je pense pouvoir faire ce qu'il demande. Je me récite : « C'est une baignoire, une grande baignoire ». Et, bonne dernière des sept personnes du premier Cours de natation pour adultes/Débutants 1 (j'avais été découragée en voyant qu'il existait des cours Débutants 2 et Débutants 3), je pose le pied droit sur la première marche de l'escalier de la piscine, me mouillant jusqu'à la cheville.

— Allez, allez, on y va, dit Tom pour me pousser à avancer.

En pensée, je l'appelle immédiatement « Sa Majesté impériale ». C'est mauvais signe. Je commence à le prendre en grippe.

À la troisième marche, l'eau m'arrive au-dessus du genou. Encore deux marches. Je travaille dur sur moi-même, employant souvent des mots comme « baignoire », quand une autre remarque m'est adressée.

— On va attendre que mademoiselle Laura se soit mise à l'eau...

— Je m'appelle Laurel, dis-je d'une voix entrecoupée, en tâtonnant pour trouver la quatrième marche.

Je tiens toujours la rampe métallique.

— Oui, eh bien, pas de danger qu'on vous appelle Lorelei tant que vous ne serez pas entrée dans l'eau, dit-il.

Je dois admettre qu'il ne l'a pas dit méchamment mais on perçoit dans sa voix un soupçon d'impatience, assez compréhensible après tout.

« Tu es trop sensible », me dis-je en moi-même en me forçant à poser le premier pied au fond de la piscine. « Et voilà, les deux pieds. Bravo ! Je suis dans une piscine ! »

— Bon, on va apprendre à respirer. Mettez le visage dans l'eau et faites-moi des bulles.

Six visages plongent dans l'eau, sauf le mien qui se tourne vers les autres nageurs.

— Qu'est-ce qui se passe, Laura ? Je veux les voir, ces bulles.

Je commence à flageoler sur mes jambes : je tends de nouveau le bras vers la rampe. Je ne me suis pas aventurée à plus de vingt centimètres de la dernière marche. Les autres se sont avancés plus ou moins loin dans le petit bain; ils ont de l'eau jusqu'à la taille et agitent les mains juste sous la surface. Aucun d'entre eux n'a l'air particulièrement nerveux mais je me rappelle que certaines personnes cachent très bien leur nervosité. Moi, par exemple, bien qu'actuellement je sois sûre qu'ils devinent tous.

— C'est bien, c'est bien, s'interrompt Sa Majesté impériale pour encourager deux ou trois personnes qui reprennent leur souffle. Encore une fois, continuez. De jolies petites bulles.

Je rassemble mes esprits, comme on tire sur les rênes d'un cheval. « Tu n'as qu'à y aller », me dis-je à moi-même. Je penche la tête et fixe la surface de l'eau d'un pâle bleu turquoise, chatoyant et strié de reflets. Des lignes noires barrent le fond de la piscine. Je vois aussi des nombres mais n'ai aucune idée de ce qu'ils signifient. La main toujours sur la rampe, j'approche mon visage de l'eau.

Je suis toujours hésitante quand Sa Majesté impériale s'accroupit au bord de la piscine et me pose la main sur la nuque. Je dois reconnaître qu'il n'appuie pas sur ma tête — il ne bouge pas — mais j'ai l'impression qu'il va le faire. Plutôt que de le laisser agir, je ferme les yeux, crispée, et plonge le visage dans l'eau. J'essaie d'écarter les jambes, de me préparer pour la pression que je m'attends à ressentir de la main de Sa Majesté impériale, mais le sol est un peu en pente et l'un de mes pieds glisse. Mon équilibre brisé maintenant, l'une de mes épaules penche et s'affaisse dans l'eau en éclaboussant tout autour tandis que le pied opposé envoie un coup involontairement. Je crie juste au moment où ma tête s'enfonce : mes poumons sont vides et j'avale de l'eau pendant l'embardée. Je m'étrangle et ne réussis pas à reprendre pied. Tim tournoie dans ma tête, et puis je suis Tim, je suis prise dans un tourbillon, mes bras et mes jambes fouettent l'eau, je suis incapable de respirer, aveugle, j'explose, la noirceur encercle mon esprit et finit par l'inonder totalement.

Sa Majesté impériale m'agrippe sous les bras, et l'homme du cours soulève mes jambes pour aider à les placer sur le bord de la piscine tandis que Sa Majesté monte l'escalier à reculons. Il portait — et porte encore — un tee-shirt et des chaussures de sport, qui sont évidemment trempés. Recroquevillée sous l'effet des spasmes de la toux qui me font prendre de bruyantes inspirations entrecoupées, je sens son tee-shirt qui dégoutte sur moi.

— Décidée à avaler la piscine à ce que je vois... dit-il.

Puis, s'adressant à quelqu'un d'autre :

— Non, non, ça va aller. Elle est même pas restée dix secondes là-dessous.

Il me tire par les bras pour me faire asseoir et me tape dans le dos.

— Vous êtes censée souffler, pas aspirer.

Mon cœur ne veut pas ralentir. Je me bats avec ma gorge, où ma langue semble s'être collée pour avoir de l'air. Les autres membres du groupe m'entourent, stupéfaits.

— Bon, elle va bien, on y retourne. Tout le monde s'en tirait très bien. Laura, cette fois-ci, soufflez ! dit le maître nageur.

Il est serein, pas une goutte de sueur sur le front.

Toussant toujours, je secoue la tête mollement.

— Non, je n'y retourne pas. Je ne peux pas.

— Vous n'abandonnez pas ?

Je perçois une certaine moquerie dans sa voix, bien que dissimulée sous l'inquiétude. Mais peut-être suis-je trop sensible. Je suis gênée bien sûr, extrêmement gênée, mais cela n'a pas d'importance. J'ai atteint et même dépassé mes limites. Je continue à tousser tandis que Sa Majesté impériale reconduit les nageurs dans la piscine. L'une des femmes, bien en chair et l'air gentil, passe à côté de lui sans le voir et vient s'accroupir à côté de moi.

— Est-ce que je peux faire quelque chose pour vous ?

Je tousse encore et secoue la tête.

— Laissez-moi vous accompagner au vestiaire, dit-elle, passant outre à mon geste pour indiquer que je vais bien.

Je suis heureuse qu'elle n'en tienne pas compte.

— Vous vous appelez Laurel, c'est ça ? Moi, c'est Betty.

Elle n'a probablement pas plus de quarante ans. J'en ai trente-quatre et, d'une certaine manière donc, il est ridicule qu'elle me materne de la sorte, mais elle me met une épaisse serviette bleue autour des épaules et m'essuie le visage avec l'un des coins. Je tremble violemment maintenant et je tousse toujours, bien que je parvienne à me maîtriser. Les cheveux semés de mèches grises de Betty sont mouillés autour du visage et j'en déduis qu'elle a réussi à faire des bulles.

Betty m'aide à me relever, passe son bras dans mon dos et me conduit vers le vestiaire.

— À la semaine prochaine, Laura, dit Sa Majesté impériale. Vous y arriverez.

Je ne me retourne pas.

— Je ne veux pas que vous manquiez la leçon, dis-je à Betty une fois assise sur un banc. Ça va aller, vous pouvez y retourner.

— Les hommes ne savent pas quoi dire parfois, hein ? dit-elle en souriant. Je suis ce cours parce que mon médecin m'a dit que je devais maigrir. Il ne faut pas vous laisser impressionner. Est-ce que vous reviendrez ?

— Je ne crois pas. Je… J'ai vraiment peur de l'eau. Ce cours, c'était juste pour… faire une expérience, pour voir si je pouvais…

Je regarde mes mains qui ont viré au bleu-gris.

— Où sont vos vêtements ? demande-t-elle.

Elle regarde dans la direction que je lui indique et va les chercher.

— Écoutez, j'espère que vous n'allez pas abandonner. Peut-être que vous avez simplement besoin d'aller à votre propre rythme. Attendez … Et si vous preniez des leçons particulières ? Vous aviez déjà pensé à ça ?

Je tousse encore une fois.

— Des leçons de natation ?

J'ai en tête l'image de leçons de piano — j'ai descendu et remonté la gamme pendant des heures de travail forcé —, mais je n'en avais jamais entendu parler pour la natation. Mais à l'heure qu'il est, je ne veux plus jamais voir l'eau de près ou de loin, pas même avec Jake, pas même pour Jake.

— Il y a quelqu'un qui travaille ici à qui vous pourriez vous adresser. Une femme. Elle donne les cours aux personnes âgées. J'amenais ma mère au cours de Marna : c'est comme ça que je suis arrivée ici. Elle est tellement douce et gentille avec eux. Je ne sais pas si elle donne des leçons particulières mais vous pourriez lui demander. Elle est vraiment bien.

— Non, je ne crois pas, pas maintenant.

— Oui, je comprends. Vous êtes encore toute retournée. Est-ce que ça va aller ?

— Merci pour votre aide. Ça va très bien maintenant. Je vous en prie, retournez à votre leçon, ça va aller.

Je bafouillais, j'étais gênée. J'ai toujours une sensation bizarre quand c'est moi qui reçois l'attention des autres. J'aurais voulu en dire plus à cette femme qui avait été sympathique avec moi. Je n'ai pas eu beaucoup d'amis depuis l'université. Je parle à mes patients toute la journée et il y a comme un ciment qui a durci autour de cette règle apprise pendant mes études : les patients ne peuvent pas, ne doivent pas être des amis. Le ciment a séché depuis longtemps, il est dur et incassable. À la fin de la journée de toute façon, je suis trop fatiguée, j'en ai trop entendu pour avoir envie d'en écouter davantage. Je ne suis pas douée pour parler de la pluie et du beau temps.

Betty me presse l'épaule de sa main dodue couverte de bagues et dit :

— Bon, si vous êtes sûre que ça va.

En s'en retournant, elle me lance :

— Si vous changez d'avis, demandez donc à la réception, ils vous montreront qui c'est. Son nom, c'est Marna. Marna.

~

Jake a finalement appelé jeudi, tard dans la soirée. J'ai essayé de prendre un ton dégagé mais je savais qu'il n'était pas dupe.

— Bon, d'accord, en fait j'ai eu un horrible mal de tête toute la journée. Je ne voulais pas t'inquiéter. J'aimerais bien te parler, mais vraiment, je ne peux pas. Même penser, ça me donne mal à la tête. Je suis désolée, mon amour.

Là, il m'a crue. Il m'arrive d'avoir des migraines et il le sait. En vérité, j'avais décidé que je ne pouvais pas aller aux Bahamas. J'y aurais gâché le séjour de Jake, qui n'était pas du genre à me laisser à l'hôtel pour aller faire seul de la plongée ou du ski nautique ou pour aller regarder des poissons exotiques par le fond transparent d'un bateau, quand bien même j'aurais insisté pour qu'il le fasse.

— Tu n'as pas à t'excuser, il n'y a pas de mal. Il fallait me le dire tout de suite. Tu sais que c'est à cause du stress ces migraines, hein ? Ça remonte à quand, tes dernières vraies vacances ? On ne peut vraiment pas partir avant le mois de mai ?

Il éclaire son inquiétude d'une touche de taquinerie ensoleillée :

— Quoi de plus relaxant qu'un matelas pneumatique... Je serai ton serviteur très particulier et je t'apporterai des cocktails exotiques avec des petits parasols.

— Oui, enfin, tu sais, je t'ai dit que... ai-je commencé.

J'étais allongée dans le noir, seule et sur le point de fondre en larmes. Je savais que je ne pouvais pas dire oui.

— Chérie, il faut que tu me laisses faire ça pour toi. Ça va être formidable et ça te fera tellement de bien. Tu passes ton temps le nez dans les horreurs que les gens trimbalent avec eux. Ce qu'il te faut pour changer, c'est quelqu'un qui prenne soin de toi. Et je suis ton homme.

J'ai fermé les yeux et je l'ai senti près de moi, bordant l'édredon et proposant de me faire de la tisane.

— Hummm, dis-je, essayant de garder un ton léger. Alors, tu es mon homme ? Ça s'annonce extrêmement bien.

— Mais oui, je suis extrêmement bien. Mets-toi au lit, ma chérie, d'accord ? Je t'appellerai dans la matinée pour voir comment tu vas. Je ne supporte pas de te savoir seule. Est-ce que tu as pris ton Fiorinal ?

Je me sentais très mal à l'idée de lui avoir menti, de nous avoir fait faux bond à tous les deux. La chaleureuse sollicitude que je sentais dans sa voix était venue à bout de ma détermination. Je pouvais accepter l'échec pour moi, peut-être, mais je voulais faire mieux à ses côtés.

~~~

« Marna », ai-je répété le lundi suivant après m'être rongé les sangs pour prendre une décision, jusqu'à me désagréger comme ces poulets que maman faisait bouillir trop longtemps.

— Pouvez-vous me dire où je peux la trouver ?

J'avais eu deux annulations consécutives pour l'après-midi et je n'avais donc pas besoin de retourner au bureau avant trois heures. C'était un de ces jours à faire mentir le calendrier ouvert à la page de février : il faisait un bon dix degrés et j'avais espéré pouvoir en profiter de toute façon.

Peut-être avais-je dans l'idée depuis le début de retourner au YMCA, peut-être que c'était l'impulsion du moment. Quoi qu'il en soit, me voilà à la réception demandant où je peux trouver cette Marna.

— Elle est en train de nager, répond la réceptionniste en remontant ses lunettes toutes rondes.

Ses cheveux prouvent indéniablement que de trop nombreuses permanentes peuvent causer des dégâts irréparables. Je lui donne un an avant de pouvoir espérer retrouver une apparence normale.

— Après ça, elle a le cours pour les arthritiques à treize heures. Vous pourrez l'attraper entre les deux. Si j'étais vous, je ne l'interromprais pas dans ses longueurs. Il paraît que les vrais nageurs détestent qu'on casse leur rythme.

— Oh. Est-ce que je peux descendre pour l'attendre ?

— Bien sûr.

— Comment est-ce que je la reconnaîtrai ?

— Cherchez la vraie nageuse. Vous saurez tout de suite. Elle est grande… Elle porte un bonnet, pas la peine de vous décrire ses
~~~

cheveux… Je ne vois pas quoi vous dire d'autre. Vous verrez par vous-même. Il n'y a personne dans le coin pour rivaliser de près ou de loin avec elle.

— Merci. Moi non plus, il n'y a probablement personne dans le coin qui soit de mon niveau.

Je lui adresse un sourire enjoué pour qu'elle ne voie pas que je suis sérieuse.

La réceptionniste aux cheveux fous avait parfaitement raison. Je reconnais tout de suite la vraie nageuse, même si tout ce que je vois d'elle, c'est un dos luisant et des bras qui bougent avec régularité comme des pièces bien huilées, avec une constance parfaite, un contrôle parfait. Il y a un léger remous dans son sillage, lui aussi exempt du moindre heurt. Des cordes en plastique délimitent des couloirs identiques dans la piscine et d'autres nageurs évoluent dans d'autres lignes, mais c'est vrai, même moi, je suis capable de repérer celle qui est forcément Marna. Je suis fascinée.

Je monte quelques marches dans les tribunes pour m'asseoir, avec la simple intention de la regarder quelques instants avant le début de la leçon. Je ne suis toujours pas décidée. Mais, environ cinq minutes avant treize heures, des femmes et des hommes âgés commencent à arriver du vestiaire, certains appuyés sur des cannes, d'autres aidés par des professionnels en uniforme blanc, d'autres encore assez fringants et droits sur leurs jambes. Ils se rassemblent dans le petit bain, au bout de la ligne de Marna. Comment a-t-elle su qu'ils étaient là ? Je n'en sais rien car je n'ai pas vu sa tête dévier, ne seraitce qu'une fois, du rapide mouvement de va-et-vient pour respirer tous les quatre temps. Mais elle s'arrête au moment où sa main touche le bord de la piscine exactement deux minutes avant l'heure. Elle reprend pied, enlève son bonnet bleu et ses lunettes de nage et, en un seul mouvement de danseuse, se propulse sur le bord.

Je n'entends pas ce qu'elle leur dit, mais je vois qu'elle leur fait un large sourire et leur touche affectueusement le bras. Tout de suite après, à treize heures, elle a déjà décroché les flotteurs pour le maître nageur, qui les tire à lui de l'autre côté de la piscine tandis qu'elle aide l'une après l'autre les personnes âgées à descendre l'escalier du bassin en décrivant une ligne tortueuse. L'un des hommes est amené jusqu'au bord en fauteuil roulant. Une manœuvre apparemment bien rodée permet à Marna et à un assistant de le descendre dans la piscine grâce à un monte-charge au bord du petit bain. Je ne l'avais pas remarqué pendant mon cours, ce qui ne me ressemble pas.

Un homme assez âgé crie depuis le bord opposé de la piscine :

— Bonjour, mon gentil dauphin !

Cela fait sourire Marna :

— Vous êtes en retard ! Il va falloir marcher sur l'eau pour vous rattraper.

Lorsqu'il est lui aussi entré dans l'eau, Marna commence par leur faire faire un mouvement d'éventail avec les jambes, les mains accrochées au bord. Puis elle leur fait passer des brocs en plastique à moitié pleins et ceux qui en sont capables les soulèvent hors de l'eau et les y replongent au rythme de ses encouragements. Mais ce qu'ils aiment vraiment, c'est visible, c'est lorsqu'elle met la cassette des grands orchestres — Glenn Miller, je crois, et Guy Lombardo — et qu'ils vont et viennent dans la piscine en dansant, lentement, comme des coureurs au ralenti, tout en discutant et en riant, leurs mains faisant de petites vagues autour d'eux comme des jupes tourbillonnantes. De temps en temps, j'entends la voix de Marna s'élever audessus des leurs dans une sorte de contrepoint. Ça donne un brouhaha charmant et plein de courage, où s'entrecroisent les rires et l'effort. Il est clair que ces mouvements n'ont rien de facile pour la plupart d'entre eux.

À la fin du cours, Marna les aide tous à sortir et elle s'assure que telle dame a son déambulateur, tel monsieur sa canne, ou que tel autre a été confié à un assistant portant semelles de caoutchouc.

— Soyez sage, Harvey ! l'entends-je crier à l'homme qui était en retard en s'enroulant dans une serviette.

— Comptez-y, ma douce sirène, lance-t-il en réponse, en lui envoyant un baiser.

Je prends une autre décision apparemment impulsive : je redescends des gradins et m'approche d'elle tandis qu'elle déplie et enfile d'épaisses lunettes prises sur la chaise des maîtres nageurs. Elles glissent immédiatement jusqu'au milieu de son nez et elle les y laisse. Elle relève légèrement le menton, assez pour avoir l'air de me regarder de haut.

— Marna ? dis-je. Je m'appelle Laurel McArthur. Je me demandais si je pouvais parler une minute avec vous de la possibilité de suivre des leçons individuelles.

Elle m'inspecte de la tête aux pieds. Jusqu'à ce que je détourne le regard, honteuse de je ne sais quoi exactement, je vois une grande femme, encore plus grande que moi, plus musclée. Ses cheveux sont bouclés, ça, c'est évident. Elle a donné son cours sans son bonnet. Ils sont encore trempés et font des vagues d'une couleur sombre indéfinissable. Ses épaules sont un peu voûtées, ce qu'au départ je prends pour une position de défense, l'indication d'un manque de confiance en elle. Mais par la suite, lorsque je l'entends et qu'elle me transperce de son regard brun au travers de ses lunettes assez épaisses pour faire paraître ses yeux grossis, je perçois cette position comme offensive. Et même agressive.

— Non, dit-elle. On ne peut pas en discuter.

Et elle passe devant moi pour entrer dans la pièce marquée : « Réservé au personnel ».

Marna

Je m'inquiète pour Harvey Keppler comme une mère — une vraie mère, pas quelqu'un du genre de Roxie — quand son petit s'approche du grand bassin. Pourtant, Harvey sait nager. Il met crânement ses palmes vertes et son masque rouge et fait tant bien que mal ses longueurs de piscine pendant les vingt minutes du cours pour arthritiques. Depuis qu'il a fait une chute, il m'arrive souvent de l'observer d'un œil inquiet quand il regagne à petits pas le vestiaire des hommes. Je ne me fais pas autant de souci pour Selma, qui est revêche et assommante dans ses meilleurs jours, ni pour Louise, qui perd peu à peu la notion du temps et du lieu. Il faut dire qu'Harvey est en adoration devant moi, ce qui fait de lui un trésor que je ne peux pas me permettre de perdre. D'où mon inquiétude.

Harvey est pasteur de l'église de Dieu, aujourd'hui à la retraite. Son église est un modeste bâtiment cubique en bardeaux, situé à la lisière d'Auburn, que je n'avais jamais remarqué. Jusqu'au matin où Harvey a surgi dans mon couloir pendant mon entraînement. Il s'est présenté et a aussitôt chanté mes louanges à sa congrégation de nageurs.

« C'est une joie de vous voir nager, m'a-t-il dit quand nous nous sommes heurtés au milieu de la piscine. Dans l'eau, vous êtes comme un joli dauphin... »

Ôtant les lunettes de plongée qui accentuent ma myopie, je me suis confondue en excuses :

« Désolée. Je ne vous avais pas vu ! Sans mes lunettes correctrices, je suis myope comme une taupe.

— Une sirène adorable à contempler », corrigea-t-il.

Le masque d'Harvey était campé de travers sur son front, avec le tube coquinement incliné comme la plume d'un chapeau de dandy.

« Harvey Keppler, ministre du culte à la retraite, de l'église de Dieu d'Auburn. »

Il me tendit sa main tavelée par l'âge. Je remarquai les jointures gonflées par l'arthrite.

« Marna Whitney, répondis-je en clignant des yeux pour saisir sa main. J'enseigne la natation ici. »

Harvey ajusta son masque sur son visage lunaire et sourit.

« Pour votre punition, on va faire une course ensemble, mon joli dauphin. »

Et il s'élança dans l'eau, avec son impossible style de vieil homme. Seules ses palmes l'empêchaient de couler à pic.

Depuis, nous nous sommes mis à nager ensemble quand il arrivait un peu avant le cours ou restait un peu plus tard. Je prenais soin de longer le côté des flotteurs afin de donner à Harvey le maximum de place pour son « équipement », comme il disait. Ce privilège, je ne l'ai accordé à personne d'autre, même pas aux machos en maillots olympiques qui s'entraînaient à la piscine pour le triathlon de l'Ohio. Quand nous ne nagions pas, Harvey m'invitait d'un ton enjôleur à barboter à ses côtés, accrochée au mur de la piscine, et à écouter « les radotages d'un vieil homme ». Il me parlait de ses trois filles, qui avaient choisi la libre pensée. (« Des païennes », disait-il avec un clin d'œil affectueux.) Il se plaignait aussi avec une emphase feinte de ses chiennes qui s'obstinaient à ne mettre au monde que des portées femelles. Comme s'il y avait une conspiration entre elles et sa femme Alene, qui n'avait eu que des filles.

« Cerné jour après jour par des femmes entêtées, voilà mon destin », soupirait-il avec tant d'extase que je pouvais lire entre les lignes : Harvey était un homme gâté par la vie et il rendait au centuple le bonheur reçu.

C'était le genre de père que je me serais taillé sur mesure, si j'avais eu le pouvoir de le faire.

~~~

Roxie ne m'a jamais dit qui était mon père. Elle ne s'est même pas donné la peine d'inventer une histoire de représentant de commerce, de gars enrôlé dans l'armée ou de mystérieux fils de famille
~~~

dont elle emporterait le nom dans la tombe. Roxie a du cran, je dois l'avouer, et j'ai bien peur de ne pas avoir hérité de son orgueil féroce en matière de survie. Elle a gommé une fois pour toutes le nom de mon père, non pour me blesser mais pour tenir tête à une classe sociale qui l'avait humiliée et rejetée à seize ans. En conséquence, elle était décidée à ne jamais faire le moindre effort pour renouer les liens. Peut-être aussi ignore-t-elle qui est mon père; elle hésite peut-être entre plusieurs géniteurs et s'accommode très bien de cette incertitude. Il y a une chose à laquelle je préfère ne pas penser, même maintenant. Sur mon certificat de naissance, il y a un blanc en face du mot *père,* et j'ai reçu le nom de Dalton, celui de Gamma, Poppa et Roxie. Nous n'avons jamais parlé de cette pièce manquante du puzzle familial. Roxie refusait d'être appelée « maman » et, aussitôt que je l'ai pu, je me suis gagné un nouveau nom, Whitney. D'un accord tacite, nous avons décidé d'effacer tout indice qui pourrait révéler nos liens du sang. Oh, je suis certaine que, dans mon enfance, vers cinq, sept ou neuf ans, j'ai dû lui demander si j'avais un papa, mais je ne me souviens pas de sa réponse. Le seul souvenir que j'en ai, c'est d'avoir abordé en tremblant ce sujet tabou, comme un chien qui anticipe un coup de pied.

Pourtant, je dois physiquement tenir de mon père. Gamma, Poppa et Roxie sont des gens élancés, avec une ossature fine, presque fragile. Rien de commun avec ma solide constitution. Dans leur jeunesse, Gamma et Roxie avaient les cheveux sombres et lisses, alors que les miens sont bouclés et de ce châtain terne que les fabricants de colorants n'ont jamais songé à imiter. Avant d'entrer au collège, avant l'ère du premier soutien-gorge et des vêtements d'adolescente, j'aurais pu passer pour un garçon. Poussée comme une asperge, avec ma tignasse coupée court, je devais certainement ressembler plus à mon père qu'à Roxie. Et surtout, je n'avais pas hérité de la vue perçante de ma mère : la première chose que je faisais le matin, c'était de tendre la main vers mes lunettes. En nous voyant, personne n'aurait pu deviner que j'étais sa fille et je pense qu'elle ne détestait pas ça. Mais parfois, je me dis que je dois être pour elle un souvenir vivant de mon père. Quand elle me voit, elle a devant elle le portrait craché de quelqu'un qui l'a trahie. Cela explique peut-être pourquoi je n'ai jamais été sa fille dans le sens que les gens donnent d'habitude à ce terme.

On dit que les femmes épousent souvent des hommes qui sont le reflet de leur père. En ce qui nous concerne, J.W. et moi, c'est évidemment faux. J'ai souvent pensé à ce qui m'avait attirée vers lui, à ce qui me tient collée à lui, comme dirait Harvey. Et j'en suis arrivée à cette conclusion : non, je n'ai pas eu de père, mais il y a eu cette place vide à la petite table de formica de notre caravane. Un père, le mien, aurait dû s'y asseoir et servir la nourriture que Roxie préparait en deux temps, trois mouvements en revenant de son travail chez le docteur Decker. S'il y avait eu un père dans notre foyer, peut-être que Roxie serait restée à la maison pour cuisiner de vrais repas. Et elle m'aurait peut-être donné une vraie enfance, au lieu de se prélasser dans une chaise longue en sifflant une bière pendant que T-Bone me faisait valser dans les airs. Mais le scénario ne s'est pas déroulé ainsi, et cette place vide, c'est J.W. qui l'occupe à notre table de chêne massif où trône le service en porcelaine qu'Olive a sorti de ses armoires pour nous l'offrir.

J.W. est un bon mari, et il ferait aussi un excellent père. Pour ça, je lui fais confiance, bien qu'il ne m'ait pas reparlé depuis un bon moment d'avoir une ribambelle d'enfants. Au début de notre mariage, il plaisantait sur notre ardeur à nous entraîner pour fabriquer une nombreuse progéniture. Il faut dire que, dans notre petit appartement de Sacramento, on y mettait du cœur. Entre deux rounds sexuels, on restait allongés l'un contre l'autre (y penser aujourd'hui me rend malade de désir) et J.W. me parlait de l'avenir : il fallait d'abord consolider notre situation financière et ensuite passer aux choses sérieuses, c'est-à-dire les bébés, que, bien sûr, je désirais autant que lui. Tenant sa main pressée contre mon sein, je le laissais bâtir ses plans, dosant mon silence jusqu'à ce qu'il se taise et que nous nous reprenions, plus lentement la seconde fois, anticipant notre futur bonheur. Ou plutôt, J.W. anticipait tandis que je sentais planer une menace.

La perspective d'avoir des enfants ne devrait pas me faire craindre de perdre mon mari, mais c'est le cas, je n'y peux rien. J'ai l'impression d'être malhonnête avec J.W. parce que partager son amour avec un enfant est un défi que je ne suis pas sûre de pouvoir relever. Cette peur me paralyse, de la même manière que j'ai été incapable de parler de l'offre de l'équipe d'Indiana. Jamais je n'ai pu trouver en moi la force de dire : « J.W., si je pars pour l'Indiana pendant quatre ans, est-ce que tu m'attendras ? » C'est vrai, Roxie m'avait aussi appris ça : « Ne me fais pas attendre, Marnie. Tu sais que je n'attends pas. » Les rares après-midi où elle se chargeait de convoyer les enfants à la place de la mère de Debbie, elle me lançait cet avertissement quand j'étais trop lente à me préparer. Et elle n'hésitait pas à mettre sa menace à exécution. Je me souviens, à huit, douze ou quinze ans, d'avoir traversé la ville à pied pour rentrer chez nous, mon sac d'école ou mon équipement de natation sur l'épaule, parce que Roxie ne m'avait pas attendue.

Que se passerait-il si je n'avais pas en moi de quoi faire une bonne mère ? Qu'arriverait-il si Marna la mère n'arrivait pas à la cheville d'Olive, mon modèle à chaque heure du jour depuis le début de mon mariage ? Que se passerait-il si J.W. ne m'accordait plus que la seconde place après la naissance des enfants ? Ou plus de place du tout ? Aurait-il la patience d'attendre que je fasse mon apprentissage ? Finirait-il par me quitter ?

Une fois, j'ai fait une tarte aux mûres avec des baies cueillies dans les buissons qui foisonnent le long du canal, derrière la maison des Whitney. Olive et moi avions passé tout un samedi après-midi à en remplir des paniers. Nous nous étions partagé la récolte, puis Olive m'avait confié la recette de sa pâte à tarte, recopiée proprement sur une petite carte tirée de son carnet de recettes. Ce soir-là, quand J.W. est revenu d'un match de basket improvisé avec des copains d'université, je lui ai tendu fièrement une cuillerée de mon chef-d'œuvre.

— Pas de crème glacée ? a-t-il dit en s'installant à table.

— Non, mais il y a du lait.

— Avec de la crème glacée, c'est meilleur, répondit-il en se versant un verre de lait.

J'ai aussitôt déchiffré le sous-entendu : Olive aurait eu de la crème glacée en réserve. Par la suite, quand j'ai croisé à nouveau ces méchants petits écueils submergés çà et là dans le courant de notre vie à deux, j'ai appris à m'écarter du danger signalé par les remous du non-dit. Je sais que les eaux les plus calmes peuvent dissimuler des obstacles si gigantesques qu'ils peuvent vous briser le cou par surprise. Je n'ai jamais parlé à mon mari de ma peur d'avoir des enfants.

« Que fait votre mari dans la vie, Marna ? »

C'est la première question qu'Harvey m'a posée quand nous nous sommes rencontrés. Elle avait surgi du néant, comme pour me rappeler qu'aux yeux des autres je ne pouvais passer que pour « la femme de... »

« Il vend et installe des réseaux, dis-je tout en barbotant à ses côtés.

— Cela concerne les avions, je suppose ?

— Des réseaux d'ordinateurs, Harvey. De gros ordinateurs centraux. Il en vend dans tout le pays, à des entreprises, à des écoles, aux gouvernements.

— FBI ? CIA ? »

J'ai éclaté de rire. Harvey se plaisait beaucoup à imaginer que le mari de son gentil dauphin était un espion. Cela aurait permis de donner une tout autre direction à nos conversations « flottantes ».

« Ni la CIA, ni le FBI. J.W. est dans l'informatique, pas dans les renseignements généraux.

— Il n'est pas généreux ? Alors, il faut vous trouver un autre homme, et vite ! »

Harvey était un peu dur d'oreille, mais je pense que, parfois, il faisait exprès pour me taquiner.

« Je n'ai rien à lui reprocher sur ce plan, Harvey.

— L'homme parfait, c'est bien ma chance ! Ce qui veut dire que je n'ai aucun espoir de vous plaire, mon petit poisson d'aquarium ? »

Harvey ne se doutait pas à quel point aucun homme n'existait dans ma vie à part J.W. Quand on se perçoit comme une fille manquée à cause d'un père manquant et qu'en plus votre mère ne vous a jamais donné la preuve que vous étiez quelqu'un de valable, les choix se rétrécissent. Je n'imaginais même pas qu'un autre homme puisse voir aussi clair en moi que celui qui partageait ma vie depuis treize ans. Impossible qu'un autre puisse supporter l'incroyable gâchis que je dissimulais en moi. Impossible d'imaginer qu'une autre âme fasse de moi son territoire conquis. Vivre sans lui était impensable. Aussi, quand il partait pour un autre voyage en disant : « Je t'aime, Marn, tu le sais. Je t'appellerai de Dallas », j'avais la force de le voir partir parce que je savais qu'il reviendrait. Qu'il revienne, je n'en demandais pas plus.

J.W. aurait pu se rendre seul à l'aéroport de Cincinnati. Quand nous nous sommes installés dans l'Ohio, nous avons acheté deux autos assez luxueuses, assorties au statut social que J.W. nous avait gagné à la force du poignet (mes heures au Y ont aussi compté, et pas seulement en tant que « travail d'appoint », comme le dit mon mari en plaisantant à demi). Quand il prend l'avion tôt le matin, je le conduis à l'aéroport et je viens le chercher à son retour. C'est ma manière de voler une heure à ses absences. Et comme récemment la durée de ses voyages d'affaires s'est allongée, ces heures passées ensemble pendant le trajet ont pris pour moi encore plus d'importance. Je les déduis de nos séparations avec autant de satisfaction que je compte les quelques sous d'intérêts crédités dans notre compte commun. Une sorte de prime de consolation. Même si nous ne parlons pas beaucoup, j'aime qu'il soit assis à mes côtés, si vigoureux, si séduisant dans son costume chic, symbole exhibé aux yeux du monde entier de confiance en soi et de sens des responsabilités, les deux qualités que je préfère en lui. Pendant ce trajet, je ne pense pas à son absence. Je pense au moment présent, à cette petite parenthèse dans le temps où nous sommes ensemble, confortablement assis dans un espace réduit où tout est à portée de la main.

— J. ? dis-je en regardant son profil se détacher sur un paysage de champs et de fermes, éclairé par le soleil du matin. J.W. ?

— Mmoui ?

— Tu ne m'as pas donné le numéro de ton vol de retour. C'est toujours le 375 ?

Il quitte des yeux le paysage et se tourne vers moi. Puis il pose la main contre ma cuisse, ébauche une caresse. Il a l'air triste, comme le jour où Roxie lui a appris que Debbie se mourait d'un cancer du sein.

— J., qu'est-ce qu'il y a ?

Sa main flatte ma cuisse.

— Oh, Marnie, soupire-t-il, se taisant aussitôt.

— Le numéro du vol, mon amour. C'est le 375, oui ou non ?

— Je n'en suis pas sûr.

— Chéri, comment peux-tu ne pas en être sûr ? C'est simple, tu n'as qu'à le vérifier sur le billet.

— Pas si simple quand on n'a pas le billet... pas encore.

— Quoi ?

Il avale sa salive et détourne le regard vers la fenêtre.

— Tiens, ils ont détruit la vieille grange.

Il pointe du doigt un bouquet de peupliers un peu à l'écart de l'autoroute.

— J'aimais bien cette grange, poursuit-il. Elle penchait un peu plus chaque fois qu'on passait devant.

J.W. se frotte les yeux.

— Ils ont décidé de la mettre par terre.

Je ne prononce pas un mot.

— J'ai pris un billet ouvert, Marnie, parce que cette installation peut se prolonger. Je ne veux pas avoir à annuler ma réservation pour en faire une autre.

— Tu m'as parlé de quatre jours. Quatre jours, maxi.

— ... et tu n'aurais pas dû venir me conduire sans le savoir, mais comme je sais que tu aimes ça...

— Je suis une grande fille, J.W., dis-je même si nous savons tous les deux que c'est faux. Tu aurais dû me le dire.

— J'aurais dû, mais je ne l'ai pas fait. Je te le dis maintenant. Je suis désolé, j'aurais dû préciser ça plus tôt. Je t'appelle mardi pour te dire comment le travail avance.

J'ai pris la bretelle de l'autoroute un peu trop vite. La voiture a surviré et, à l'intérieur, J.W. et moi avons penché comme une grange sur le point de s'effondrer, tirée vers le sol par le poids de son passé.

Nous venions de nous installer en Ohio quand l'agonie de Debbie a commencé. C'était il y a cinq ans, par une canicule qui collait les vêtements à la peau. Roseville me manquait. Et Olive et Merle, et même Roxie. Je regrettais aussi la chaleur sèche de Californie qui vous cuit en toute franchise, alors qu'en Ohio les journées torrides vous font espérer des nuits plus fraîches pour vous tenir éveillé, dégoulinant de sueur dans vos draps. À cause de l'Ohio et de ses nuits de bain turc, J.W. et moi avons commencé à dormir chacun de notre côté pour la première fois depuis notre mariage. Comme le moindre contact sur la peau — ne serait-ce qu'une cheville sur un mollet ou un bras sur une épaule — était inconfortable, nous dormions chacun à une extrémité du lit. C'était en quelque sorte un entraînement pour les séparations prolongées qui allaient emporter J.W. loin de moi. Nous avions essayé d'installer un ventilateur dans la fenêtre de la chambre, mais c'était pire. Mon mari se plaignait de son bourdonnement monotone et je me réveillais en sursaut, le souffle coupé comme si j'avais été roulée par les vagues au fond d'un océan et que j'avais perdu tout sens de l'orientation.

Quand nous avons construit notre grande maison, dans cette banlieue sud d'Auburn où des rangées de bouleaux séparaient les jardins, nous avons bien sûr pensé à l'air climatisé. Mais nous avions perdu l'habitude de dormir enlacés l'un à l'autre. Peut-être est-ce moi qui l'ai perdue, ou J.W. qui n'en a jamais donné des signes de nostalgie. Maintenant, par les chaudes nuits d'été, notre maison est fraîche et silencieuse, et nos épidermes aussi secs que dans la canicule californienne.

Après avoir quitté le collège, nous nous sommes écrit chaque semaine, Debbie et moi. Puisque j'avais ses lettres, ses coups de téléphone et J.W. dans ma vie, je n'ai jamais ressenti le besoin de chercher une amie pour la remplacer. Elle a obtenu une dispense d'âge pour entrer à l'USC, ce qu'elle pouvait se permettre puisque son beau-père était fier de consacrer une parcelle de sa fortune laitière à ses études. Je suis restée à Roseville. Puis une bourse de l'État et un prêt du gouvernement fédéral m'ont permis d'entrer à Sacramento State. Sa quatrième année à l'USC terminée, Deb est revenue à Roseville, où nous avons repris le fil de notre amitié jusqu'à ce que J.W. m'entraîne en Ohio. Nous sommes redevenues les bonnes copines de collège qui entretiennent une correspondance sauf que, cette fois, c'était moi qui partais au loin et décrivais mon nouvel univers.

Dans ses lettres, Debbie ne m'a jamais dit un mot de sa maladie. Elle continuait à écrire, chaleureuse, drôle, affectueuse comme à l'ordinaire, jusqu'à ce qu'elle entre à l'hôpital pour y mourir. Alors, Roxie a pris l'initiative d'appeler J.W. pour lui dire que le médecin de Debbie lui donnait à peine deux semaines à vivre, qu'il était temps de m'avertir pour que je vienne en Californie dire adieu à mon amie. C'est à lui qu'elle l'a dit, pas à moi.

Dans la cuisine de notre maison — encore à l'état de chantier —, j'étais en train de peindre les armoires d'une couleur baptisée blanc aztèque quand J.W. est entré par la porte coulissante.

« Marnie ? J'ai parlé à Roxie aujourd'hui.

— Roxie t'a appelé au bureau ? »

J'ai mis mon pinceau dans un sac de pain vide pour l'essuyer, selon la méthode que Merle Whitney m'avait enseignée.

J.W. m'a enlacé la taille. Il a retiré le bandana bleu qui protégeait mes cheveux et il a ébouriffé mes boucles.

« Pourquoi Roxie t'a-t-elle appelé ? »

Il s'est mis à gratter du bout de l'ongle une tache de peinture sur mes lunettes.

« Arrête, J. ! Qu'est-ce que Roxie t'a dit, à la fin ! »

J'ai saisi sa main. Sans la retirer, il a caressé de son pouce les phalanges de mes doigts. Son visage était crispé par la tristesse.

« Roxie a dit... Roxie a dit que Debbie a un cancer du sein. Elle n'a plus longtemps à vivre, Marnie. Elle va mourir. »

J.W. sait garder le silence quand il le faut. C'est une des qualités que je préfère en lui. Il sait que, devant quelqu'un qui souffre, le mieux est de se taire. C'est ce qu'il a fait après m'avoir annoncé la nouvelle. Nous nous sommes assis sur la toile maculée de peinture et il m'a serrée dans ses bras. Au bout d'un moment, il a ôté sa veste, retroussé ses manches, et il s'est mis à peindre, ne s'interrompant que pour réserver par téléphone mon billet d'avion pour Sacramento. Puis, il m'a conduite à l'aéroport et m'a embrassée deux fois, une pour moi, une pour Debbie.

Je ne sais pas si Debbie a senti mon arrivée. Sa mère m'a dit qu'elle était sous morphine, mais je me suis assise à son chevet et je lui ai caressé la tête, lissant les tristes touffes cotonneuses laissées par la chimio. J'ai versé des larmes sur la longue chevelure de Debbie, cette cascade soyeuse qu'elle portait si bien. Je m'imaginais l'étalant sur l'oreiller, détachée de son cuir chevelu. L'image de Debbie flottant devant la fenêtre-aquarium de la piscine du Gold Strike hantait ma mémoire. Douce sirène aux cheveux sombres qui, même après avoir emménagé dans les beaux quartiers de Parkwest, ne m'a jamais regardée de haut. Jamais elle n'avait gagné une compétition de natation, mais jamais elle n'avait cessé de tenter sa chance. Quand j'ai prononcé son nom, ses paupières se sont contractées et c'était comme si j'avais été de nouveau derrière la vitre de la piscine en train de la regarder plonger. Pour me faire rire, elle faisait semblant de manquer d'air.

« Pourquoi tu ris jamais, Marna ? » m'avait-elle demandé un jour où nous étions allongées sur la moquette de la chambre, dans le parc de maisons mobiles.

Après l'école, nous regardions des dessins animés tout en jouant à nous lancer des croustilles dans la bouche tandis qu'à côté la mère de Debbie coiffait ses clientes.

« Je ris, des fois », ai-je répondu, l'air impassible. Un biscuit salé a frappé mon menton pour atterrir sur le tapis.

« Tu ris pas assez, a-t-elle dit en vidant la boîte de craquelins sur ma tête. Tu dois rire plus que ça ! »

Debbie m'a toujours rappelé l'importance du rire. Pour elle, tout était sujet à rire : ses grimaces ou mon sérieux. C'était une amie parfaite et rare, assez altruiste pour faire attention à moi, assez généreuse pour se réjouir de mon bonheur, même quand je me suis mariée et qu'elle est restée célibataire. Assise à son chevet, je caressais ses cheveux en songeant au jour où elle m'avait appris qu'il était précieux d'avoir à ses côtés quelqu'un pour vous défendre contre la cruauté bête et gratuite.

Je suis restée dix jours à Sacramento. Après les funérailles de Deb, j'ai retrouvé J.W., qui en mon absence avait peint la cuisine et le salon. En feuilletant l'album-souvenir de nos années de collège, il avait trouvé une photo de Debbie et de moi sur le podium. Debbie était arrivée cinquième, j'avais gagné la médaille d'or. Nous étions encore des gamines, ce devaient être les Olympiques junior. J.W. avait eu la délicatesse de placer la photo dans un joli cadre en bois, bien en évidence sur la table de la cuisine. Quand nous sommes entrés et que j'ai aperçu le visage de Debbie, souriante comme si tout allait pour le mieux, on aurait dit qu'une fois de plus, la dernière, elle me confiait à J.W.

Et elle me répétait : « Ris, Marna. Surtout, n'oublie pas de rire. »

~

« Ris un peu. » C'est ce que je me dis aujourd'hui en me réveillant seule dans mon lit. Je compte les jours qui restent jusqu'au retour de J.W. Mais reviendra-t-il ? J'enfile sa robe de chambre et je descends à la cuisine. C'est un lundi gris. Sur la pelouse brille une légère couverture de givre. Je vais préparer le café, faire le lit, lire le journal et, Dieu merci, il sera déjà huit heures. Je pourrais partir tôt au Y et nager un kilomètre et demi de plus. À dix heures, mes arthritiques arriveront et je pourrai chasser J.W. de mon esprit jusqu'à mon retour à la maison, à seize heures trente. J'ouvre l'armoire, je tends la main vers le moulin à café. « Le café frais moulu, c'est notre péché mignon », dit mon mari. Le meilleur, conservé dans un joli pot en verre au-dessus de la machine à esspresso. Notre récompense pour toutes ces années de vaches maigres. Au fond de l'étagère, j'aperçois une enveloppe rose, avec mon nom écrit dessus. Je reconnais l'écriture carrée de mon mari.

« Mercredi, c'est la Saint-Valentin. Je l'avais oublié, mais pas J.W. Il n'oublie aucune fête, aucun anniversaire. Depuis qu'on se connaît, il m'offre des chocolats à la Saint-Valentin. Une boîte d'un kilo, d'une marque californienne introuvable ailleurs. En plaisantant, il me dit que je peux les manger et brûler les calories à la nage en une seule journée. Et si je prends quelques grammes, tant mieux, ajoute-t-il en me prenant par la taille, ça lui en fera seulement plus à aimer. Depuis que nous avons déménagé dans l'Ohio, jamais il n'a oublié de commander lui-même ces friandises en Californie, sans passer par Olive, qui, j'en suis sûre, le ferait volontiers pour lui. Je suis perplexe : quand il est parti, il m'a dit qu'il serait de retour mercredi ou jeudi au plus tard. En ouvrant l'enveloppe, je me demande pourquoi il ne me l'a pas remise lui-même, accompagnée comme d'habitude de la boîte de chocolats. Pourquoi a-t-il voulu que je la trouve le lendemain de son départ, dissimulée au premier endroit où je vais regarder le matin ?

L'enveloppe renferme une de ces cartes conventionnelles pour gens pressés, avec des souhaits adressés « à ma chère épouse ». Et d'affreux cœurs rouges en relief, entrelacés de rubans roses. Une guimauve à donner la nausée. Exactement le genre de choses dont on se moque, J.W. et moi, car ceux qui fabriquent ces cartes ignorent tout de notre conception de l'amour. Si mon mari était là, il m'aurait prise sur ses genoux, aurait jeté un coup d'œil à l'horloge et m'aurait entraînée vers le canapé du salon ou le tapis moelleux de son bureau pour un câlin rapide mais efficace. Puis il aurait pris sa douche et serait parti vers son univers d'homme d'affaires.

Sous les cœurs rouges, J.W. a ajouté de son écriture carrée : « Je t'ai aimée chaque minute depuis treize ans. » Et il a signé, non pas de ses initiales mais de son nom complet, comme s'il avait contresigné un contrat. Je retourne la carte calamiteuse, je la glisse dans l'enveloppe et la remets où je l'ai trouvée, dans l'armoire de cuisine, derrière le pot à café. Je range ma tasse habituelle et le moulin à café sur l'étagère, puis je referme l'armoire comme si je n'avais jamais trouvé ses souhaits de Saint-Valentin.

Roxie n'arrête pas de s'en prendre à ma passion de la natation. Nager des kilomètres dans une piscine, il y a de quoi mourir d'ennui, selon elle. « Comment peux-tu supporter ça? me dit-elle. À quoi ça rime, s'il n'y a même pas de compétition en jeu? Tu es en bonne forme, alors pourquoi perdre tant de temps à t'entraîner? Utilise plutôt ton diplôme pour te trouver un vrai travail, avec des horaires fixes. »

Elle a tort sur toute la ligne. L'eau, c'est mon élément naturel. Quand Harvey dit en plaisantant que je dois avoir des branchies, il a en partie raison. Je respire mieux dans l'eau. Une seule fois dans ma vie, j'ai arrêté de nager. J.W. finissait son M.B.A. Nous ne voulions plus vivre de l'aide financière de Merle et Olive, alors j'ai accepté un travail à l'hôtel de ville de Sacramento. Les heures de bureau étaient trop longues pour que je puisse nager dans la journée, et j'ai sacrifié mon entraînement du soir pour accueillir J.W. à la maison et suivre des cours d'art ménager à mi-temps avec Olive. J'étais heureuse de passer plus de temps avec mon mari, là n'est pas la question, mais au bout de six mois j'ai commencé à me sentir oppressée. Je respirais mal, mes poumons manquaient d'air comme si on m'avait mis un sac en plastique sur la tête. Je me sentais si mal que je passais mes pauses repas enfermée dans les toilettes, la tête sur les genoux, au bord de l'évanouissement. Je comprends mal pourquoi mon corps a réagi ainsi. Peut-être qu'un jour un spécialiste pourra me fournir une explication. Tout ce que je sais, c'est que, dès que J.W. a décroché son diplôme et obtenu un emploi, j'ai quitté mon poste à la mairie et j'ai recommencé à nager, parfois trois kilomètres par jour. Et tant que je nage, je respire.

Je vais parfois déjeuner avec Della, la réceptionniste du Y. Elle vient d'Alabama, mais elle me paraît familière parce que sa coiffure ressemble aux permanentes que faisait la mère de Debbie au temps où son salon de beauté du Gold Strike ne désemplissait pas. D'autres fois, je profite de ce temps libre pour nager jusqu'aux cours du début de l'après-midi. Aujourd'hui, je nage à en perdre le souffle parce que la carte de la Saint-Valentin m'obsède comme chaque compétition que j'ai perdue. Elle me rappelle amèrement que je ne suis pas la meilleure, la plus rapide. Je nage avec vigueur, jusqu'à atteindre cet état second où l'afflux d'endorphines endort l'anxiété, mieux qu'un calmant chimique, je l'ai lu dans le *Time*.

À treize heures, Eric me crie de décrocher les flotteurs et je les détache de leurs anneaux dans le petit bassin. Eric les enroule sur la passerelle du côté du grand bassin, en n'arrêtant pas de se plaindre à cause de la roue qui n'a pas encore été livrée. Mes arthritiques entrent en boitillant et j'aide les plus handicapés à entrer dans l'eau. Comme d'habitude, Selma veut que j'attache les brides de son maillot. Sans dire un mot, elle tourne vers moi son dos parsemé de taches de son pour que j'ajuste les extrémités élastiques. Avec une petite tape amicale sur l'épaule, je la dirige vers les marches du petit bassin. Aujourd'hui, Louise me prend pour sa mère ; elle est revenue en 1932, dans sa petite enfance. Je lui prends la main et la conduis vers les marches. Sa fille Betty, assise sur le banc le plus près, remue les lèvres en silence et je lis : « Merci, Marna. »

Eric et moi soulevons Frankie Cechelli de son fauteuil roulant pour le placer dans le siège en plastique blanc du monte-charge. Dans nos bras, Frankie est aussi léger qu'un enfant. Il sent même la poudre pour bébé. Je glisse dans la piscine tandis qu'Eric amorce le système hydraulique du monte-charge. Il maintient le corps déformé de Frankie sur le siège jusqu'à ce qu'il touche la surface de l'eau. J'aide l'infirme à flotter en le maintenant contre ma poitrine tandis que son aide-soignant retire son uniforme blanc et nous rejoint dans la piscine.

— Jésus, Marie, Joseph ! grogne Frankie, mais je sens que l'eau détend ses membres tordus.

Il me sourit d'un pauvre rictus. Je prends sa tête entre mes mains et le dirige doucement vers les bras tendus de son aide-soignant.

À l'autre bout de la piscine, j'entends résonner le salut d'Harvey.

J'agite la main dans sa direction, puis je plonge sous l'eau. Je nage sous l'eau les yeux fermés et refais surface près de mon adorateur, lui éclaboussant les pieds.

C'est mon cours préféré. Chacun de nous — même Frankie — trouve dans l'eau qui nous baigne un rare apaisement. Je les appelle mes champions, bien qu'à part Harvey aucun d'eux ne nage vraiment. Ils tiennent des pots en plastique à demi remplis d'eau au-dessus de leur tête, comptent jusqu'à dix, baissent leurs bras aux chairs pâles puis les relèvent en un lent mouvement de piston. Puis je me hisse sur la passerelle et je glisse Glenn Miller dans le lecteur de cassettes. Sur l'air de *Sunrise Serenade,* nous traversons la piscine dans une espèce de valse aquatique. Harvey fait une cour de tous les diables à Selma, ignorant ses protestations aigres quand elle l'accuse de l'éclabousser intentionnellement. Nous finissons la séance avec des bouées autour du cou, côte à côte, face à face puis dos à dos. C'est alors qu'Harvey se glisse derrière moi et s'écroule dans l'eau face la première, en faisant le mort comme un gamin. Au bout d'un moment, je n'y tiens plus. Persuadée que sa folie peut l'amener au bord de la noyade, je le retourne sur le dos.

— Je vous ai bien eue, mon petit poisson !

Il me lâche un long jet d'eau en plein visage, tout fier de sa plaisanterie.

Je le sermonne :

— Harvey, conduisez-vous en adulte ou inscrivez-vous aux cours en famille. On a le droit de faire le noyé seulement pendant ces cours-là.

Puis je les aide à sortir de la piscine. Au sommet des marches, Selma vient vers moi et me tend son dos. Je me dis que l'âge a décidément inversé les rôles, faisant de moi la mère et d'elle l'enfant. Je dégraffe son maillot et lui donne une dernière tape amicale sur l'épaule. J'appelle Harvey. Il m'envoie un baiser en plissant les lèvres avec une application comique. Pas de doute : il a l'air d'être pour de bon retombé en enfance ! J'éclate de rire, un rire franc que Debbie aurait aimé entendre, puis je ramasse mes lunettes sur le banc et je les ajuste sur mon nez.

Le monde m'apparaît alors avec une netteté crue. Mes champions deviennent un troupeau de vieux et de vieilles aux chairs flasques enveloppées dans des maillots pendants, qui se dirigent à petits pas vers les vestiaires, traînant après eux des relents de désinfectant et de chlore. Eric et l'aide-soignant hissent Frankie dans son fauteuil roulant où il restera assis, condamné à l'immobilité jusqu'à la prochaine leçon. Il retrouvera alors cette sensation de plénitude que nous ressentons tous, même si c'est une illusion.

Elle me surprend dans ce moment de désillusion.

— Marna ? Je m'appelle Laurel McArthur. Je me demandais si je pouvais parler une minute avec vous de la possibilité de prendre des leçons individuelles.

Parfois, je vois des choses qui me font regretter d'avoir mis mes lunettes. Des choses qui auraient mieux fait de rester dans le flou. Comme cette femme qui est devant moi, jumelle parfaite de Miss Santa Clara. Ses yeux de jade sont parfaitement assortis à sa robe verte en maille fine. Ses cheveux sont d'un blond naturel à rester bouche bée, artistiquement coupés au ras de la joue comme sur les pages couvertures du *Cosmopolitan.* Elle lève la main pour repousser une mèche sur son front. Je remarque ses doigts fins, ses ongles soignés recouverts d'un vernis clair. Je regarde ses pieds chaussés d'escarpins, inattendus sur le bord humide d'une piscine mais qu'elle porte avec tant d'élégance.

J'ai de nouveau dix-huit ans. Je marche sur un nuage parce que je viens de décrocher coup sur coup une médaille d'or aux Jeux régionaux et mon premier rendez-vous amoureux. J'ai ma meilleure amie à mes côtés et un garçon à aimer. Pour la première fois, la vie me comble de cadeaux. Mais il suffit de quelques mots orduriers dans la bouche d'une trop jolie nageuse pour que je réalise que tout cela n'est qu'illusion, supercherie, invention d'une petite fille que sa mère a toujours laissée se débattre sans faire un geste pour la sauver.

Mais j'ai trente-six ans, ma meilleure amie est morte et mon mari est parti. C'est à moi, et à moi seule, de sauver ma peau.

— Non, dis-je en m'éloignant de Laurel McArthur et en arrachant rageusement la serviette de mes épaules. Impossible.

Laurel

La peur de Tracy peut vider une pièce de son air. Elle recommence à aller mal, me dit-elle, et c'est d'autant plus inquiétant qu'elle allait beaucoup mieux juste après notre première séance. Il y a bien sûr dans sa phrase la nuance habituelle : des accusations muettes et les excuses qui les accompagnent — non pas par remords, mais parce que je pourrais l'abandonner. C'est comme si les patients voulaient vous dire : « Je ne vais pas beaucoup mieux et ça doit être votre faute, mais vous êtes tout ce que j'ai et je vais devoir subir les conséquences de vos échecs. » Peu importe le nombre de fois où je leur dis qu'une séance ou deux ne suffiront pas, ils espèrent un miracle et sont très déçus quand il ne se produit pas.

C'est prévisible. Tout de suite après leur première séance, les patients se sentent vraiment mieux. Avoir pris un rendez-vous et l'avoir maintenu les soulagent; et faire sortir les mots et sentir que leur expérience est comprise et reconnue les soulagent encore plus. C'est la même chose quand on leur dit que les médicaments aideront peut-être. Les exercices respiratoires permettent à Tracy de mieux se maîtriser que d'ordinaire, sciemment, quand elle est dans mon bureau. Mon réconfort lui redonne l'espoir. Et parce qu'elle se sent mieux en partant, c'est un choc quand elle va de nouveau moins bien, peut-être dès le lendemain. Une autre crise d'angoisse survient. Je l'avais prévenue de la tournure que pourraient prendre les choses, en appuyant toujours sur le « pourraient », au cas où elle ferait partie de ces rares patients tellement influençables que leur anxiété peut être éteinte comme une allumette sous la pluie.

Aujourd'hui, Tracy arrive donc le cœur gros de peurs et de déceptions. Tout ne sera pas aussi facile qu'elle l'avait espéré. Il n'est pas juste pour elle que je passe moi-même un mauvais après-midi, bouleversée par la pénible rencontre au YMCA. J'essaie de me concentrer, c'est le moins que je puisse faire, mais, en pensée, je retourne sans arrêt à la piscine.

Après le rejet tellement dédaigneux de Marna, je suis restée abasourdie, clouée au sol, la regardant s'éloigner le dos raide. Peu importe ce que j'aurais souhaité avoir dit et ressenti ; ce que j'ai vraiment dit n'était rien et ce que j'ai ressenti, c'était qu'elle m'avait pointée du doigt comme pour désigner une femme mauvaise déguisée en honnête femme. La gêne m'a poussée à fuir immédiatement et à conclure prématurément que je n'y retournerais jamais.

C'est plus tard, alors que je me repassais l'événement mentalement une fois de plus, qu'une partie de l'humiliation s'est muée en colère, un sentiment plus fort. Qu'est-ce que j'avais bien pu lui faire ? J'ai pensé appeler le YMCA pour me plaindre. J'ai pensé écrire une lettre et en envoyer une copie au journal local. J'ai même pensé l'affronter en personne, mais c'est une idée que j'ai écartée dès qu'elle a eu pris forme.

Cette position n'est pas dans ma nature, je veux dire, celle de l'affrontement. J'ai tendance à garder mon opinion pour moi et à éviter les scènes désagréables plutôt qu'à les provoquer. Je me reconnais cette faiblesse : souvent, je ne dis pas exactement ce que je pense mais j'adoucis les choses ou j'use de faux-fuyants, ou encore je lance un désinvolte « Pas de problème ! Ça ira ! » en réponse à un geste blessant ou à une faveur qu'on me demande.

C'est peut-être la présence de Jake dans ma vie qui me donne envie d'être différente. Peut-être que c'est pour Jake autant que pour moi que j'ai cette volonté non pas d'affronter Marna, mais de refuser qu'un événement extérieur me détourne de mon but. J'ai peur de l'eau et j'ai peur de rencontrer Marna de nouveau, mais j'ai vu l'effet de la peur sur quelqu'un qui se laisse déborder. Un rien sépare la maîtrise de ses sentiments de la peur, et l'équilibre entre les deux est précaire. J'ai maintenant un aperçu de ce que c'est que d'être, disons, moins seule. J'aime ce tableau. Et pourtant, ma vie a beau être rassurante, je m'y sens parfois comme dans une pièce sans air. Je travaille la vie des autres comme un artiste façonne sa terre glaise, mais je ne suis qu'une collaboratrice invisible. En fin de parcours, ce sont toujours les patients qui exposent les œuvres et y apposent leur signature. Et puis la routine m'étouffe. Je vais travailler, je rentre à la maison. Je lis le *New York Times* le dimanche, je regarde *Chicago Hope* si c'est un épisode jamais diffusé, et je vais voir ma mère, corsetée et impassible, et on répète la même conversation tous les jeudis soir. Il est temps que ça change. Si ma vie doit jamais être plus que ce qu'elle est, avec ou sans leçons particulières, il est temps de me jeter à l'eau.

Mon ventre gargouille. J'étais tellement bouleversée, quand j'ai fui le YMCA et me suis retrouvée dans le soleil de février, que j'ai sauté le repas et suis retournée directement au bureau, me repassant constamment le film de l'incident : exactement ce que je dis à mes patients de ne pas faire. Marna m'a secouée tellement durement qu'il m'a fallu du temps pour retomber sur mes pieds et arriver à une évaluation réaliste de la situation. Il doit y avoir quelque chose qui cloche chez elle pour qu'elle traite une étrangère de la sorte et, quoi que ce soit, je n'en suis pas responsable. « Ce n'est pas mon problème, pas ma faute », me dis-je à moi-même.

— Vous n'êtes probablement pas responsable de ce qui vous arrive, m'entends-je dire à Tracy vers la fin de la séance. Si c'est un événement particulier qui a fait germer la graine de votre angoisse, eh bien, il y a de très fortes chances pour que vous n'ayez eu aucune maîtrise sur la chose.

Tracy hoche la tête. Elle a vingt-trois ans mais elle en fait seize et elle réveille la mère qui sommeille en moi. En fait, je ne suis pas sûre qu'elle ait un réel contact avec sa mère, même si je ne perçois pas d'hostilité déclarée à son encontre. Elle est petite — elle mesure peut-être un mètre cinquante-cinq —, a de longs cheveux bruns et ses traits sculptés et délicats ne sont presque pas maquillés. Ses ongles sont d'un ovale parfait, longs, impeccablement vernis de rouge mat. Je me surprends à essayer de voir s'ils sont faux. Elle porte un simple jeans et un chandail molletonné gris car elle s'est fait porter malade — une fois de plus —, trop inquiète à l'idée d'emprunter l'autoroute pour aller au bureau où elle travaille comme secrétaire juridique. Une amie en congé de maternité l'a conduite à mon cabinet et est restée dans la salle d'attente avec son fils d'un mois. Bien que la pièce soit confortable, j'encourage le moins possible cette manière de faire, les patients étant souvent nerveux à l'idée que quelqu'un les attend et verra leurs yeux rougis après la séance ou demandera de quoi ils ont parlé.

— Pour l'instant, ce qui nous préoccupe, c'est de vous rendre la maîtrise de ce qui vous arrive, d'accord ?

Les larmes viennent aux yeux de Tracy, qui sont d'un assez joli bleu-gris. Mais la partie de son visage la plus marquante est la bouche, un minuscule arc poupin, aussi finement dessiné que ses ongles. À sa dernière visite, elle portait le rouge à lèvres vermillon à la mode, mais aujourd'hui, son apparence est un peu moins soignée et, si elle a été maquillée plus tôt dans la journée, son maquillage n'a pas été retouché et il a maintenant disparu. Je prends note de tels détails délibérément ; parfois, l'apparence extérieure d'une patiente m'en dit plus que son discours. Cela dépend bien sûr de sa facilité à s'exprimer, une faculté que les femmes ont plus souvent que les hommes. C'est-à-dire qu'elles sont plus sensibles aux nuances dans l'émotion et plus portées à donner aux mots une forme, une couleur et une marque, comme en ont les pensées, ces fleurs délicates, et encore certaines femmes s'expriment-elles plus facilement que d'autres. Tracy est encore une énigme pour moi. Je vois bien qu'elle est intelligente et vive la plupart du temps, mais elle semble presque paralysée par ses symptômes. Pour l'instant, elle fait un nouveau signe d'assentiment et je réprime un soupir. Certaines heures sont aussi longues et minces que du caramel qu'on étale et elles sont tout aussi dures à travailler.

Les persiennes découpent comme un oignon un soleil pâle et translucide.

— Comment vous sentez-vous en ce moment ? Quand je vous ai parlé de reprendre la maîtrise de votre vie, on aurait dit que je touchais un point sensible, c'est juste ?

C'est en tout cas une hypothèse raisonnable. Ils réagissent presque toujours à ce type de suggestion. J'ai appris une chose : la plupart des gens — même ceux qui semblent plutôt dépendants — détestent manquer de maîtrise dans leur vie.

J'obtiens un bref « oui » pour toute réponse. Une erreur de ma part. Je sais pourtant qu'on ne fait pas suivre une question ouverte d'une autre à laquelle on peut répondre par oui ou par non. Son menton tremble.

— Alors, que se passe-t-il en vous en ce moment ?

J'ai appris à être très patiente, du moins extérieurement, même quand la frustration me fait bouillonner comme un ragoût dans une marmite. Je prends deux ou trois lentes inspirations, non pas parce que je suis anxieuse, mais pour retrouver mon rythme. Tout cela fait partie d'un processus. Peu importe mon expérience, pour le patient, c'est toujours la première fois.

— J'ai peur de ne plus jamais aller bien... jamais.

— Tracy, écoutez-moi.

Je me penche vers elle et pose la main sur son genou pour établir un contact. Quand nos regards se rencontrent, je poursuis :

— Je sais ce que vous ressentez. Je le sais. Et je sais que c'est terrifiant et qu'on se sent désespérée et impuissante. Ça va a-l-l-e-r m-i-e-u-x, Tracy. On va y aller étape par étape. Je sais quoi faire. Nous allons améliorer votre sort ensemble. Vous allez m'aider ?

Je la vois réagir, ce qui est toujours un bon point. Elle prend un mouchoir et pousse un soupir.

— Je ne me mettrai plus dans cet état ?

— Non, quand nous aurons fini, vous ne vous mettrez plus dans cet état.

Je la tiens avec mon regard, délibérément pénétrant. La rassurer de cette manière comporte un risque, faible : personne ne peut garantir le succès. Personne. Mais il est tellement essentiel pour sa guérison de lui donner confiance en elle que je dois la mettre en contact encore et encore avec ce sentiment jusqu'à ce qu'elle s'y sente comme dans son salon. Si je me trouble, si j'évite de m'engager ou si j'apporte des réserves, elle n'entendra rien d'autre.

Tracy est presque calme maintenant. Je peux y aller, doucement.

— Continuez à respirer très calmement, d'accord ? La première fois que vous êtes venue me voir, vous vous souvenez ? Quand j'ai voulu savoir à quel moment vous aviez été prise de panique pour la première fois, vous vous êtes mise à ressentir cette panique, non ? Regardez-moi, Tracy... Respirez. Tout va bien, je suis là. Pensez simplement à respirer et parlez-moi. Cette première fois, c'était quand ?

— Je me suis... réveillée la nuit, à cause d'un rêve. Je me suis réveillée en sueur et mon cœur... il battait comme s'il allait crever ma poitrine.

— C'est bien, Tracy. Restez avec moi. De quoi était-il question dans ce rêve ?

— Je ne me souviens pas. Quelque chose… un endroit sombre, comme un hall d'entrée. Peut-être que j'étais pourchassée par quelqu'un ?

Le point d'interrogation qu'elle ajoute à sa phrase me donne à penser qu'elle ne sait pas vraiment. Mais ça ne va pas trop mal. Aujourd'hui, elle se sent mieux avec moi. Je m'adosse au fauteuil et ajuste ma robe. C'est une robe deux pièces vert mousse que je porte avec un pendentif en ambre qui me rappelle le soleil levant. Elle fait ressortir la couleur de mes yeux (c'est pour ça que je l'ai achetée) et elle me donne toujours une envie de printemps, un goût d'espoir. Je devrais peut-être me contenter de donner un peu d'espoir à Tracy aujourd'hui, même si j'en avais espéré pour moi aussi.

— Continuez les exercices de respiration. Appelez-moi si vous avez besoin de moi. Je suis là. Je crois que vous avez déjà pris votre prochain rendez-vous ? À mercredi alors.

Elle acquiesce mais ne se lève pas tout de suite. Je sais qu'elle lutte pour s'obliger à partir, pour faire ce qu'elle a à faire.

~

Vendredi enfin. Pas de Jake ce week-end mais j'en suis presque contente. Ma vie est complètement bouleversée depuis plus d'une semaine. Je suis incapable de me secouer plus d'une heure de suite et parfois je ne tiens même pas aussi longtemps. Après le travail, juste au moment où je m'apprête à faire griller du poisson et à me faire une salade verte, il appelle. Je me verse un verre de chablis et prends une grande inspiration.

— Allô, mon amour. Merci, c'est vraiment gentil les roses.

J'avais vu passer la Saint-Valentin sans avoir pensé à l'avance à envoyer une carte à ma mère ; ça ne m'était jamais arrivé. Jake avait fait livrer une douzaine de roses rouges à mon bureau, ce qui avait époustouflé ma secrétaire.

— Comment ça se passe à Atlanta ?

Je lui pose la question bien que je sois surtout intéressée par ses affaires en Ohio. Il privilégie les relations avec ses clients dans cette région maintenant, pour trouver des occasions d'être ici le plus souvent possible, mais la société lui demande d'être au siège social à Atlanta quand il ne fait pas une installation et ça peut l'emmener jusqu'au Nouveau-Mexique. Bien sûr, ça soulève la question de mon déménagement ou celle de la démission de Jake. Si nous continuons à nous voir, il faudra en venir tôt ou tard à l'un ou l'autre. Nous n'en avons pas beaucoup parlé. Je ne pense pas qu'il sache vraiment ce que cela implique de devoir se faire une clientèle, ni qu'on ne la déplace pas d'un État à un autre. Il lui serait certainement plus facile qu'à moi de déménager. Après tout, son métier en est un de célibataire. Il me l'a dit lui-même.

— C'est tout naturel pour les roses, et... je ne suis plus bien nulle part si tu n'y es pas, soupire-t-il.

— C'est comment là-bas ? Ici, il a encore fait un temps magnifique aujourd'hui. On a presque eu dix degrés. Si ça continue comme ça, les forsythias vont fleurir et ils seront bousillés par le gel.

Je n'arrive pas à croire que je lui parle de la température.

— Oh, ici il fait vingt-trois en ce moment. Mais c'est rien à côté du temps qu'on aura aux Bahamas. Tu nous imagines en train de faire de la plongée ?

— En fait, c'est plutôt dans notre chambre que je nous imagine. Dans notre lit, pour être plus précise.

— Je n'arrive pas à croire que c'est la femme que j'aime qui parle comme ça, répond-il en feignant la désapprobation. Je te donne jusqu'à vendredi prochain pour t'arrêter de travailler. Qu'est-ce que tu as au programme demain ?

— Une fin de semaine étourdissante en perspective. Les courses, le teinturier, le récurage des toilettes. Fascinant comme d'habitude.

— Pas de rendez-vous galant ?

— Ah oui, c'est vrai, j'oubliais le concert et le souper avec le duc de Monte Carlo, tu sais, mon amant secret. Je pensais que ça ne comptait pas, à cause de sa femme et tout ça... dis-je d'un ton léger.

Puis un transfert s'opère en moi et je prends le téléphone en main, alors que je l'avais tenu négligemment coincé entre l'oreille et l'épaule tout en buvant mon vin et en fourrageant dans le réfrigérateur pour trouver une tomate.

— Soyons sérieux une minute. Je sais que tu plaisantais il y a une seconde et je dois dire que j'aime bien que tu sois un peu jaloux. Tant que tu respectes mon indépendance et que tu n'agis pas comme si je t'appartenais, quand tu es un peu possessif, j'ai l'impression que tu me désires vraiment... Mais je veux que tu saches qu'il n'y a personne d'autre et qu'il n'y aura personne tant que je sortirai avec toi. Tu peux avoir confiance en moi.

Il y a une longue pause, puis Jake dit tranquillement :

— Nous avons tellement de choses à nous dire. Il faut qu'on passe plus de temps ensemble, beaucoup plus. Est-ce... est-ce que tu ressens la même chose que moi ?

Je ne réponds pas tout de suite car je dois ravaler l'émotion qui me noue la gorge. Il interprète mal le délai.

— Laurel ? Si tu ne ressens pas la même chose, il faut que je le sache. Et c'est encore plus vrai si tu partages mes sentiments. Il va falloir... planifier tout ça.

Je crois deviner qu'il parle mariage. J'ai l'impression de plus en plus nette que c'est vers ça qu'on se dirige. Oui, j'ai toujours mon secret, mais je veux faire la chose suivante : vaincre ma peur et lui raconter ensuite tout ce que j'ai traversé et tout ce que j'ai réussi à faire, avant de lui dire : « Oui. Oui. Je ferai le reste de la route avec toi, Jake Whitney. »

— Oui.

Je choisis les mots parmi une avalanche d'autres et chacun d'entre eux ouvre la voie à toute une série d'autres mots.

— Je ressens la même chose que toi.

Long soupir :

— Bon, dit-il.

Grâce à la résolution que j'ai prise, je ne me sens même pas malhonnête par rapport à Jake quand, le samedi matin, je ne commence ni le ménage, ni les courses, ni les différentes choses que j'ai à faire et dont j'avais dit à Jake qu'elles occuperaient mon week-end. Je ne vais pas voir ma mère non plus. Je retourne au YMCA pour obtenir un horaire de la piscine à la réception. La femme à la crinière n'est pas là et j'en suis contente ; il y a juste une adolescente au rouge à lèvres marron et au mascara noir, les dents cachées par un appareil dentaire, et qui ne semble pas en âge de travailler. Je ne voulais pas que la groupie numéro un de Marna me demande si je l'avais trouvée.

Je tombe tout de suite sur ce que je cherchais.

— Le bain libre, dis-je à la fille (l'étiquette sur sa blouse indique son nom, Desiree), tout en pointant du doigt une ligne du dépliant, qui peut y aller ?

— Tout le monde, les membres, dit-elle assez poliment, bien qu'elle ne réussisse pas à faire suivre sa réponse d'un sourire.

— Je veux dire, est-ce qu'il faut savoir... nager?

— Non. Oui, enfin, tous ceux qui y vont savent, mais c'est pas dans le règlement. Il y en a qui emmènent leurs jeunes enfants, alors...

— On a droit à combien de séances?

— Autant que vous voulez, dit-elle, sceptique, comme si elle ne pouvait pas concevoir qu'il y ait sur terre des gens aussi ignorants que moi.

— Est-ce qu'il faut s'inscrire? À l'avance, je veux dire?

C'est alors que Desiree décide que je suis une attardée mentale malgré mon apparence normale. Elle parle lentement pour que je dispose, en lisant sur ses lèvres, de l'aide nécessaire pour la compréhension de ses explications.

— Non. Vous apportez... un maillot de bain et une serviette. Vous entrez par cette porte et vous montrez votre carte de membre. Est-ce que vous avez une carte de membre?

— Oui.

Il m'en fallait une pour m'inscrire au cours des débutants.

— Très bien. Vous montrez votre carte, à moi ou à la personne assise au bureau. Ensuite, vous allez par là et vous arrivez devant la porte où il y a écrit « Vestiaire ». Vous entrez et vous vous changez. Vous mettez vos vêtements dans un casier. Après, vous passez la porte où il y a écrit « Piscine ». Vous descendez les marches de la piscine et vous vous mouillez. Au bout d'une heure, vous sortez, sauf si un maître nageur vous a dit de sortir avant ça.

— Bon, merci, Desiree, dis-je. À plus tard.

« Voilà pourquoi je ne prends pas beaucoup d'adolescents en consultation », me dis-je en poussant la lourde porte vitrée menant au stationnement, où de petites flaques d'eau glacée sont déjà en train de se former après le verglas impitoyable du matin. Jusqu'à maintenant, tout ce que j'ai retiré de mes expériences au YMCA, c'est une impression très désagréable, mais mon obstination l'emporte. Je vais revenir et j'espère que c'est à la femme aux mèches folles que j'aurai à montrer ma carte de membre.

« Samedi, seize heures : bain libre jusqu'à dix-sept heures sauf compétition », lis-je dans la voiture sur le dépliant. Mais le calendrier des compétitions y est reproduit et il n'y en a pas le 23 février. Parfait. Je vais faire les courses, déposer mes vêtements chez le teinturier et passer à la banque. Peu importe. Je vais m'occuper jusqu'à ce qu'il soit temps de revenir ici et de ramasser le sac qui est resté sur le siège arrière de la voiture. Mon maillot de bain roulé dans la serviette est probablement encore mouillé et va coller quand j'essaierai de l'enfiler, mais aujourd'hui, je vais rentrer dans ce lieu à l'humidité suffocante et à l'horrible odeur de chlore. Et je vais me plonger la figure dans l'eau de cette piscine.

~~~

Quand l'inondation s'était retirée, on avait utilisé une solution à base de chlore pour désinfecter la maison. Des gens étaient morts dans l'eau qui avait envahi ma maison. Cette eau avait touché leur corps, je le savais. Je voulais ne plus jamais revoir d'eau. Il avait fallu un an avant que je laisse ma mère me remettre dans une baignoire pour me laver les cheveux. Penchée dans la douche, elle se faisait mouiller régulièrement pendant que je lui répétais : « Dépêche-toi, dépêche-toi, vite. »

~~~

J'avais raison. Le maillot est collant, glacé, et il sent mauvais. Des enfants poussent des cris perçants et toutes les deux minutes le sifflet du maître nageur coupe l'air dense comme une lame d'argent. J'ai réussi à descendre jusqu'au bas des marches, me plongeant jusqu'à la taille dans l'eau, d'un bleu improbable aujourd'hui, ce qui ajoute à l'aura surnaturelle du lieu. De jeunes enfants barbotent près de moi dans le petit bain. Du côté grand bain, des enfants à peine plus grands font la bombe en sautant du petit tremplin et je vois un adolescent exécuter un saut de carpe depuis le grand tremplin. Il y a aussi des gens plus âgés dans la piscine et je regarde partout espérant voir Betty, qui avait été si gentille lors du désastreux cours pour débutants. Mais elle n'est pas là. Je fais quelques pas lentement, la respiration coupée par le froid, le haut du corps toujours sec. Je n'ai mis que les mains dans l'eau et je fais de petits mouvements en surface, comme si j'essayais d'apprivoiser une bête sauvage. Un garçon d'environ dix ans qui se jette du bord éclabousse tout le monde et crée une vague qui monte jusqu'à ma poitrine et m'asperge la tête de grosses gouttes. Je frissonne. Il m'a fallu presque une demi-heure pour arriver jusque-là.

« Vas-y », me dis-je pour m'encourager. « Vas-y. » Je plie les genoux, m'enfonçant de trois centimètres à la fois. Quand l'eau m'arrive au menton, tout en moi crie non, mais je tiens bon, « Oui, vas-y, vas-y », et je force sur les muscles de mes cuisses pour contenir la tension de ma descente au ralenti. « Vas-y. »

Tout en riant et en se lançant des défis idiots, quatre adolescents se rapprochent de moi, les filles sur les épaules des garçons. Le maître nageur siffle trois coups brefs et je le vois balayer l'air du bras.

— Sortez de l'eau, crie-t-il. Dix minutes.

Le garçon le plus proche de moi, qui me tourne le dos et serre les chevilles de la fille en bikini sur ses épaules, crie brusquement : « Victoire » et la projette dans les airs derrière lui, cul par-dessus tête. Je la vois arriver, j'essaie de m'écarter comme je peux, mais elle retombe sur moi, heurtant violemment mon épaule et un côté de mon visage, et je me retrouve sous l'eau.

Je sais au moment même que je ne me suis pas fait très mal. Je sais que je peux remonter à l'air libre. Mais la même terreur m'envahit, comme si l'eau avait pénétré dans tous mes pores. J'essaie de reprendre pied mais, avant que j'en aie eu le temps, quelqu'un m'a attrapée par le bras et tirée hors de l'eau. Et je suis debout, recrachant et frottant mes yeux irrités. Mon épaule me fait mal et j'ai le souffle coupé.

Le maître nageur lâche mon bras mais reste tout près de moi, comme si un autre sauvetage allait être nécessaire d'ici quelques secondes. Ce n'est pas le maître nageur — je m'en rends compte quand je commence à y voir clair — mais Marna, la nageuse.

— Ça va ? demande-t-elle.

— Oui.

Je parviens à articuler ma réponse bien que sa vue me bouleverse et qu'il revienne instantanément à ma mémoire avec quelle arrogance et quel dédain elle m'avait répondu lundi.

— Merci.

— Eh bien ! Qu'est-ce que ce sera la prochaine fois ?

Elle secoue la tête, incrédule.

— Tom avait déjà été obligé de vous repêcher au cours Débutants.

Elle recule d'un demi-pas et me scrute à travers la partie inférieure de ses lunettes, comme si elle portait des verres à double foyer. Ce n'est pas le cas même s'ils ont l'air de ces culs de bouteilles de Coke qui rapetissent les yeux et les rendent difficiles à interpréter. C'est donc son menton levé qui donne cette impression de dégoût pour les gens ineptes comme moi.

— J'ai l'impression que vous avez réellement besoin de leçons. Vous voulez toujours en suivre ?

Ses cheveux — un nid brun foncé de boucles broussailleuses — sont secs ; elle devait être sur le bord de la piscine.

— Je ne sais pas, dis-je. Non. Je veux dire oui.

— C'est oui ou c'est non ? me demande-t-elle.

Je n'arrive pas à savoir si elle se moque de moi. Je n'aime pas cette femme. Moi qui, par nature et de par ma formation, trouve quelque chose à aimer chez la plupart des gens, je ne l'apprécie pas. Mais je réponds quand même, sans savoir pourquoi, ce qui est d'habitude une exigence de base pour moi :

— C'est oui.

Marna

J'ai longtemps été surveillante de baignade, d'abord en été à la piscine du collège, puis tout au long de l'année à Sacramento State, mais je n'ai eu qu'une fois à sauter à l'eau pour sauver quelqu'un. Et je ne compte pas la fois où J.W. a fait un plongeon renversé du tremplin de trois mètres sans donner à son départ suffisamment d'ampleur, comme je le lui avais appris. Un côté de son visage a accroché le tremplin et le sang a coulé à flot de sa bouche et de sa joue. Oui, je l'ai tiré de la piscine avec la force surhumaine que me donnait la peur de le voir mourir. Mais lui, il était mort de rire ! Il s'esclaffait tellement qu'il m'arrosait de son sang tandis que je me démenais comme un diable pour le tirer sur le bord. Terrifiée à l'idée de perdre le seul homme qui puisse jamais m'aimer, je hurlais à Debbie d'appeler une ambulance.

Mais J.W. n'a même pas frôlé la noyade. Il en a été quitte pour une minuscule ébréchure à son incisive gauche, seul souvenir de ce monumental moment d'imprudence. Avec, en prime, l'humiliation d'avoir été perdant dans son duel avec Tommy Robello. Ils s'étaient lancé un défi qui ne consistait pas à exécuter un plongeon parfait. C'étaient des joueurs de football, et ils savaient tous les deux qu'ils n'appartenaient pas à la race des Greg Louganis. Quand j'ai appris à J.W. les subtilités du plongeon renversé, je voulais qu'il maîtrise assez la technique pour faire un saut correct. Mais le pari des deux garçons était une pure bravade, à qui se jetterait sans sourciller à travers l'air et l'eau. La peur, c'est moi qui l'ai ressentie. C'est moi qui porte la cicatrice du pari manqué de J.W.

Le seul sauvetage, la seule réanimation que j'ai dû faire de toute ma carrière de surveillante, c'est celle d'une petite Mexicaine qui avait coulé au fond de la piscine aussi doucement qu'une poupée de chiffon. Nous étions entraînés à balayer du regard la piscine, de gauche à droite puis de droite à gauche, particulièrement les jours où elle était remplie d'enfants turbulents dont les mères nous avaient généreusement refilé la garde. J'étais perchée sur la chaise de surveillance; Debbie, sur le bord de la piscine, était en train de confisquer des pistolets à eau à une bande de galopins de dix ans au langage grossier. J'ai arrêté mon va-et-vient pour observer la scène. Debbie tenait les pistolets à eau d'une main au-dessus de sa tête, tandis que les gamins la prenaient d'assaut pour récupérer leur bien. Le visage de Deb rougissait de colère.

Un groupe d'enfants plus âgés s'est mis à faire des bombes du côté du grand bain, soulevant des gerbes d'eau. Quand la surface de l'eau redevint calme, j'ai aperçu le maillot rose clair de la petite fille au fond de la piscine. En un seul geste j'ai empoigné le tube de réanimation, j'ai dévalé de ma chaise et sauté à l'eau. Elle était toute petite, environ cinq ou six ans, en tout cas trop jeune, selon les règlements affichés par l'établissement, pour nager sans la surveillance d'un adulte. Plus tard, Debbie a découvert que la mère de la petite était l'une de ces travailleuses agricoles habituées à décharger, chaque matin d'été, leur ribambelle d'enfants à la porte de la piscine. Une heure avant l'ouverture, elles embrassaient les *ninos* et les plantaient là avec dans la main le prix de l'entrée et un sac à casse-croûte. À dix-sept heures, on voyait s'arrêter devant l'entrée les vieilles guimbardes brinquebalantes venues récupérer la marmaille. Je ne blâme pas ces femmes. Ce sont de bonnes mères, jamais je n'en ai douté. Elles font simplement de leur mieux avec le peu qu'elles ont.

Les surveillants de piscine subissent un entraînement aux techniques de réanimation où chacun s'efforce à tour de rôle de simuler une victime aussi difficile à repêcher que possible. C'est plus souvent l'occasion de taquiner nos partenaires et de leur donner du fil à retordre que de reproduire une réelle situation d'urgence. On ne s'imagine pas à quel point il est facile de plonger et de ramener à la surface un petit corps qui a cessé de lutter pour sa survie.

Les Minnie Mouse qui parsemaient le petit maillot rose sont imprimées dans ma mémoire. Je me souviens du contraste entre l'étoffe claire et la peau brune, la poitrine sans signe de vie, les jambes maigres qui ballottaient contre moi comme les membres en bois d'une marionnette. Je l'ai déposée doucement au bord de la piscine et, après avoir repoussé les mèches de cheveux noirs, j'ai tourné sa tête vers moi. Debbie a entouré ses jambes de serviettes sèches, pliées pour qu'elles lui tiennent plus chaud. Mon amie m'a dit plus tard que les autres enfants se sont tus brusquement. Sans y être invités, ils sont sortis de l'eau et ont fait cercle autour de moi, de Debbie et de la petite fille qui allait bientôt devenir un cadavre si je manquais mon coup. Au cours de l'entraînement, chacun se pose immanquablement la question : aux prises avec un vrai cas de noyade, sera-t-on capable de se souvenir des gestes qui sauvent après les avoir répétés uniquement sur des partenaires bien vivants, avec une mise en scène plus près de la partie de fou rire que d'un drame réel ?

Je n'ai pas perdu mon sang-froid. J'ai ouvert et nettoyé la bouche de l'enfant, qui semblait trop petite pour mes doigts maladroits. J'ai renversé la tête de la fillette, pincé son nez, et j'ai commencé le bouche à bouche en guettant le moment où les Minnie Mouse du haut de son maillot se soulèveraient, même imperceptiblement. Debbie comptait, je soufflais, et ainsi de suite pendant d'interminables secondes. Puis la poitrine de la petite s'est gonflée, elle a toussé et Debbie s'est précipitée pour appeler l'ambulance. J'avais réussi. J'avais sauvé l'enfant de la noyade. Un peu plus tard, quand sa mère a appris l'accident et qu'elle a fondu en larmes, c'est moi qu'elle a bercée dans ses bras en disant : « *Mija, mija, mija, gracias, gracias.* »

Quand Debbie a raconté l'incident à J.W., j'ai senti son amour pour moi monter d'un cran. En apprenant que j'avais sauvé une vie, il a eu le même regard que le jour où j'avais été la meilleure, la plus rapide. Cela l'a décidé à formuler sa demande en mariage, je crois. Et du même souffle, il a ajouté : « Tu seras une mère exceptionnelle, Marna. Nos enfants auront bien de la chance. Tu seras la meilleure. »

Et pendant les dix premières années de notre union, il n'a pas cessé de me le répéter.

~

Ce samedi après-midi, au lieu de rester dans le garage et d'aider J.W. à décaper et vernir les chaises longues en cèdre, j'ai décidé d'aller nager à la piscine. Si mon mari est un tant soit peu perspicace, il devinera que je veux le punir de son absence de la semaine passée, qui s'est allongée de trois à quatre puis cinq jours, avec autant d'élasticité que ces jouets d'enfants en forme de ressorts métalliques. Je le punis aussi pour les pesants silences qui règnent entre nous, chargés d'une menace qui agite les eaux troubles de notre union. Enfin, je le punis pour mon propre silence. Je n'ai jamais soufflé mot de la boîte de chocolats de Saint-Valentin. Au lieu de vider mon sac, j'ai prétexté que les émanations de vernis me faisaient tourner la tête. Il a baissé son masque à poussière pour me dire, comme il disait pour m'encourager avant chacune de mes courses :

— Va battre un nouveau record, Marnie. T'es la plus rapide, chérie.

Puis il est retourné à son travail de décapage, caressant le bois avec un mouvement qui faisait saillir les muscles de ses bras et me faisait fondre de désir.

Quand nous avons construit cette maison en prévoyant deux chambres supplémentaires, J.W. n'arrêtait pas de parler des « enfants » comme si notre vie avait été le scénario d'un téléroman aux rôles distribués d'avance. Ce serait un garçon et une fille, avait-il décidé. L'aîné serait un garçon, bien sûr, pour protéger sa sœur et lui montrer « les ficelles de la vie ». Une fois l'entrepreneur entièrement payé et le dernier meuble déchargé du camion de déménagement, alors il serait temps de mettre les enfants en route. Le moment était venu, avait décrété J.W.

Le premier soir que nous avons passé dans notre grande maison, il a cérémonieusement jeté mes pilules contraceptives dans les restes de nos verres de champagne. La nuit même, nous avons fait l'amour sans protection, comme on dit. Et de fait, je me suis sentie sans protection quand mon mari, un peu trop ivre et manifestement pressé de finir la besogne, m'a montré qu'il est possible pour un homme de faire l'amour à sa femme dans un va-et-vient mécanique, sans sembler conscient du corps qu'il pénètre. Il a rempli son devoir conjugal avec une sorte de conscience professionnelle. L'esprit de J.W. était tout entier occupé par les enfants, je le sais. Quand il a joui et qu'il est retombé le long de mon flanc, je l'ai senti épuisé par la tâche que nous venions d'accomplir. J'ai réalisé alors qu'avant même d'être conçus ces enfants étaient pour moi une menace. Ils me volaient la protection dont j'avais un besoin vital. Et qui, aujourd'hui encore, est mon oxygène.

Ayant eu la chance d'avoir des parents parfaits, il me croyait capable de faire pour mes enfants tout ce que Roxie n'avait pas fait pour moi. Quand je lui parlais des bizarreries de ma propre mère, quand j'évoquais nerveusement quelque souvenir à faire frémir, il me réconfortait sans comprendre ce que je ne parvenais pas à exprimer : comment l'indifférence d'une mère peut faire de vous une écorchée vive pour la vie entière. À ses yeux, j'étais celle qui se jette à l'eau pour rescaper des noyés, une équipe de sauvetage entière à moi toute seule. Mais sauver de la noyade les enfants des autres est loin de signifier qu'on ne peut pas se noyer soi-même.

Quand j'ai tenté de lui dire que je n'étais pas sûre de vouloir des enfants, ou en tout cas pas aussi sûre qu'il l'était, il ne m'a pas comprise. Ou plutôt, je pense qu'il a interprété cela comme de l'égoïsme.

— Il va falloir que tu arrêtes de donner des cours au Y, bien entendu, me dit-il un soir en sortant de la salle de bains, une serviette nouée autour de la taille.

— Mais je ne tiens pas du tout à abandonner mes cours.

— Mar-nie, dit-il en détachant les syllabes de mon nom comme un maître d'école, quand on aura des enfants, je suis sûr que tu voudras rester à la maison avec eux.

— Et toi, tu quitterais ton travail pour t'occuper d'un bébé toute la journée ?

En riant, il a ôté sa serviette et a fait semblant de me la lancer.

— Et qui rapporterait le bacon pour les becs affamés, mon amour ?

— Réponds à ma question !

— Chérie, c'est ridicule.

Il s'est glissé entre les draps.

— C'est évident que j'en serais incapable.

— Eh bien, moi aussi, j'ai un travail que j'aime.

— Mais rester à la maison avec les enfants, tu aimeras ça aussi.

Il s'est blotti contre moi.

— À la maison, avec les enfants et moi à aimer.

Il a éteint la lumière, m'a caressée, embrassée et, comme toujours, la joie de sentir ses bras m'enlacer a tout effacé. C'était si bon que j'étais sûre de mourir si je ne pouvais plus le serrer dans mes bras, entassant les secrets au fond de mon cœur comme du bois d'allumage. J'avais mon mari pour moi seule, et plus jamais je ne suis revenue sur ce sujet.

J'ai commencé à cacher mes pilules contraceptives dans l'armoire de la salle de bains, derrière une pile de serviettes rayées jaune et blanc qu'Olive nous avait données quand nous avions commencé à vivre ensemble. Je sais que J.W. ne regarde jamais là. Et maintenant, quand il me fait l'amour, j'ai l'impression qu'il m'accorde un prix de consolation pour les enfants que nous n'avons pas, comme s'il voulait mettre un baume sur ma déception.

Je me dirige vers le Y en voiture quand la pluie commence à tomber. Je songe que J.W. a eu raison de rentrer les chaises longues dans le garage pour finir son projet de vernissage, même si cela nous a obligés à sortir les voitures pour rentrer les meubles. Pour faire de la place, il a aussi fallu déplacer la scie circulaire de J.W., ainsi que le berceau en bois de rose que mon mari a fabriqué de ses mains, la deuxième année de nos tentatives de fonder une famille, la deuxième année de ma longue trahison.

Je revis la scène du garage. La toile qui recouvre le berceau a dû glisser; le beau bois d'un rose nacré est recouvert d'une fine couche de sciure de bois. Tandis que J.W. cherche son masque antipoussière, j'écris sur la surface arrondie du berceau : « J.W. aime Marna ». Puis je ramasse le premier chiffon qui me tombe sous la main, une peau de chamois tirée de la boîte à outils de J.W., et je me mets à astiquer le berceau.

Quelque chose, un écrou ou une vis, a roulé sur le sol en ciment. J.W. est très méticuleux avec ses outils, aussi je m'agenouille pour chercher l'objet sous l'établi. Ce que je trouve n'est pas une vis égarée mais l'anneau de mon mari. Il a roulé dans le recoin le moins accessible, dissimulé aux regards comme une pépite d'or. Je le ramasse et le polis avec la peau de chamois, puis je me remets à frotter le berceau jusqu'à ce que le bois de rose se mette à briller. J. met toujours des lunettes de protection et ôte son anneau avant de manier une scie électrique ou une ponceuse, obéissant docilement aux consignes de sécurité inculquées par son père. Assurant depuis treize ans le rôle de préposée au nettoyage après ses séances de bricolage, j'ai souvent été chargée de retrouver son anneau, niché à l'intérieur d'un enjoliveur ou d'un couvercle, et de le replacer au doigt de mon époux. Cette fois, j'enveloppe l'anneau dans la peau de chamois et je le remets exactement où je l'ai trouvé, sur l'ensemble de clés anglaises que je lui ai offert pour son anniversaire.

Maintenant, dans mon auto, je compte sur mes doigts les mois qui se sont écoulés depuis que J.W. a parlé d'enfants avant de faire l'amour. Quinze mois. Puis je compte mentalement combien de fois nous avons fait l'amour ce mois-ci. Trois fois. Je compte enfin les endroits variés où, l'année passée, j'ai trouvé l'alliance de J.W. : la baignoire à oiseaux du jardin ; un verre vide dans la cuisine ; la peau de chamois dans sa boîte à outils. À deux reprises, je l'ai rendu en riant à l'étourdi qui partage ma vie et j'ai veillé à ce qu'il le remette à son doigt. Une nouvelle colonne de griefs s'ébauche dans ma tête : cette année, il y a eu les chocolats oubliés à la Saint-Valentin, et ces appels à la dernière minute, de Dallas, St. Louis ou Minneapolis, pour m'avertir que ses installations de réseaux, censées prendre une journée tout au plus, le forçaient à reculer son retour de quatre ou cinq jours. Au moment où je me gare dans le stationnement inondé du Y et où j'arrête le va-et-vient de métronome des essuie-glaces, l'inutilité de cette comptabilité me frappe. Je n'ai plus envie de compter. Je veux juste nager.

J'ai passé une semaine entière à m'en mordre les doigts mais, à cette heure matinale, me voici à la piscine pour donner à Laurel sa première leçon, comme convenu. Pour elle, j'ai sacrifié mon heure libre avant l'arrivée de mes champions. Quand je l'ai vue la semaine dernière, arpentant le petit bain en tremblant comme une feuille à chaque pas, j'ai eu peine à croire qu'à notre première rencontre elle m'ait paru antipathique au point de lui refuser net un cours individuel.

Ignorant le coup de sifflet d'Eric, un adolescent a projeté une fille en bikini par-dessus son épaule, droit sur Laurel McArthur. À ce moment-là, je me suis sentie désolée pour elle. Elle a disparu sous l'eau et mes vieux réflexes de sauvetage sont revenus en un éclair. J'ai bondi des gradins et j'ai plongé. La pitié a alors pris le dessus sur l'antipathie. J'ai accepté de lui donner des leçons. La pitié me fait cet effet : contrairement à mon penchant ordinaire, je m'adoucis plus que je ne le voudrais. Après tout, être un objet de pitié classe même une Laurel McArthur dans la catégorie des perdants.

Je la vois avant qu'elle ne m'aperçoive. Dominant de la tête et des épaules les gamins rassemblés pour le bain libre autour de la piscine, elle n'a pas l'air à sa place. Une fois mouillée, elle n'est pas si jolie, ce qui n'est pas pour me déplaire. C'est en le constatant que je me suis entendue lui dire l'autre jour : « Doux Jésus, vous allez finir par vous noyer. D'accord, je vais vous apprendre à nager, je ne veux pas avoir votre mort sur la conscience. » La perfection apparente de cette Laurel me révélait à quel point les gens intelligents ont l'art de dissimuler sous une surface irréprochable une multitude de failles qui deviennent des lacunes béantes à la première épreuve. J'ai commencé à espérer — et je n'ai pas de quoi être fière de cette facette de mon caractère, j'en conviens — que peut-être j'allais pouvoir trouver ses failles, mettre un doigt à l'intérieur et me sentir plus forte. Vengée.

Avec J.W., je n'ai jamais été tentée de mettre le doigt dans la faille parce que, jusqu'à présent, je n'en ai trouvé aucune. Et après avoir été aimée comme j'ai été aimée par lui, je continuerais à ignorer ses failles même s'il volait en éclats comme l'asphalte sous un marteau-pilon, dans un fracas de décibels et une pluie de débris. Où sont les failles de mon mari ? Je ne veux pas le savoir. Ce n'est pas mon affaire.

Elle est immobile au sommet des marches. Décidément, je ne la trouve pas vraiment belle aujourd'hui, ce qui me dispose mieux à son égard. Elle est passée sous la douche, comme le règlement l'exige. Beaucoup de femmes plus jeunes ne s'en donnent pas la peine, mais Laurel semble plutôt de ma génération. Les fausses nageuses ne veulent pas non plus se plonger la tête dans l'eau ; elle viennent à la piscine décidées à garder les cheveux secs. Elles ignorent les pancartes affichées aux murs des vestiaires : « À TOUS LES USAGERS, PRIÈRE DE PRENDRE UNE DOUCHE AVANT LE BAIN OU LES EXERCICES ». Laurel semble du genre à se plier aux règlements, et cela devrait m'être utile pour lui apprendre à nager. Si je progresse lentement, avec une abondance d'explications, elle fera tout ce que je lui dirai. Les fausses nageuses, celles qui ne prennent pas de douche et se fichent d'apprendre, on les voit parader avec leurs longues queues de cheval permanentées attachées sur le sommet de la tête, leurs boucles d'oreilles et leurs lunettes de soleil, un œil sur les biceps d'Eric, un autre sur la limite du grand bain.

Elle dégouline, sa chevelure blonde est ternie et collée sur son crâne. Elle ressemble à ces chiots à demi aveugles que J.W. et moi nous retirions des rives boueuses du Grand Bourbier. L'eau me réussit mieux : les boucles épaisses qui font mon désespoir se collent sur mon cuir chevelu et, momentanément, j'ai l'air d'avoir les cheveux lisses. Une fois, j'ai tenté de faire lisser ma tignasse chez un coiffeur. J'étais persuadée que, si j'en avais suffisamment la volonté, cela réussirait. C'était comme gagner une compétition contre les pires pronostics. J'ai presque cru avoir gagné la bataille contre ma tignasse jusqu'à ce que J.W. rentre à la maison, un peu en retard pour le souper, et me dise en me prenant par la taille :

— Chérie ? Marna ? S'il te plaît, reviens à ton ancienne coiffure !

Désormais, ma chevelure aplatie sur ma tête a une apparence à peu près normale pendant quatre ou cinq heures, même mouillée. Je suppose qu'après sa leçon il suffira à Laurel de se passer vaguement les cheveux sous le séchoir des vestiaires pour être aussi impeccable en quittant la piscine que si elle sortait de chez un coiffeur renommé. Pour le moment, elle a l'air pathétique.

— Marna ? dit-elle en tâtonnant du pied pour atteindre la seconde marche, accrochée à la rampe métallique comme si sa vie en dépendait.

Elle est affublée d'un maillot ridicule : un modèle noir avec des bretelles spaghettis qui vont la gêner considérablement pour les mouvements des bras, une armature métallique sous la poitrine, des petits boutons entre les seins. Une nageuse de compétition se sentirait déshonorée d'être trouvée noyée avec ce truc sur le dos.

Il faut que j'arrête ces sarcasmes. C'est un peu injuste et j'ai dit que j'allais lui régler son cas. Je vais lui apprendre à nager.

— Salut, dis-je en descendant les marches et en me plantant devant elle. Venez ici, on va commencer. On restera dans le petit bain pour le moment.

Je désigne la bande de gamins qui barbotent dans le grand bain avec des cris aigus. Cette fois, on restera à l'écart de la foule.

Elle paraît figée sur place.

— Laurel ?

Je touche sa main agrippée à la rampe, les phalanges blanchies.

— Ça va ?

Sa main se déplace. Elle semble rassembler son courage puis entre dans la piscine sur la pointe des pieds jusqu'à ce qu'elle ait de l'eau à la taille. Elle s'immobilise de nouveau, fixant son propre reflet.

— Laurel ? Laurel, vous retenez votre respiration.

J'essaie de plaisanter là-dessus pour la détendre, mais aucune idée géniale ne me vient à l'esprit.

— C'est le moment de respirer. On bloque sa respiration sous l'eau, pas à la surface.

Cette fois, elle a saisi.

— D'accord, dit-elle avec un petit rire.

Elle expire, et sa peur se relâche lentement.

— Par quoi on commence ?

Quelque chose de nouveau émerge dans ma tête. Cette pitié indésirable que je ressentais il y a un moment s'est transformée en un sentiment plus familier. L'envie de gagner. Je la reconnais aussi facilement que la ligne noire qui marque un repère au fond d'un couloir. Apprendre à nager à cette Laurel devient un défi à relever, un pari risqué. Mon instinct me dit que je peux gagner à coup d'astuce et de persévérance. C'est ainsi que Coach m'a menée bien des fois à la victoire : il espérait de moi l'impossible, mais sans me le dire.

Cette fois, le défi se résume ainsi : Laurel donnerait cher pour ne pas être avec moi au bord de cette piscine, tenaillée par cette peur qu'elle doit affronter chaque fois qu'un gamin fait des remous en plongeant. Pour le moment, elle triture nerveusement une boule de caoutchouc blanc. Je lui demande :

— Vous ne mettez pas votre bonnet de bain ?

— Oh, bien sûr, j'avais oublié que je l'avais apporté.

Elle ajuste le casque sur son crâne — un modèle gaufré, comme ceux que portent Selma et Louise pour la gym aquatique — puis elle rentre ses cheveux en dessous. Une stupide lanière pend sous son menton, inutile. Elle n'a pas l'air de s'en apercevoir.

— Laurel, vous devriez enlever cette courroie. Il y a une boucle sur le côté, là, voilà, vous l'avez.

Je prends la lanière et la jette sur le bord de la piscine.

— Mettez les mains là, sur le côté, contre la rigole.

Je place mes mains sur la paroi de la rigole, et je me trempe jusqu'au menton en pliant les genoux. Laurel m'imite, comme au ralenti, mais elle s'immobilise, les mains sur la rigole.

— Laurel, respirez ! Vous pouvez respirer, pas de danger, vos mains ont un appui, il n'y a qu'un mètre de profondeur, rien ne peut vous arriver.

Elle ébauche un sourire.

— C'est difficile pour moi, articule-t-elle lentement, comme si cet aveu mobilisait toutes ses forces.

— Pouvez-vous vous baisser dans l'eau jusqu'au cou, comme moi ? Vous voyez ? Sur les genoux ou accroupie, à votre choix.

Je monte et je descends dans l'eau plusieurs fois pour lui démontrer la facilité de notre première étape. Puis une impulsion — sans doute l'intrépidité que T-Bone m'a enseignée à la dure, une chance que Laurel n'a pas eue — me dicte de mettre la main sur la sienne. Elle se baisse jusqu'à ce que l'eau frôle son menton. Ses yeux ne cillent pas. Elle bloque encore sa respiration. Sa main est rigide.

— Vous faites quoi comme travail ?

Je lui pose la question en me disant que, si je la fais parler, elle ne pourra plus retenir son souffle.

— Moi ?

Elle émet une sorte de couinement, rien à voir avec la voix assurée de celle qui a répondu au téléphone quand j'ai appelé pour confirmer la date et l'heure de notre première leçon.

— Je suis...

Une petite fille sanglée dans une ceinture gonflable rose s'ébroue à côté de nous, éclaboussant le visage de Laurel. Elle inhale profondément.

— Je suis psychothérapeute.

Elle expire.

— Oh !

Je l'observe : elle respire. Avec une difficulté folle, mais sans retenir son souffle. « Beau travail, Marna. »

— Et ça vous plaît ? Écouter toute la journée des gens qui parlent de leurs problèmes...

— J'ai fait des études pour ça, dit-elle en respirant plus librement. Et mon travail ne consiste pas seulement à écouter des gens...

Elle rejette la tête en arrière ; l'eau a submergé son menton.

— ... à écouter des gens se plaindre.

Elle respire.

— On pense souvent à tort que les gens consultent un thérapeute pour se plaindre de la vie.

— Oh, je répète.

Et pourquoi irait-on chez un psy, si ce n'est pas pour se plaindre ? En ce qui me concerne, il faudrait me payer cher pour que j'y aille. Merci à Roxie et à sa philosophie du « Débrouille-toi, ma fille ». Quand votre mère vous dresse à ça dès l'âge de deux ans, on ne prend pas l'habitude de se confier au premier venu, même si cette personne est payée pour vous écouter. J.W. est le seul au monde à visiter ce gouffre qui est en moi, et à le remplir de sa présence. Il est le seul devant qui j'ai jamais baissé ma garde. Parce qu'il m'a dit, parce qu'il me répète depuis le début : « Je vais le faire pour toi, Marna. » Même si on se croit solide, équilibrée, les pieds bien calés dans les blocs de départ, il suffit que quelqu'un dise ça pour que les vieilles faiblesses remontent à la surface. Vous vous avouez les peurs secrètes qui vous assaillent au plus noir de la nuit, les cauchemars où T-Bone tente de vous noyer. Mais un J.W. vous protège mieux qu'un psy ne pourrait le faire. Et il y a des secrets que personne ne doit connaître, même pas lui. Comment, par exemple, vous évitez mois après mois une grossesse parce que vous ne voulez pas qu'un enfant vous prive de l'amour qui vous sauve.

L'eau lèche le menton de Laurel. Elle respire, consciencieusement.

— C'est drôle, mon ami s'appelle Whitney lui aussi.

— Pas trop vite, Laurel, lui dis-je. Allez-y doucement.

— Vous ne venez pas d'Atlanta, par hasard ?

— Non. De Californie. Mon mari et moi, on vient de Roseville, près de Sacramento.

— Pas de parenté à Atlanta ?

— Il y a des Whitney dans tous les États. Mon mari n'arrête pas de rencontrer des gens qui veulent savoir s'il a des cousins quelque part. Personne que je sache à Atlanta... Laurel, regardez-moi. Regardez-moi souffler dans l'eau.

Je plisse les lèvres, comme Harvey quand il me fait la cour en m'appelant son petit dauphin, sa jolie sirène. Je souffle à la surface de l'eau comme si je voulais refroidir un bol de soupe.

— Vous pouvez faire ça?

Elle écarquille les yeux.

— Laurel, voyons, c'est la même chose, sauf qu'il faut souffler. Restez où vous êtes.

Elle souffle à la surface de l'eau, en se demandant si celle-ci ne va pas lui sauter au visage. Je le vois à son air. On dirait une petite fille de trois ans. Elle doit d'ailleurs se sentir retomber en enfance. Peut-être devrait-elle parler de sa phobie de l'eau à un psychothérapeute. Elle souffle plus fort, gonfle ses poumons, souffle de nouveau comme si elle voulait éteindre les bougies d'un gâteau d'anniversaire. En fait — je n'en reviens pas de dire ça d'elle —, elle est plutôt attendrissante en ce moment. Elle me fait un peu penser à Debbie.

— C'est bien.

Je l'arrête.

— Maintenant, regardez-moi. Je vais gonfler mes poumons, puis retenir mon souffle.

J'enfle les joues, puis je relâche l'air.

— Et quand je retiens mon souffle, je me baisse et je trempe mes lèvres dans l'eau. Pas tout le visage, juste les lèvres !

Je respire, gonfle mes joues, me baisse jusqu'à ce que l'eau arrive à la hauteur de mon nez. Laurel me regarde avec des grands yeux. Je me mets à loucher pour la faire sourire.

Elle me touche la main et désigne sa bouche. Elle inspire, gonfle ses joues et se baisse lentement. L'eau recouvre son menton, sa lèvre inférieure, sa lèvre supérieure.

C'est le moment que choisit un de ces damnés petits rigolos en jeans coupés pour tomber dans l'eau à la renverse. Laurel prend l'eau en plein nez. Elle recule, toussant et criant comme si le *Titanic* faisait naufrage en plein milieu de la piscine. Et moi, je me mets à serrer cette femme dans mes bras comme si j'étais sa mère.

— Hé, ça va... L'eau pue le chlore, hein? Tout va bien, Laurel, c'est fini. Vous avez fait ça comme une grande. Ça a marché pleins gaz. Je suis fière de vous.

En lui tapotant le dos, je sens ses omoplates. Des petits os fragiles, une ossature d'oiseau, pas de muscles. Je me dis un instant que j'ai fait une grossière erreur. Cette psy blonde ne saura jamais nager.

Mais mon vieil instinct combatif reprend aussitôt le dessus. Elle nagera... parce que je refuse de perdre la partie.

— Laurel, les mains sur la rigole, comme tout à l'heure. C'est bien. On se baisse, menton dans l'eau. Brave fille. Respire, chérie, respire !

FLOTTER

Johnny est maintenant prêt à « faire le noyé » ou la planche inversée, comme l'appellent les maîtres nageurs.

Johnny apprend à nager
(American Red Cross)

Laurel

Je n'ai pas de souvenirs clairs de mon père et cela m'ennuie. Il n'est déjà plus dans ma mémoire qu'un homme dont les doigts tambourinaient sur la table au rythme d'une chanson qu'il ne chantait pas à voix haute. Peut-être était-ce un chant funèbre. Je suis à peu près certaine que ce n'était pas une chanson d'amour. Le nœud du problème bien sûr, c'est que je me souviens à peine de mes parents avant la mort de Tim, que ce soit de ma mère ou de mon père. Peut-être étaient-ils des gens pleins d'entrain qui aimaient avec force, avaient des rêves et l'intention de briser leurs chaînes — peut-être l'auraient-ils fait et auraient-ils vraiment vécu si la vie ne leur avait pas assené ce coup qui les a enfoncés pour le restant de leurs jours dans le terrain du totalement prévisible. Le dimanche à quatorze heures, poulet rôti après l'église à onze heures. Le lundi, hamburgers, frites congelées et tomates de supermarché en tranches. Le mardi, pâtes. Le mercredi, maman jouait au bridge avec les dames du voisinage, c'était donc du hachis ou des spaghettis en conserve — mes plats préférés de toute façon. Le jeudi, comme elle avait mauvaise conscience à cause des conserves du mercredi, des côtelettes de mouton au grill, des pommes de terre au four ou bouillies, et la lessive était faite. Le vendredi après-midi, mon cours de piano; je sentais l'odeur de la préparation pour gâteau dans le four pendant que madame Cummings donnait inutilement de grands coups du plat de la main pour accompagner le métronome. Maman avait toujours un gâteau, « pour le week-end », disait-elle. Papa tondait la pelouse et lavait les voitures le samedi, lisait le journal religieusement (dans la véranda avec un thé glacé en été) avant de regarder les nouvelles à la télévision. Il changeait l'huile des voitures quatre fois par an, toujours le premier week-end du trimestre. Maman l'avait forcé à arrêter de fumer après la mort de Tim. Dieu sait si je trouve cette manie repoussante mais, pour autant que je sache, c'est la perte de cet unique plaisir qui a finalement tué mon père.

C'est de cela que je me souviens, de la routine, de la monotonie, de cette courtoisie prudente. Je ne me souviens pas de papa racontant des blagues ou remplaçant son cache-oreilles par un soutien-gorge, comme l'avait fait le père d'Amy un jour. Je me souviens seulement de son complet et de sa cravate, du ronronnement du téléviseur le soir, du bruit de la chasse d'eau et de la douche le matin, du silence de leur chambre à coucher dans l'intervalle.

Je me rends compte que j'ai peut-être mené le même genre de vie sans surprises, de celles qu'on ne fait que supporter jour après jour.

Juste avant d'être propulsé dans la mort, Tim riait. Il n'avait pas fait attention. « Faites attention, tous les deux » avaient été les derniers mots de ma mère à Tim. Après sa mort, comme je l'ai déjà dit, elle avait commencé à s'inquiéter follement pour moi, quand elle se souvenait que j'étais là. Elle restait sur place jusqu'à ce qu'elle ne puisse plus tenir, imitant le vol de l'oiseau-mouche, comme si elle avait eu des ailes battant au rythme forcené de ses peurs. Je n'ai jamais appris à profiter pleinement de ces moments où elle s'appuyait contre le coussin du canapé bleu, qui ployait sous le poids de sa tête, où elle fermait les yeux et me libérait pour se laisser emporter par un nouveau et inévitable sursaut de douleur qu'elle sentait venir à l'avance. Et le reste du temps, il n'était certainement pas concevable pour moi de faire ce qu'Amy faisait avec sa mère : c'est-à-dire qu'elle l'injuriait comme si elle avait eu la science infuse. Ce n'était pas concevable. Particulièrement pas après la fois où j'avais prétendu avoir le droit de prendre un petit risque quelconque et où elle avait déversé son fiel sur moi.

« Je ne veux pas entendre parler de tes droits, tu m'entends, ne m'en parle jamais. Comme si la vie était juste, comme si on était sûr de ne pas souffrir quand on fait ce qui est juste. Mais pour l'amour de Dieu, qu'on ne me parle pas de justice, à moins d'avoir perdu un enfant et de devoir continuer à vivre. »

Devoir continuer à vivre. Ces mots ont résonné — et résonnent encore — dans ma tête. Ne pas vouloir continuer à vivre pour un autre enfant, ou un mari, ou même soi-même, mais le devoir, pour se soumettre à une obligation. Voilà ce qui tenait lieu d'intimité entre ma mère et moi. Elle n'était tout bonnement plus capable de vivre normalement; c'est ce que je me suis mise à penser, et huit ans d'études postsecondaires ne m'ont pas fait changer d'avis.

Mon père n'était donc qu'une ombre vaguement présente marchant au pas au rythme des tambours de la routine et ma mère était tellement protectrice que, la plupart du temps, sa sollicitude me collait à la peau comme de la crème glacée fondue. De ce mélange complexe de personnalités et d'histoire, ou de leur interaction, je n'ai pas tiré la moindre information sur ce qu'est l'intimité. Pas la moindre.

Emmener Jake rencontrer ma mère, c'est comme provoquer une collision entre ce que j'ai toujours été et ce que je veux être. Non que ma mère lui dira — le pourrait-elle ? — quoi que ce soit de plus que moi à propos de Tim : j'avais un frère et il est mort. Certainement rien qui impliquerait de révéler les émotions qui font tourner nos vies comme une roue à aubes autoalimentée — de révéler la signification réelle de tel événement, plutôt que la couleur et les dimensions de sa surface. Ma mère ne ferait jamais cela. C'est plutôt que je commence seulement à être différente avec Jake. À part pour évoquer ma peur de l'eau et la raison de mon comportement avec elle, je m'ouvre à lui plus qu'avant. Et je lui raconterai ces choses-là aussi, quand le moment sera venu.

Je sens toujours la chaleur de son baiser sur ma nuque quand maman nous accueille dans la cuisine. Elle tend la main pour serrer celle de Jake mais, et c'est bien de lui, il passe un bras autour de ses épaules et dit d'un ton parfaitement approprié :

— Je ne saurais pas vous dire à quel point j'avais hâte de vous rencontrer. Je pense énormément de bien de votre Laurel et elle pense énormément de bien de vous.

— Eh bien, merci beaucoup, dit maman sans sortir de sa réserve.

Mais je vois qu'elle est contente — surprise, mais pas ennuyée par la façon chaleureuse dont Jake l'a abordée. Je vois qu'il faut que je prenne des notes pour ma rencontre avec ses parents à lui quand le moment sera venu.

Maman porte un chandail et une jupe bleus alors que je lui ai dit de ne pas se mettre sur son trente et un. Elle n'a pas été marquée physiquement par la vie, mais Jake voit bien qu'une blessure intérieure la fait souffrir. À la fin du repas, les manches de sa chemise blanche sont remontées, sa cravate posée bien à plat sur le fauteuil à oreillettes beige, et il a ôté le panneau avant du lave-vaisselle pour examiner le commutateur des changements de cycles. Puis il prend ma voiture et s'en va quelques pâtés de maisons plus loin à l'hypermarché pour acheter une sorte de connecteur d'antenne qui, dit-il, améliorera considérablement la réception sur le téléviseur de maman. Personne n'a fait ces choses-là pour elle depuis la mort de papa, sauf moi bien sûr, mais si on gravait mes connaissances en électronique sur la tête d'une épingle, il y aurait encore assez de place dessus pour une encyclopédie.

— C'est tellement gentil à vous, Jake, dit-elle.

Elle a l'air non pas vieux, mais frêle tout de même, coiffée de son petit nuage de cheveux gris, un sourire rare mais naturel aux lèvres. Je m'aperçois que j'ignore de quelle couleur étaient les cheveux de ma mère quand elle était jeune. Je ne me souviens de rien sauf de ce halo de grisaille impénétrable, que paradoxalement je remarque ce soir plus que d'habitude parce qu'il s'est légèrement dissipé.

— Content de vous faire plaisir, madame, dit Jake.

Je sais qu'il est sincère. Rien ne le met de meilleure humeur que de rendre service. C'est un homme adroit, habile même, aux connaissances étendues et il a bon cœur. Je n'ose pas me l'avouer encore, mais je crois bien que je l'aime.

Grâce à Jake, maman s'est ouverte plus que d'habitude. Plus même qu'avec des gens qu'elle connaît depuis des années. Ce n'est pas dans ses paroles qu'on le perçoit, bien qu'elle mentionne Tim :

— Le frère de Laurel aimait bien bricoler... dit-elle avant de me jeter un regard furtif et de baisser les yeux sur ses mains en étouffant la fin de sa phrase.

Une miette de gâteau renversé est restée collée au coin de sa bouche. Je veux l'aider. Pour une fois, je n'en ai pas le temps. Sans un mot, Jake a frôlé délicatement la bouche de ma mère avec sa serviette pour enlever la miette. Avant qu'elle ait même eu le temps de réagir, il lui touche la main et lui dit : « Excusez-moi », tellement simplement et directement qu'un petit peu du chagrin de ma mère trouve consolation. Et on ne m'a rien volé à moi pour autant.

~~~

Sur le chemin du retour, je suis sur le point de tout lui dire puisqu'il en voit déjà tellement.

— J'aime bien ta mère. Elle ne parle pas beaucoup, hein? Et je suis sûr qu'elle s'appuie énormément sur toi.

— Ça ne me dérange pas, dis-je, prête à en dire davantage.

C'est Jake qui a pris le volant pour retourner à l'appartement. J'ai conduit à l'aller mais, connaissant maintenant le chemin, il m'a pris les clés de la main sans rien dire pendant qu'on descendait l'allée. La nuit est tellement froide que les étoiles elles-mêmes sont glacées dans le ciel.

— Je n'insinuais pas que ça te dérangeait, dit-il. Je voulais juste dire que, enfin, je trouve ça vraiment bien de ta part de prendre soin d'elle comme tu le fais. Je peux t'aider, tu sais. Fais une liste de toutes les choses à faire et donne-la-moi.

— Tu n'es pas obligé de faire ça.

On entend le vrombissement des moteurs tout autour et ma voix — pas du tout ma voix habituelle — se fond dans le bruit, devient un murmure parmi d'autres.

— Tu ne comprends pas? Je veux t'aider. Tu as traversé tellement d'épreuves... avec elle.

C'est la référence à Tim que j'aurais pu utiliser pour lui raconter ces morceaux de mon histoire qu'il ne connaît pas encore, mais je me retiens, tournant et retournant la possibilité dans ma tête, l'observant comme une pierre semée de feuilles de mica brillantes et, trop tard, l'occasion est passée.

~~~

C'est aussi bien comme ça. J'ai eu quatre leçons avec Marna mais, pour l'instant, je ne nage que dans une mer de doute. Tant que je ne saurai pas si je peux vaincre ma peur, je ne dirai rien à Jake pour les cours, même si je sais avoir tort quand je me cache de lui comme ça. Si seulement je pouvais en parler à quelqu'un.

Marna doit me trouver bizarre. Je la surprends parfois en train de me regarder et j'en suis gênée. Je ne réussis pas à lire dans ses yeux derrière ces lunettes-là. Quand j'arrive pour ma leçon, elle finit ses longueurs, lisse et gracieuse. Les boucles mouillées de sa tignasse en bataille apparaissent quand elle enlève son bonnet. Elle a l'air totalement à l'aise. À mon premier cours, quand je me suis approchée de la piscine après m'être douchée, elle m'a dévisagée d'une manière qui m'a mise mal à l'aise. Non pas que j'aie porté un de ces maillots décolletés faits pour attirer l'attention. Je ne suis pas comme ça, vraiment pas. Mais elle m'a regardée comme si c'était mon genre, comme si j'avais déjà échoué, et je ne savais même pas en quoi. J'ai dû utiliser toute la force en moi pour ne pas faire demi-tour et retourner dans le vestiaire.

J'essayais de cacher ma peur et je pensais y parvenir. Elle m'a fait mettre mon bonnet mais ça n'a plus eu aucun sens quand elle m'en a fait enlever la lanière; de toute façon, l'eau entrait. Je lui ai demandé si j'avais pris le mauvais modèle et Marna m'a simplement dit : « Ça ira. Au moins, il n'y a pas de marguerite dessus », ce qui m'a fait sourire car la vendeuse avait essayé de me vendre un bonnet avec une marguerite.

J'ai dû me forcer à entrer dans l'eau. Ça devait être l'orgueil qui faisait bouger mes jambes car je n'avais alors en tête que Sa Majesté impériale et l'eau turquoise virant au noir quand j'étais passée sous la surface.

À la maîtrise, j'ai eu un gentil professeur qui voulait m'aider et m'avait dit : « Laurel, vous avez du mal à vous maîtriser. Vous devriez rechercher l'origine du problème. » Mais quand j'ai essayé de réfléchir à cette maîtrise qui me manquait, je n'ai plus été qu'un corps mou, ballotté dans un torrent de boue écumeuse. Marna m'a dit : « Tenez-vous à la rigole », et il a fallu que je cherche ce que c'était. Quelle ironie. Au moment où j'ai le moins envie de « rigoler », c'est le mot qu'elle emploie.

J'étais déterminée à faire ce qu'elle disait. J'ai mis le menton dans l'eau et j'ai soufflé. Et Marna a souri. À ce moment-là, il y a eu quelque chose, mes yeux ont commencé à me piquer et j'ai eu de l'eau dans le nez et dans la bouche. C'est comme si l'eau avait eu une volonté, comme si elle avait eu l'intention de m'aveugler, d'obstruer mon nez, ma bouche et mes poumons, comme elle l'avait déjà fait pour Tim. Peut-être qu'elle a pris le mauvais McArthur, qu'elle n'aura de cesse qu'elle ne m'emporte, et qu'elle ne retrouvera le calme du miroir que lorsqu'elle m'aura prise aux miens. J'ai parfois le sentiment de mener un combat pour mon âme et je me sens coupable de gagner, de vivre, alors que Tim est mort. Parfois je me demande si ma mère et mon père m'auraient pleurée moi, la cadette, la fille, autant que lui.

Je n'en avais pas l'intention et encore moins l'envie, mais j'ai commencé à pleurer au moment où les haut-le-cœur sont arrivés et j'ai compris que ce n'était pas la peine de continuer. Ça ne marcherait jamais. Et puis, il y a eu une chose vraiment bizarre : Marna, cette femme qui avait été mesquine sans raison, m'a étonnée pour la deuxième fois. Elle m'a prise dans ses bras et sa voix était aussi douce qu'une île sur laquelle je pouvais trouver refuge. L'espace d'un moment, j'ai pu sentir que je me laissais aller. Puis elle m'a fait réessayer et j'y suis arrivée. J'ai mis la bouche dans l'eau et j'ai soufflé pour faire les bulles qu'elle me demandait.

~

Je pense à Marna le lendemain quand je m'entends dire à Tracy :

— Respirez. Allez-y, respirez naturellement. Vous êtes toute raidie. Laissez-vous aller, prenez une profonde respiration, à pleins poumons, et expirez. C'est ça, expirez, faites vaciller la flamme de la chandelle, mais ne l'éteignez pas. Vous vous souvenez ?

Je me laisse distraire car les exercices de respiration font partie de la routine pour moi. Si ce n'était que du soleil, on se croirait au début du printemps, mais il neigera sans doute encore et, comme chaque année en mars, on va prendre les paris : les magnolias s'ouvriront-ils complètement avant qu'un gel tardif ne les grille ? À Louisville, qui est à peine à quelques heures au sud d'ici, les arbres ne perdent jamais leurs fleurs à cause d'un revirement du temps. À la fin de mes études, j'avais pensé aller m'installer là-bas, mais maman se reposait entièrement sur moi et je ne suis pas partie. Ce serait pourtant agréable de pouvoir compter sur le printemps, de ne pas être surprise quand, lors d'une année faste, les pensées ne finissent pas la tête dans la poussière et les forsythias étalent leur couleur fraîche dans l'air doux au lieu de brunir et de s'étioler.

Il fait presque dix degrés et mon pull de laine à col roulé — d'un jaune plus pâle que celui des forsythias — est trop chaud et me pique.

— Voilà, c'est mieux. Vous sentez la différence?

Tracy fait un signe de tête. Elle a l'air en meilleure forme que la dernière fois, mais les crises d'angoisse ne sont pas maîtrisées en dépit des médicaments et des techniques comportementales que je lui ai apprises. Il me semble que nous allons devoir commencer à fouiller le passé à la recherche d'une cause émotionnelle et là je m'attends à une certaine résistance. Il est difficile de savoir si elle me fait déjà suffisamment confiance pour ça et si elle va tolérer que son état empire, en apparence à cause de moi. C'est forcément ce qui va arriver si je pars dans la bonne voie.

— Remontons au moment où tout ça a commencé. Qu'est-ce qui se passait dans votre vie de bon, de mauvais ou de neutre? Est-ce qu'il y avait eu de grands changements? Vous étiez tombée malade ou vous aviez eu un accident? Vous aviez peut-être changé de travail?

Tracy ne répond pas directement.

— Mon petit ami m'a demandé de l'épouser, pas quand ça a commencé, mais avant. Il a vraiment fallu que j'y réfléchisse parce qu'il y a eu trop de gens malheureux dans ma famille, vous comprenez? Je ne voulais pas que ma vie prenne la même direction. Et Rick était d'accord avec ça. Il comprenait et on a décidé de vivre ensemble deux ans d'abord. Il m'a offert une bague, dit-elle en me montrant un bijou à sa main gauche. Et j'ai emménagé dans son appartement parce qu'il en avait déjà un et qu'il était assez grand pour nous deux. Ma mère en a fait une crise évidemment, mais c'est parce qu'elle croyait que j'étais vierge.

— Et vous ne l'étiez pas?

— Oh non!

Tracy rougit un peu et regarde par la fenêtre. Elle porte un jeans, des baskets, des chaussettes blanches, un tricot rouge. Sa tenue la fait paraître bien plus jeune qu'elle ne l'est en réalité et est bien représentative de son malaise.

— Quand avez-vous commencé à avoir des relations sexuelles avec Rick alors?

— Avant qu'on habite ensemble.

— Peut-être qu'un événement lié à votre emménagement chez Rick vous a déstabilisée?

— Non. Ça ne peut pas être ça. C'est le meilleur gars du monde et il est très très gentil avec moi.

Elle baisse les yeux sur le diamant serti d'or jaune et de diamants plus petits, à sa main gauche. Elle s'est mis du vernis à ongles rose pâle et ses doigts ont la perfection de ceux des magazines sur papier glacé et une sophistication qu'on ne retrouve nulle part ailleurs chez elle. Une barrette rouge d'enfant tire vers l'arrière la moitié de ses mèches.

— Vous vous entendez bien alors ?

— Vraiment bien. On ne se dispute pas, ni quoi que ce soit. Mes parents se disputaient, de temps en temps en tout cas, et je détestais ça.

— La plupart des couples se disputent de temps en temps... Est-ce que Rick était votre premier petit ami ?

Tracy me lance un regard offusqué et répond que oui. Je suis surprise car elle est jolie et courtoise et j'imagine que, dans des circonstances normales, elle est sympathique et d'un abord facile.

— Pourquoi ça ?

— Mes parents n'aimaient pas que je sorte avec des garçons. Ils ne voulaient pas que je sois une fille facile.

— Une fille facile ? Parce que vous sortiez avec des garçons ?

— Ils sont comme ça.

— Est-ce que ça a quelque chose à voir avec la religion ?

Tracy a acquiescé.

— Je pense que oui. Ils me parlaient toujours des trucs qui me mèneraient en enfer.

— Est-ce qu'ils sont toujours opposés à votre choix de Rick ou à ce que vous habitiez avec lui ?

— Oui, enfin, ma mère est contre.

Et Tracy s'arrête, elle rentre en elle-même. Un gémissement aigu se fait entendre qui semble presque venir d'ailleurs dans la pièce que de la bouche de Tracy :

— Papa n'aime pas ça, dit-elle.

Son corps se tord, de sorte qu'elle n'est plus face à moi.

— Qu'est-ce qu'il dit ?

— Il n'aime pas ça.

— Tout va bien, Tracy. Ça restera entre nous. Il ne saura pas ce que vous me racontez.

— Il va me gronder, fort, murmure-t-elle.

Elle pleure à moitié, recroquevillée et tremblante.

— Vous savez, c'est difficile de faire des choses que ses parents désapprouvent. Mais c'est à vous de décider, après tout.

Je veux ajouter : « Eh oui ! » mais je ne le fais pas, bien sûr. Pour une raison ou une autre, ce sont toujours les points importants que les patients oublient de mentionner tandis qu'ils brouillent les pistes à longueur de séance. Son père exerce une pression sur elle parce qu'elle habite avec son petit ami et sa désapprobation lui est pesante comme des chaussures à semelles de plomb. Mais ce qui me frappe en ce moment, c'est sa manière de porter ses mains à sa bouche et de faire le dos rond en se tenant à distance comme si j'allais la frapper.

Très lentement, j'ébauche un geste pour toucher la main de Tracy mais, avant que j'aie pu le faire, elle sursaute et se rétracte.

— Je suis désolée, dis-je. Vous devez trouver ça pénible. Je suis heureuse que vous ayez pu m'en parler aujourd'hui. Est-ce que c'était trop difficile avant ?

Tracy se redresse et me regarde.

— Parler de quoi ? demande-t-elle.

— De votre père, du fait qu'il n'aime pas que vous habitiez avec Rick. Je me demande s'il n'y a pas là-dedans une raison particulière à votre trouble. Est-ce que vous vous êtes disputée avec lui à ce sujet récemment ?

— Oh non. Il nous a quittées.

— Pour aller où ?

— Maman dit : « Au ciel ».

— Vous voulez dire qu'il est...

— Mort, dit-elle froidement.

Ses yeux bleus ont la dureté de l'ardoise dans la lumière pâlissante de la pièce.

~~~

Je m'efforce toujours de digérer la séance avec Tracy quand vient l'heure de partir pour ma leçon, prévue aujourd'hui pour le bain libre de dix-huit heures parce que Marna avait un rendez-vous chez le dentiste à midi, notre heure habituelle.

— Qui êtes-vous et qu'est-ce que vous avez fait de la vraie Laurel ?
~~~

Elle me réprimande gaiement parce que j'oublie de souffler quand je plonge la tête sous l'eau, alors qu'elle m'a déjà rappelée à l'ordre trois fois. Je secoue la tête et lui envoie quelques gouttes brillantes au visage sans le faire exprès.

— Non, c'est moi, je crois ! Mais...

— Mais quoi ?

— Je suis désolée, Marna. C'est cette patiente, je pense que... C'est vraiment bizarre, mais je crois qu'elle a un double. Enfin, aujourd'hui elle...

— Tu veux dire qu'elle a un sosie ?

Je reste interdite pendant un instant, ne comprenant pas de quoi Marna veut parler, et je ne sais plus ce que je voulais dire. Puis ça fait clic.

— Non, non, excuse-moi, c'est pas ça. Un double, dans ce cas-là, c'est une deuxième personnalité. C'est comme s'il y avait une autre personne cachée à l'intérieur de celle que voient les gens. C'est un type de maladie mentale et j'ai une patiente qui...

Je suis interrompue par deux garçons qui, de l'autre côté du petit bain, essaient de se faire boire la tasse mutuellement, ce qui est interdit : Marna doit se tourner vers Eric pour lui faire signe. Quand il finit par poser les yeux sur elle au cours de son balayage méthodique de la piscine, Marna montre du doigt les deux garçons et le coup de sifflet d'Eric se fait entendre, strident et insistant.

— C'est bon, je vais me concentrer maintenant, dis-je quand elle me revient.

Et j'y suis bien décidée.

— Non, termine. Est-ce qu'elle ment ? Enfin, est-ce qu'elle prétend être quelqu'un d'autre ?

— Non, non, c'est autre chose. C'est que... humm... c'est difficile à expliquer.

Et ça le serait même si je ne me trouvais pas dans cette espèce de caisse de résonance avec de l'eau jusqu'à la taille. Marna pense que j'essaie d'éluder sa question.

— Je ne voulais pas me mêler de ce qui ne me regarde pas, dit-elle.

— Oh mais, Marna, je ne l'ai pas pris comme ça. Je voulais vraiment dire que c'est difficile à expliquer.

— C'est intéressant... dit-elle, ouvrant la porte à mes explications.

Je ne veux pas la décevoir en n'entrant pas. Elle jette un regard à ses mains qui jouent avec l'eau mais, tout de suite après, elle se force à me regarder. Si elle a tellement envie de savoir, je vais lui expliquer.

— En général, on appelle ça trouble de dissociation de l'identité, mais c'est la même chose que le trouble de personnalité multiple. Tu sais, c'est quand quelqu'un a plus d'une personnalité.

Regardant l'eau, très bleue dans la piscine mais incolore quand elle glisse entre mes doigts, je résiste à la tentation d'ajouter : « Tu comprends ? »

— Une schizophrène? demande-t-elle. Est-ce qu'ils ne sont pas dans les hôpitaux psychiatriques ?

— C'est ce que pensent les gens, mais la personnalité multiple, ça n'est pas la même chose du tout que la schizophrénie. Ça n'a aucun rapport.

— Ah bon ? Comment ça ?

Je regarde son visage pour vérifier; oui, j'y vois de l'intérêt. Ce n'est pas seulement de la politesse.

— Tu vois, en fait, la schizophrénie, c'est un groupe de maladies qui circulent dans les familles. On en maîtrise presque tous les symptômes grâce aux médicaments. Mais le trouble de personnalité multiple, lui, est causé par un traumatisme grave.

Je soupire sans le vouloir.

— J'ai beaucoup lu là-dessus et j'ai vu des vidéos à l'université évidemment, mais je ne suis même pas sûre que ce soit le problème de cette patiente-là. Je n'ai personnellement jamais pris charge de cas comme ça auparavant. Les vrais cas sont très rares.

— Tu as déjà vu un vrai cas ?

Tout le corps de Marna s'est figé dans l'attente de ma réponse.

— Le seul que j'aie jamais vu de mes yeux, c'était pendant mon internat, à travers une glace sans tain. Tracy — c'est son prénom, c'est tout ce que je peux te dire — enfin, son médecin me l'a envoyée à cause de ses crises d'angoisse.

Je secoue la tête à la pensée de Tracy. Tracy et sa terreur. Elle ressemble à une noyée et cette comparaison provoque chez moi un mouvement de recul devant l'eau. Me sentant prête à paniquer, je me hisse hors de la piscine et m'assois sur le bord, sortant même mes jambes. Marna ne semble pas avoir remarqué.

— Qu'est-ce qui cause ses crises d'angoisse alors ? insiste-t-elle.

— Eh bien, je me demande si elles n'ont pas commencé quand elle essayait de faire disparaître cette autre personnalité car ça s'est calmé récemment. Bien sûr, elle a l'air d'être plus malade qu'avant, mais c'est normal.

J'interromps mes explications avec un rire forcé et gêné.

— En voilà plus que tu ne voulais en savoir, je parie.

— Alors... tu es psychiatre ?

— Non — psychologue clinicienne. En fait, ce sont les psychologues et les assistantes sociales qui font la plus grosse partie du travail thérapeutique. De toute façon, un psychiatre consulte mes patients et je lui ai demandé de prescrire des médicaments à Tracy. Donc, il la verra. Il essaiera probablement l'un de ces nouveaux antidépresseurs. Et puis, ça aide toujours d'avoir un deuxième avis.

Je parle sans m'arrêter comme une des vieilles dames du cours de Marna, mais son intérêt ne donne pas le moindre signe de tiédissement. Au contraire. Toujours debout dans la piscine, elle prend de l'eau dans ses mains jointes et la fait passer de l'une dans l'autre, sans remarquer les deux garçons punis par Eric qui jouent maintenant à s'éclabousser. Je jurerais qu'ils n'ont pas tenu les dix minutes hors de l'eau qu'Eric avait ordonnées. On a allumé les projecteurs sous l'eau et les lumières extérieures ont baissé, comme si le monde le plus réel était maintenant submergé, entièrement aquatique.

Marna me regarde droit dans les yeux — comme si elle pouvait les voir clairement sans ses lunettes. Je suis sur le point de la taquiner mais je me retiens en entendant ses premiers mots.

— Parfois je cache des choses... dit-elle d'une voix tellement basse que je saisis à peine ce qu'elle dit.

— Oh Marna, ça, c'est différent. Ça arrive à tout le monde. On cache tous des choses et on n'a pas un trouble de personnalité multiple pour autant. C'est humain et c'est normal d'avoir peur.

~~~

Plus tard, elle me suit dans le vestiaire pour me poser des questions sur les crises d'angoisse de Tracy et les causes de sa maladie.
~~~

— Tu dis : « Un événement passé » ? Est-ce qu'elle a eu une mauvaise mère ? Je veux dire... est-ce qu'une mère qui fait de son mieux peut quand même... mal faire ? Comment savoir ? demande-t-elle.

Je me demande si cette question cache quelque chose, mais elle a été, à dessein, tellement prudente dans sa formulation que j'en viens à cette conclusion : elle n'a pas envie de s'en ouvrir à moi.

— Oui, c'est possible bien sûr. Est-ce que tu as... hum... des raisons personnelles de me demander ça ?

— Oh non, ça m'intéresse, c'est tout... C'est un sujet passionnant. Si seulement j'avais pris psycho comme matière scientifique à l'université, mais non, il a fallu que je prenne géologie !

Elle a appuyé sur le dernier non par dérision.

— Eh, mais, chef, il n'est jamais trop tard. Pourquoi est-ce que tu ne viendrais pas assister à une conférence avec moi un de ces week-ends ? Je reçois à peu près cinq cents dépliants par semaine dont une centaine pour des conférences à une heure de route, à Cincinnati ou à Dayton. Et il y en a beaucoup à Indianapolis, ou à l'université à Bloomington évidemment. C'est seulement à deux heures d'ici.

Marna me regarde avec circonspection.

— Bon, d'accord. En fait, je ne reçois que cinq dépliants et ça fait deux ou trois conférences à une heure de route. J'ai exagéré. D'habitude, les conférences sont à peu près aussi intéressantes à suivre que du ciment qui sèche, mais c'est très utile d'y aller pour prendre conseil auprès des collègues. Je pourrais avoir au moins une dizaine d'avis sur le cas Tracy, gratuitement. Et toi, tu pourrais écouter des discussions d'experts qui essaient d'avoir l'air intelligent... et tu verrais qu'effectivement les cousins ne devraient pas se marier entre eux !

Marna a un petit rire. Quand je fais des plaisanteries avec ma mère, soit elle a l'air complètement ahuri, soit elle a un rire forcé, et aussi artificiel que ses plantes en tissu.

Encouragée par la gaieté de son rire, je continue, laissant de côté pour une fois mon ennuyeuse prudence.

— Ça serait sympa. On pourrait dormir une nuit à l'hôtel. Tu pourrais rester au lit à lire le samedi pendant que j'irais à des réunions... ou — là, j'ai une inspiration — traîner à la piscine de l'hôtel ! Marna, tu pourrais nager ! dis-je comme si c'était un plaisir rare pour elle. Ou aller au sauna, ou te faire faire un massage, ou…

Je poursuis mes divagations avec un petit sourire boiteux :

— Enfin, une soirée entre filles, quoi. Seulement, on y ajoute un lendemain ! On se ruine !

Je vois immédiatement que j'ai mal jugé la situation et que je suis allée trop loin. Avant même que j'aie pu terminer mon sourire d'invitation, Marna a ravalé son rire et éteint la lumière avec un :

— Oh non, c'est pas un endroit pour moi. Je n'y serais pas à ma place. Et puis… je ne peux pas quitter mon mari.

Marna

Pour trouver la solution avec Laurel McArthur, j'ai dû fouiller dans mes livres de la Croix-Rouge à la recherche de *Johnny apprend à nager.* Mon travail avec elle n'a rien à voir avec les cours aux arthritiques ou la gymnastique aquatique. Mes « champions » ne nagent pas dans le vrai sens du terme. Laurel veut justement nager dans le vrai sens du terme. Je crois qu'elle n'a jamais rien désiré aussi fort. Si je lui proposais de nager avec un gilet gonflable ou une planche flottante, même pour une seule leçon, elle refuserait tout net. Dans un sens, c'est comme apprendre à nager à un enfant; dans l'autre, ces cours nous entraînent dans des eaux étrangères. La Croix-Rouge ne m'est d'aucun secours, dans ce cas. Il n'existe pas de méthode pour conjurer la terreur.

Bien sûr, je peux lui apprendre à respirer et à flotter. À la longue, elle finira par être capable de faire quelques longueurs de piscine dans une brasse convenable. Ça va de soi. Mais elle a la chance de ne pas avoir un prof de natation ordinaire. L'avantage, c'est que je connais sa peur de l'eau. Elle est comme un bateau en détresse que j'ai décidé de guider à travers les courants, sur une rivière dont la source ne figure sur aucune carte.

Aujourd'hui, elle est en retard de dix minutes. Être en retard à nos cours la rend très nerveuse.

— Je suis vraiment désolée, Marna.

Elle descend les marches, oubliant un moment sa peur de l'eau et sa crainte du professeur.

— Une de mes patientes était en crise, je n'ai pas pu partir à temps...

— Pas grave, dis-je en la regardant mettre son stupide bonnet gaufré.

— Laurel, je ne voudrais pas vous vexer, mais je pense que vous devriez aller dans une boutique de sport et acheter un bonnet comme celui-là.

Je ramasse mon bonnet de compétition et je l'étire comme un tube de néon.

— C'est simple, sans chichis... Beaucoup plus pratique dans l'eau que le vôtre.

Elle touche son bonnet d'un geste timide qui lui rappelle sa gêne. Parfois, je doute que Laurel me trouve sympathique parce que sur la terre ferme elle est si svelte, si élégante, alors que je suis gauche et brusque. Mais en dépit de ces différences, elle semble me faire une entière confiance. Je lis en elle comme dans un livre ouvert ; sa terreur de mourir noyée la rend transparente. Je la regarde, je regarde Eric qui lance un ballon gonflable à Chris de l'autre côté de la piscine. Quand je suis la seule à m'entraîner, ils jouent souvent à se lancer le ballon avec cette sorte d'agressivité physique flagrante, sauvage que les hommes ne parviennent jamais à surmonter. « Tenez-vous à distance, les gars. » Ça me démange de les rappeler à l'ordre mais, ici, je ne suis pas surveillante en chef.

Même si je suis l'opposée de Laurel McArthur, mon visage doit être aussi facile à lire que le sien. En me tournant vers elle, je croise son regard puis fixe sans un mot les minces bretelles qui barrent ses épaules.

— Je suppose que ce maillot aussi doit prendre le bord, dit-elle d'une voix blanche.

— On verra après... quand vous... enfin, oui, mieux vaudrait le changer, à cause de ces bretelles minces. Elles vont vous gêner pour apprendre les mouvements des bras.

— Il vaudrait peut-être mieux que j'attende de pouvoir mettre la tête dans l'eau sans suffoquer avant de dépenser une semaine de salaire en équipement olympique.

Je ne sais pas trop quoi répondre à ça. Qu'elle ait sur le dos un costume de bain des années vingt ou un Speedo de compétition, qu'elle soit d'accord ou non avec mes méthodes, qu'elle ne puisse pas me sentir ou non, je vais lui apprendre à nager. Et elle en sera fière.

— Pouvez-vous vous tenir au bord de la rigole et faire des bulles comme la semaine dernière ? Vous avez essayé ça dans votre bain, comme je vous l'avais demandé ?

Elle s'agrippe à la rigole et se baisse comme si chaque centimètre de l'eau qui s'élève le long de son corps cautérisait ses nerfs à vif. Elle incline son visage, le trempe rapidement dans l'eau et relève la tête. Elle fait de son mieux pour ne pas s'arrêter au milieu d'un mouvement, terrassée par la terreur.

— Vous avez oublié de prendre votre respiration avant. Hé, j'ai une idée !

Mes paroles la tirent de sa déception.

— On va essayer autre chose. C'est un peu enfantin, mais ça vous donnera une meilleure idée du rythme, du va-et-vient entre l'air et l'eau. Donnez-moi les mains.

Je lui tends les miennes, palmes vers le haut.

— Oh non, vous allez me tirer dans l'eau ! dit-elle en secouant la tête et en se tournant contre le mur.

— Mais non, voyons, je ne vais pas vous tirer. Regardez, on va se tenir par la main et sautiller.

— Sautiller ? Je n'arrive même pas à respirer et je vais sautiller ?

— On va jouer à la bascule. Quand je suis en haut, j'inspire. (Je joins le geste à la parole, gonflant mes joues pour lui montrer que je retiens mon souffle.) Quand je me baisse (je plie les genoux jusqu'à ce que l'eau frôle mon menton), je retiens mon souffle. Pas besoin de souffler encore. On retient juste son souffle. (Je me remets debout, j'inspire, je me baisse, je me remets debout.) Et vous allez faire pareil.

— Non, je ne peux pas, dit-elle en secouant la tête.

— Bien sûr que vous pouvez. Prenez mes mains. Regardez-moi. Non, ne faites rien, regardez-moi, c'est tout.

Je prends les mains de Laurel, comme je faisais avec Debbie quand on jouait dans le petit bain de la piscine du Gold Strike. On plongeait au fond, on se criait des mots inarticulés puis on jaillissait à l'air libre en se traduisant l'une à l'autre ce qu'on avait dit.

Lentement, j'inspire, je gonfle mes joues, je plonge. Je recommence, sans lâcher ses mains. Je sens la tension dans ses bras quand je glisse sous l'eau.

— Quand est-ce qu'on expire ? demande-t-elle d'un air incrédule, mais sans retirer ses mains.

— Quand on fait surface. Sous l'eau, ça fait des bulles, ne vous inquiétez pas de ça. On va juste jouer à la bascule, une en haut, l'autre en bas et ainsi de suite.

Peut-on vraiment faire confiance à une femme qui diffère de vous en tout point? Je crois que c'est possible, aussi facilement qu'on se met à douter d'un homme qu'on aime de tout son cœur.

Elle commence à se baisser dans l'eau. Une sorte de baptême de la confiance.

— Marna, ne me lâche pas.

— Je te tiens, Laurel.

~

— Ne me lâche pas.

C'est ce que je murmure à l'oreille de mon mari quand il se tourne pour me souhaiter bonne nuit.

— Marn, je suis lessivé, brûlé.

— Je ne parlais pas de ça. Prends-moi dans tes bras, c'est ce que je voulais dire.

J.W. laisse son bras autour de mes seins, mais je sens son soulagement quand il pose sa tête sur mon épaule.

— C'est le soir de T-Bone? dit-il en utilisant notre nom de code pour mes jours de déprime.

— Non.

— Alors quoi?

Je devine qu'il est pressé de s'endormir.

— C'est à cause de toi.

— Moi? Pourquoi moi?

Il retire son bras, me laissant sans protection.

— Tu es si souvent parti...

J.W. s'assied et allume sa lampe de chevet.

— On s'est installés ici. On a construit cette maison. Ça ne durera pas éternellement, Marn, seulement jusqu'à ce qu'on...

— Jusqu'à ce qu'on ne se voit plus du tout?

Je lui tourne le dos en me sentant étroite d'esprit, mesquine.

— Jusqu'à ce qu'on ne fasse plus l'amour qu'une fois tous les six mois parce que tu te sens lessivé?

J.W. bondit hors du lit et se met debout.

— Je suis désolé de ça, Marna. Vraiment désolé.

Il s'assied sur le bord du lit et tend la main pour me donner des petites tapes sur la hanche, comme Harvey fait sans doute pour réconforter une de ses chiennes.

— Mais, Marna, il y a des hauts et des bas dans tous les mariages. Ce n'est pas parce que nous ne faisons plus...

— Oh, tais-toi. Ça ne te manque pas. Moi oui.

— Marna, tu ne crois pas que tu exagères un peu...

— C'est toi qui m'y forces.

— Je ne pense pas. Tu aurais besoin...

— Je n'ai pas besoin d'avoir des enfants ! J'ai un mari et un travail...

J'ai dit ça en criant. Jamais je n'avais haussé le ton contre mon mari, jamais.

— Un travail ? dit-il en riant. Marna, tu nages à longueur de journée.

— C'est mon travail. Je ne nage pas toute la journée pour mon plaisir. J'apprends aux gens à nager, à...

— Tu nages trois kilomètres par jour ! Tu nages tellement que tu es devenue comme ces athlètes incapables de concevoir...

C'est étrange comme ils finissent par vous revenir en plein visage, ces secrets qu'on a soigneusement entourés de silence. On se croit libre, si libre qu'on a oublié ce qu'on cachait derrière une pile de serviettes jaunes. Puis vous voilà prise au piège par les mots sortis de la bouche de votre propre mari, des mots aussi funestes qu'une sentence de mort.

Après avoir abattu sa carte maîtresse, il a quitté la pièce et dévalé les escaliers, comme il fait les rares fois où il est vraiment en colère.

Plus tard, il est venu s'excuser, disant que les mots avaient dépassé sa pensée. Qu'il savait que je voulais autant que lui avoir des enfants, qu'il ne rejetait pas vraiment le blâme sur la natation. Le démarrage de ce réseau au Nouveau-Mexique s'était mal passé. Ça l'avait mis sur les nerfs. La semaine prochaine, il allait devoir passer Dieu sait combien de temps à écoper. Il a dit aussi qu'une semaine de séparation nous ferait du bien, qu'il fallait que je prenne un peu d'indépendance. Qu'allais-je devenir si jamais il lui arrivait quelque chose ? J'ai repensé à cette soirée entre filles dont Laurel parlait avec tant d'enthousiasme la semaine dernière dans les vestiaires du Y.

Comme si j'avais assez confiance en moi pour m'offrir de mon plein gré des activités extraconjugales, comme si une femme mariée pouvait partir seule en week-end sans payer à son retour les pots cassés, petits et gros, pour avoir préféré à son foyer une escapade en célibataires que j'imagine comme les « soirées pyjama » d'adolescentes : films vidéo, maïs soufflé et conversations de filles ponctuées de gloussements.

J'entends les pas de mon mari : il monte quelques marches d'escalier puis se ravise comme s'il m'avait entendue penser. Raide et silencieuse, je gis dans notre lit, retenant mon souffle. Si Laurel était mariée, je suis sûre qu'elle ne s'encombrerait pas de tant d'hésitations. Elle dirait à son compagnon : « Nous allons assister à une conférence, Marna et moi. »

Il la prendrait par la taille d'un air taquin : « Une sortie entre filles, hein ? »

Elle rirait et l'embrasserait, et leur union n'en serait que plus forte.

Quand J.W. revient enfin se glisser dans notre lit, nous dormons chacun de notre côté, comme s'il fallait équilibrer un canot de sauvetage. J'écoute la respiration égale de mon mari en doutant de pouvoir fermer l'œil. Mais tard dans la matinée, je me réveille seule, le cerveau embrumé comme au lendemain d'un naufrage. Quelqu'un se noie, mais je ne sais pas s'il faut se porter à son secours ou le pleurer.

~

— T'as déjà été mariée ?

Je bavarde avec Laurel pour détourner son attention du plan de leçon corsé que j'ai en tête aujourd'hui : lui apprendre à flotter. Elle sautille sur place, seule, s'enfonçant dans l'eau jusqu'au menton puis se redressant. Elle a presque l'air d'y prendre goût, fière de montrer que l'eau perd son pouvoir sur elle. Je pourrais lui démontrer qu'elle se trompe. L'eau ne relâche jamais son emprise ; c'est le nageur qui prend des forces. Non, l'eau ne perd jamais son pouvoir, mais je ne le lui dirai pas. Un jour peut-être, quand elle sera capable de nager un cent mètres avec virages-culbutes. Je le lui expliquerai parce que, de toute façon, elle l'aura déjà découvert. Mais pour l'instant, je me tais.

— Non, répond-elle. Pas encore.

— Des projets ? Avec ce gars d'Atlanta ?

— Peut-être... On dirait que ça se dirige vers ça.

— C'est un chouette type ?

— Incroyable. Tellement parfait que ça m'effraie.

Elle s'arrête de sautiller, lève les bras comme une ballerine et tourne sur elle-même.

— Et toi, Marna, depuis combien de temps es-tu mariée ?

— Treize ans, dis-je en plongeant dans l'eau. Aujourd'hui, Laurel, on va apprendre à flotter. Tu ne sors pas d'ici tant que tu ne sauras pas flotter.

C'est peut-être trop tôt pour elle. Je suis peut-être délibérément cruelle avec elle. Est-ce que j'envie Laurel, sa perfection et son M. Parfait, aussi ? Natation mise à part, elle me rappelle un peu trop Miss Santa Clara.

— Oh non ! dit-elle avec un reproche dans la voix. Pas la tête en bas. Je...

— On va commencer par flotter sur le dos. Avec ton... enfin, quand on ne maîtrise pas tout à fait la respiration, c'est plus simple.

— Oh non...

— Mais si. Regarde comment je fais.

Je m'allonge sur l'eau. Mon corps s'enfonce sous la surface, je gonfle mes poumons, mon corps remonte à la surface. C'est si simple pour moi de flotter. Mais faire la planche, se laisser porter par la surface de l'eau, il y a des gens qui en sont incapables. J.W., par exemple, ne pourrait pas flotter, même pour sauver sa peau. « Trop de masse musculaire », dit-il. Pas assez de graisse. C'est pour ça que les femmes y arrivent mieux que les hommes. Leurs tissus adipeux les aident à flotter dans des circonstances où les hommes coulent à pic. Les femmes d'abord dans les canots de sauvetage, c'est encore une manifestation du chauvinisme mâle, une inversion de la vérité biologique. Ce sont les hommes qui ont besoin de canots de sauvetage, pas les femmes.

— Mon mari est incapable de flotter, dis-je à Laurel. Il ne saura jamais. Mais toi, tu peux. Si tu veux agiter les mains pour te soutenir (avec mes paumes, je fais des mouvements de papillon), c'est permis. Simple comme bonjour.

— Ton mari ne sait pas flotter ? Est-ce qu'il sait nager ?

— Bien sûr qu'il sait nager. Mais dès qu'il ne bouge pas, il s'enfonce comme une pierre, comme la plupart des hommes.

J'ai dû dire un mot de trop. L'ancienne Laurel, paralysée de peur, est de retour. Je me remets debout.

— Laurel, qu'est-ce qui ne va pas ?

— J'ai connu quelqu'un qui s'est noyé. Un petit garçon.

Elle se rétrécit sous mes yeux. Subitement, je me fais honte. Jalousie inconsciente ou pas, je veux qu'elle redevienne la ballerine, la blonde du *Cosmopolitan* en talons aiguilles, la thérapeute qui règle les problèmes des autres.

— Je suis désolée. Vous étiez... proches ?

— J'aimerais mieux qu'on ne parle pas de ça. Est-ce qu'on ne pourrait pas...

Elle me tend les mains, paumes vers le haut.

— Est-ce qu'on ne pourrait pas se contenter de faire la bascule, comme la dernière fois ?

J.W. et moi, on découvre un nouveau rythme de vie, une sorte de jeu de bascule. Quand je suis dans une pièce, il n'y est pas. Quand il est en voyage d'affaires (où va-t-il ces temps-ci, je n'en ai plus la moindre idée), je suis à la maison. Quand il est à la maison, je suis sortie. C'est comme si nous ne pouvions plus respirer le même air au même moment. On ne fait pas encore chambre à part, cependant, parce que aucun de nous n'a le courage d'affronter une discussion à ce sujet. Une nuit, après qu'on ait fait l'amour sans un mot, j'ai ressenti un tel désir de l'ancien J.W. que j'ai rêvé de lui. Il dormait, étendu sur une mer bleue, flottant dans les bras d'une femme dont je ne parvenais pas à distinguer le visage parce que j'avais égaré mes lunettes. J'essayais de lui parler, de le convaincre de revenir dans le lit conjugal, mais seuls des gargouillis informes sortaient de ma bouche. Puis il y a eu un grand silence, comme si j'avais plongé dans les abîmes et qu'il avait dérivé à des milliers de kilomètres de là.

Je me suis dit que je pourrais peut-être parler de ce rêve à Laurel. Il nous arrive à tous de rêver qu'on veut dire quelque chose de vital, mais que les mots restent coincés comme des pierres au fond de la gorge.

Après une bonne leçon, on se sèche toutes les deux avant de se diriger vers les vestiaires. Je viens de lui présenter Harvey et, l'espace d'un instant, j'ai cru avoir perdu mon flirt favori tant il a paru sous le charme. Mais il a posé la main sur mon bras et s'est tourné vers elle :

— C'est le meilleur professeur de natation à l'est des Rocheuses, n'oubliez jamais ça.

Tournant le dos à Laurel, il m'a fait un clin d'œil en susurrant :

— J'en sais quelque chose, hein, ma petite sirène. J'en sais quelque chose...

— Comme il a l'air gentil ! commente Laurel en se passant les doigts dans les cheveux.

— Harvey est un amour.

— Tu lui apprends à nager aussi ?

— Non, bien sûr. Il vient au cours pour les arthritiques. Il a eu plusieurs attaques et, l'an dernier, il a fait une mauvaise chute.

— Depuis combien de temps es-tu ici, Marna ?

— Au Y ou dans l'Ohio ?

— Les deux.

— Cinq ans pour les deux questions. Mon mari et moi, on est nés en Californie.

Je mets mon survêtement et je suis Laurel dans les vestiaires.

— Laurel ?

Elle se tortille pour se débarrasser de son maillot.

— Oui ?

— Qu'est-ce que ça veut dire, ces rêves où on n'arrive pas à parler, où on veut hurler, mais aucun son ne sort de la bouche ?

— Je vais réfléchir au tarif pour une consultation privée, plaisante-t-elle en tirant derrière elle le rideau de la douche.

— Je t'apprendrai à sauter du tremplin de trois mètres, dis-je en haussant la voix pour couvrir le bruit de l'eau.

Elle ouvre le rideau d'un coup sec et passe la tête.

— Écoute, je vais te donner gratuitement un semestre entier de cours d'initiation à la psychologie des rêves si tu promets de ne jamais me demander d'approcher de ce tremplin.

Elle referme le rideau et se met à psalmodier d'une voix forte :

— Typiquement, l'impossibilité de parler symbolise l'impuissance, l'incapacité de se faire comprendre. Du moins selon l'analyse jungienne.

Je me rapproche du rideau et tends l'oreille.

— Cela peut aussi représenter quelque chose de moins évident... comme le refus ou la peur d'exprimer des pensées qui devraient être exprimées.

Une minute de silence s'écoule. Assise sur le banc, j'attends.

— Marna ?

— Je suis là. En train de prendre des notes.

Laurel arrête la douche et ouvre le rideau. Elle est enveloppée dans une épaisse serviette verte.

— Moi aussi, j'en ai, de ces cauchemars où on essaie de crier pour avertir quelqu'un. Je sais ce que tu veux dire.

« Ainsi nous partageons les mêmes rêves, ai-je pensé un peu plus tard. Mais c'est impossible que nous partagions les mêmes peurs. Nous sommes trop différentes. »

J'aime la façon dont Laurel m'apprend des choses, sans avoir l'air de donner un cours mais en reliant les théories à ce que je connais, la natation ou le mariage. J'apprécie qu'en dehors de ce qu'elle nomme les indices cliniques elle ne révèle jamais le moindre détail personnel sur ses patients. À part le nom de celle qui dit souffrir de crises d'asthme, Tracy, elle ne m'a rien révélé d'autre. Elle dit simplement, « celle qui souffre de dépression suicidaire », « celui qui a peur des espaces clos », ou « le couple qui consulte pour des problèmes conjugaux ». Ça m'a convaincue que si jamais je lui parlais de ce qui se passe entre J.W. et moi, elle saurait garder le secret. Parfois, ça me brûle les lèvres de parler de ça, de l'éloignement de mon mari. Mais pour le moment c'est trop tôt, je préfère me taire. J'aurais peur de paraître pathétique à ses yeux. Par contre, j'aimerais lui parler un peu plus de mes rêves mais, après nos leçons, elle se dépêche toujours de regagner son bureau. Du couloir où je nage, je la vois, les cheveux coiffés, le visage maquillé comme si elle n'était pas venue à la piscine depuis six mois, agitant la main pour me dire au revoir. Parfois, en la voyant si sûre d'elle sur la terre ferme, je peux à peine croire que c'est la femme tremblante que je dois, dans ses mauvais jours, encourager à entrer dans l'eau, l'exhortant à flotter, à faire confiance à ma main sous sa tête, à se faire confiance.

~

À la mi-mars, quand l'hiver en Ohio arrive à peine à sa fin, je me mets à avoir la nostalgie du printemps déjà bien amorcé en Californie, où il suffit de quelques journées de beau temps pour que les vergers aux alentours de Sacramento se couvrent de fleurs. J.W. et moi irons y passer une semaine à Pâques, un voyage que nous projetons depuis des mois. Olive et Merle me manquent, et je me languis de voir Roxie, au moins une fois cette année. J'ai convenu avec le YMCA que mes cours feraient relâche en mon absence. Laurel dit qu'elle viendra peut-être à la piscine s'exercer seule, mais elle ne promet rien.

— Bien sûr, vous pouvez tous venir nager sans moi, dis-je à mes champions en leur annonçant mon départ en vacances.

— Meneuse d'esclaves, me dit Harvey au milieu d'un concert de grognements et de plaintes.

— Hé, j'ai une idée, dis-je pour couper court à la mutinerie. C'est Harvey qui va faire le cours. Pas vrai, Harvey ?

Le concert de plaintes ne fait qu'augmenter. Quelqu'un lance de l'eau à Harvey. « Non, Marna, pas Harvey », disent-ils en chœur en riant tout en montant les marches. Harvey me rejoint en barbotant.

— Emporte-moi dans tes bagages, poupée, dit-il dans une mauvaise imitation de Humphrey Bogart, secouant son tube comme un havane.

— J'emporte mon mari.

— Oh non, pas le mari !

Maintenant, il imite James Cagney tombant dans l'eau à la renverse.

— Pas le mari !

— Si, dis-je en lui prenant la main pour le remettre debout avant de monter les marches à mon tour.

~

— Non, me dit J.W. ce soir-là au souper. Je ne les ai pas prévenus.

— Tu ne crois pas que tu aurais dû ? Ils espèrent notre venue depuis des mois. Ils vont vraiment être déçus...

— Pourquoi tu n'irais pas seule, Marna ?

— Sans toi ?

— Oui, sans moi. La Californie, ce n'est pas la Sibérie. Et comme ça, ils ne seront qu'à moitié déçus.

Je soulève la bouteille de chardonnay pour examiner l'étiquette. J'ai lu la lettre du siège social d'IBM exigeant la présence de mon mari au congrès bisannuel des ventes de Cincinnati, à des dates qui coïncident en partie avec notre semaine en Californie. J.W. a fait ce qu'il fallait pour que je tombe dessus, me servant ensuite un haussement d'épaules et un regard navré qui signifient : « Désolé, trésor, mais je n'y peux rien. » Je devine son but : il est en train de me mettre à l'épreuve, de sonder jusqu'à quel point je suis disposée à avaler le régime d'indépendance qu'il m'a prescrit. Il espère très fort que ça va marcher, je le vois à la manière dont il fait pivoter son verre de vin du bout des doigts, laissant des ronds sur la nappe en lin bien repassée. Il espère ardemment que je vais devenir une adulte autonome, capable de partir seule en voyage. Je remplis mon verre au-delà de la ligne imposée par la bienséance, mais J.W. est trop préoccupé pour le remarquer. Je lui tends la bouteille. Il secoue la tête, « Non merci, c'est tout pour moi. » Il attend le dénouement. Je sens qu'il souhaite de toutes ses forces que ce sera oui. J'avale une gorgée de vin.

— Je ne vois pas pourquoi j'annulerais mon voyage, dis-je en repoussant mon assiette et en quittant la table. De toute façon, c'est dans trois semaines, j'ai le temps d'annuler ta réservation. »

Je glisse ma chaise sous la table. Une chose que Laurel m'a dite la semaine dernière me revient à l'esprit. Changer le comportement pour changer la cognition. « Si on apprend aux gens à agir différemment, dit-elle, leur système de pensée évolue vers des modèles plus sains, même si au début ils ne croient pas en ce qu'ils font. » Elle me parlait de Tracy, la patiente qui m'intrigue plus que je ne voudrais le montrer, et de la manière dont chaque séance inclut la répétition de la précédente, un peu comme les nôtres. Sa théorie fait écho à ce que l'entraînement sportif m'a appris, sauf que, dans ce cas, c'est l'inverse. J'ai souvent pratiqué une sorte de pensée magique qui consiste à se concentrer sur un but pour le réaliser. « Pense vite, Marna, me murmurait Coach avant chaque compétition. Si tu penses vite, tu nageras vite. »

En regardant Laurel s'efforcer de flotter sur le dos tout en m'expliquant sa théorie du comportement, je me suis dit que celle-ci pouvait aussi bien s'appliquer à elle. Mais en voyant mon mari piquer un piment dans mon assiette et l'avaler, l'air satisfait, je me dis qu'elle a peut-être essayé de me glisser des indices sur moi-même.

Je laisse tomber ma serviette sur mon assiette. Pour la première fois de toute l'histoire de notre vie de couple, j'ose assigner à mon mari une tâche féminine.

« Veux-tu débarrasser la table, chéri ?

Au moment de quitter la salle à manger, j'ajoute :

— Et tant que tu y es, fais donc la vaisselle. Je suis lessivée.

Laurel

Ma semaine est maintenant ponctuée par mes leçons avec Marna : une virgule le mardi, une autre le jeudi, un point le samedi ou le dimanche. Elle est incroyablement patiente ; elle ferait une très bonne mère.

Elle était tellement fascinée par la psychologie et par Tracy, avant que je n'arrive comme un chien dans un jeu de quilles avec ma proposition pour la conférence, que je me suis arrêtée à ma librairie du centre-ville pour voir si l'édition cartonnée de *Sybil* était là où je l'avais vue la semaine précédente, sur la table des soldes. Elle y était toujours et j'ai acheté le livre pour elle, inquiète cependant à l'idée que je pourrais encore avoir l'air trop entreprenante, alors je minimise l'importance du cadeau. Il m'arrive de faire ce genre de choses, d'acheter des cadeaux aux gens pour me rattraper. Si seulement je ne m'étais pas précipitée pour l'inviter à cette conférence…

— J'ai pensé que ça t'intéresserait peut-être puisque tu me posais des questions sur Tracy, dis-je en lui tendant le livre à bout de bras comme je monte sur le pont (c'est Marna qui m'a appris l'expression) pour ma leçon du dimanche midi pendant le bain libre.

J'avais décidé de ne pas l'emballer, pour ne pas avoir l'air d'en faire trop de cas. Elle est déjà mouillée évidemment et doit aller chercher une serviette pour ne pas abîmer la couverture.

— Il s'agit d'une femme qui a plusieurs personnalités, seize exactement, et j'ai pensé que…

Je m'interromps un peu bêtement.

— J'aurais dû le laisser dans le vestiaire, dis-je pour m'excuser. C'est bien digne d'une poule mouillée d'oublier qu'il y a de l'eau dans une piscine.

— Ne te déprécie pas, s'il te plaît, dit-elle distraitement, l'œil sur les rabats de la couverture. J'ai vraiment envie de le lire. Merci beaucoup. Je vais en prendre bien soin et je te le rendrai dès que j'aurai fini.

— Tu n'as pas besoin de me le rendre. C'est pour toi.

— Tu l'as acheté pour moi ? Je vais te le rembourser.

— Oh Marna, non, c'est seulement un petit cadeau de remerciement.

— Merci à toi. C'est vraiment très gentil de ta part.

Nous échangeons un regard pendant seulement une ou deux secondes de plus que nécessaire et, bien que ce soit embarrassant, je sens que chacune d'entre nous apprécie l'autre et désire qu'elle le sache, sans l'aide des mots pour ne pas brouiller la ligne qui relie nos yeux. Mais il faut que je mesure mes paroles, que je fasse attention.

Elle enveloppe le livre soigneusement dans l'une des serviettes blanches tenues à la disposition des maîtres nageurs, puis décide que c'est insuffisant et court le porter dans la pièce réservée au personnel.

Pendant la leçon, bien que je ne réussisse rien mieux que d'habitude, elle m'encourage et sa voix est bien plus chaude que l'eau.

— Tu vas y arriver, dit-elle. N'aie pas peur, je suis juste à côté. Je te tiens.

La leçon terminée, pendant que nous nous séchons sommairement sur le pont, elle me surprend, et c'est loin d'être la première fois.

— Je me demandais, hésite-t-elle, après une longue pause. Tu te souviens, tu as dit que je pourrais peut-être aller à une conférence.

— Mais oui.

— Est-ce que l'offre tient toujours ?

— Bien entendu. Mais, tu sais, je comprends tout à fait pour ta famille.

Nous continuons à tourner autour du pot toutes les deux.

— Non, il n'y a aucun problème. J'aimerais vraiment y aller.

— Il y en a une samedi en huit, un symposium sur les troubles de dissociation à l'université de Cincinnati. Ça ne dure qu'une journée. J'avais pensé y aller le matin pour voir si je ne pourrais pas y glaner de l'aide pour Tracy. Ça serait sympa d'y être dès le vendredi soir. Hé ! on pourrait dormir à l'hôtel *Westin !* Tu y es déjà allée ?

— Non. Cet hôtel chic sur Fountain Square ?

— Oui. Et il y a un chouette endroit où manger, le *Fifth Street Market*. C'est de plain-pied avec la rue et ... hum, c'est comme si on était en plein air, avec des ficus immenses illuminés par des petites lumières blanches. Ils ont mis des grands parasols blancs au-dessus des tables. Eh non, attends ! Je peux déduire ça de mes impôts. Peut-être qu'on devrait aller claquer un peu d'argent à *La Maisonnette*. C'est à une rue de l'hôtel seulement. Tu y as déjà mangé ?

— Le restaurant cinq étoiles ?

— Ouais. Je crois qu'ils font revenir leurs oignons dans le Dom Pérignon.

— Nan. Jamais mis les pieds, dit-elle d'un ton léger. Mais il est grand temps. Vive les soirées en célibataires !

Et elle sourit.

~~~

— Tu sens vraiment bon, soupire Jake, le visage caché dans mon cou.

Nous sommes dans mes draps verts tout chiffonnés. J'ai mis l'eau de toilette *Muguet des bois* que je porte de temps en temps. C'est incroyable comme un parfum a le don de vous ramener en arrière, en cassant la gangue de la nostalgie dans le cœur, pareille à cette enveloppe jaune d'or autour de la baie rouge de la douce-amère. Dans un petit moment, je me lèverai et irai nous chercher deux verres de vin blanc et un bol de bretzels ; toujours nue, je les rapporterai dans la chambre — il me sifflera quand je passerai la porte et recommencera à mon retour — et nous parlerons. Il est temps que nous parlions, que nous planifiions davantage. Puis nous referons l'amour. Pour l'instant, je m'attarde dans le lit, avec sa tête dans la courbure de mon cou, et je me contente de régler ma respiration sur la sienne.

— C'est *Muguet*. Tu aimes ? Moi aussi. Ça sent vraiment comme ça, le muguet. Je ne porte pas cette eau de toilette-là tous les jours.

— Pourquoi pas ?

Revoilà l'occasion. Je pourrais lui dire pourquoi ce parfum me rappelle la vieille cour, ce lieu sûr où nous jouions, Tim et moi, et comment cette sécurité a pu être trahie tout en nous trahissant.

— C'est une longue histoire, dis-je, hésitante.

Nous sommes allongés, corps contre corps, âme contre âme. Il est encore tôt et il dort ici. Quand retrouverons-nous une pareille occasion ?
~~~

— J’ai moi aussi une longue histoire à te raconter, dit-il. Je la remets toujours à plus tard mais je ne peux plus la reporter maintenant.

Je suis très contrariée mais je ne le laisse pas deviner. Il est rare que j’essaie de parler de moi. En le regardant attentivement pourtant, je lis une telle consternation sur son visage et dans ses yeux — qui se sont assombris comme des pierres plongées dans l’eau —, et je sens une telle tension dans sa voix assourdie que je réclame :

— Vas-y. Tu peux tout me dire.

Il y a une longue pause. Jake avale sa salive et baisse les yeux sur ses mains qui ont l’air plus jeunes que lui dans le petit cercle de lumière ambrée sous la lampe de chevet.

— Même que… je suis marié ?

Des heures après son départ, après mon coup de téléphone à ma secrétaire, Janet, pour lui demander d’aller plus tôt au bureau et de prévenir tous mes patients que mes rendez-vous sont annulés pour cause de maladie, le choc se répercute toujours sur les parois de mon crâne. Il me semble même que j’entends battre dans ma tête un bourdonnement, un grondement, précurseurs d’un second choc. Je ne suis pas du genre à m’emporter et à fulminer. J’ai pleuré, j’ai prié pour entendre de Jake une seule phrase qui puisse ressembler à une justification, tout en étant consciente que rien ne le justifie. Je suis comme ça malheureusement. Je trouve le moyen de presque tout comprendre, même si j’en souffre énormément.

— Je n’ai pas voulu ça, dit-il à un certain moment, en larmes.

Ce cliché, c’était plus que je ne pouvais en supporter. C’est la seule fois où j’ai été ouvertement amère, méchante.

— Qu’est-ce que tu voulais exactement ?

— Rien. Rien du tout. Tu étais tellement… parfaite… tellement comme je voulais. Et je pouvais te parler comme à per… J’en avais tellement envie. Et je ne sais vraiment pas ce que j’avais l’intention de faire. Quand je parlais de nous deux, il faut que tu me croies, Laurel, je t’en prie, j’étais sincère. Je suis sincère. Je sais qu’il faut que je me libère avant.

— Et tu m’aurais parlé de ta femme avant ou après notre mariage ?

Jake s'est fait tout petit devant moi. C'est la seule façon de décrire sa souffrance, blottie sous les draps sur lesquels je m'étais assise. J'avais enfilé un short et un tee-shirt mais Jake était resté dans mon lit, nu. C'est là que nous en étions un peu après minuit, à mon indignation, une sorte de détour sur le chemin de l'acceptation de ce qu'il m'avait, nous avait, fait.

— Non. Enfin, je crois que ce que j'avais pensé, c'est que je divorcerais d'abord pour que tu saches que tu pouvais me faire confiance, que je ne me servais pas de toi ou que je ne te racontais pas de bobards.

— Mais tu m'en racontais ! Et tu te servais de moi aussi. Tu savais que je ne t'aurais pas fréquenté si je t'avais su marié.

Sur le mur face à moi, les nénuphars des reproductions se détournaient de honte. J'aurais pu me lever pour allumer une autre lampe et dissiper ainsi leurs dernières lueurs surnaturelles, mais je ne l'ai pas fait.

— Non, je ne me servais pas de toi. Je ne m'attends pas à ce que tu me croies, mais je te le répète, je ne me servais pas de toi. Maintenant non plus.

— Pourquoi est-ce que tu me dis tout ça aujourd'hui? ai-je demandé, méfiante tout à coup.

Il a repris un ton suppliant.

— Parce que je savais que je n'aurais pas dû faire ce que je faisais. J'étais malhonnête avec toi. Et plus j'attendais, plus j'avais de chances de te perdre au bout du compte.

Je n'arrivais pas à croire que j'avais cette conversation avec un homme. Tout ce que j'attendais, c'était qu'il s'en aille pour que je puisse ouvrir les digues et libérer ma douleur, seule. Bien sûr, il y avait — il y a — plus que la douleur. Il y a l'humiliation, la sensation d'avoir été dupée. Mais comme de l'engrais mélangé à la terre, un désir était déjà présent dans ce marasme : « Rachète-toi, Jake. Essaie de me convaincre. Donne-moi une excuse, quelle qu'elle soit, pour que je retrouve ma confiance en toi. » D'après mon expérience, l'amour fait de nous des idiots ou des sages : l'ennui, c'est qu'on ignore quel effet il aura au moment où on choisit de battre en retraite ou de continuer à avancer, encore et toujours.

À trois heures, quand les bruits nocturnes se sont limités au rare chuintement d'une voiture dans la rue, nous étions dans les bras l'un de l'autre.

— Je n'y arrive pas. Je ne peux pas accepter ça, Jake. Peu importe ce qu'on ressent l'un pour l'autre, je ne peux pas te voir tant que tu es marié et je ne veux pas que tu divorces à cause de moi.

— Mais je ne divorce pas à cause de toi. Tout ce que je dis a l'air tellement... banal. Mais je ne sais pas quoi dire d'autre. Je n'ai jamais su quoi faire à propos de ma femme. Je ne sais toujours pas. C'est quelqu'un de bien, vraiment. Elle dépend de moi pour tout. Tu comprends? Je ne sais pas si c'est moi qui l'ai rendue comme ça. Peut-être que oui. Mais cette situation ne me convient plus, si elle m'a déjà convenu.

— Tu ne lui laisses aucune chance de changer. Comment est-ce que tu peux savoir si elle ne pourrait pas être différente? Et si tu essayais de voir un conseiller conjugal?

Nous nous étions installés dans la cuisine avec une pleine cafetière et une boîte de biscuits. Nous n'avions pas pris de repas. En prononçant cette phrase, je sentais que je n'étais pas sincère malgré mes efforts. Je ne voulais pas que Jake aille voir un conseiller conjugal, même si je savais pertinemment que c'était la chose à faire.

— Je sais. Est-ce que tu peux comprendre ça? Je sais que tu as raison, et pourtant, je ne veux pas y aller. Je ne veux pas arranger les choses. Je crois que j'ai tout fait de travers pendant des années, et maintenant, je ne veux plus m'en occuper, même si je me sens coupable d'abandonner.

— Parce que je suis là, ai-je dit tranquillement.

— Peut-être, en partie, parce que j'avais besoin d'un « parce que »... avant et après toi, a-t-il dit.

Et l'honnêteté de cette seule phrase était comme un merle perché, immobile et solitaire, sur le dernier poteau encore debout d'une clôture abattue, une phrase qui vous brise le cœur, lourde du présent et de l'avenir.

— Je ne te reverrai pas avant que tu aies divorcé. Et alors... je ne sais pas. Je ne peux rien te promettre. Je te comprends.

À ce moment-là, je l'ai regardé droit dans les yeux et je ne les ai pas lâchés, même après avoir terminé ma phrase, pour qu'il sache que je l'avais écouté véritablement :

— Et je t'aime. Mais tout ça est peut-être trop, Jake. Il y a certaines choses auxquelles l'amour ne résiste pas. Je ne veux pas que tu retournes vers ta femme ; je te veux pour moi. Mais est-ce que tu comprends que si tu divorces, je ne pourrai peut-être pas vivre avec ça ?

J'avais les mains près des épaules, les paumes tournées vers le ciel, comme la balance de la justice.

— Ce n'est pas seulement à cause de la tromperie. J'ai une part de responsabilité maintenant. Et ça change l'image que j'ai de moi.

Il y a des moments déterminants dans une vie, quelques-uns, jamais beaucoup. Les autres ne sont peut-être pas au courant car ces moments sont enfouis comme des os secrets dans la terre de nos vies, mais quand ils ont eu lieu, ils nous servent pour toujours de points de repère pour notre expérience et nos décisions. Jusqu'à aujourd'hui, l'inondation avait été mon seul repère. J'ignorais tout de ceux de Jake mais je savais que le moment fort que nous vivions serait l'un de nos repères jusqu'à notre mort. Je suis certaine de n'avoir jamais été aussi désemparée dans le besoin, aussi honnête dans la confession que ce soir-là, et je doute qu'il l'ait jamais été lui non plus. Ironiquement, c'est ce soir-là que nous avions évoqué nos croyances, nos désirs et nos craintes, nos attentes et nos élans, nos remords, nos succès et nos échecs — tous ces aveux et ces acceptations qui rapprochent les gens, qui en fait les marient. J'aurais pu, j'allais lui parler de la mort de Tim et de mon incapacité de crier pour le prévenir ou même de raconter ce que j'avais vu. Je n'en ai rien fait bien sûr, mais c'est seulement parce que je n'en ai pas eu le loisir, tout l'espace étant pris par ce que nous avions à nous dire.

~~~

La seule chose que j'avais oubliée de demander à Janet, c'était de téléphoner à Marna. J'avais prévu une pause repas deux fois plus longue et ajouté un rendez-vous en fin d'après-midi pour pouvoir aller à ma leçon de natation comme je le fais deux fois par semaine. Il est presque onze heures et demie quand je m'en souviens et je porte toujours le short et le tee-shirt que j'avais en serrant Jake pour lui dire au revoir. Tout ce que j'ai fait dans la matinée, c'est dormir deux heures d'un sommeil léger et intermittent, mon esprit survolant l'idée de Jake comme un oiseau aux grandes ailes plane au-dessus
~~~

d'un nid vide, s'y posant brièvement pour se reposer avant de redécoller.

Sur le comptoir de la cuisine réservé au petit-déjeuner, il y a encore un fond de café froid dans ma tasse : je suis assise devant sur un tabouret, les yeux dans le vague. J'essaie de me forcer à agir ou à retourner au lit, mais sans résultat. La lumière d'avril arrive riche et dorée comme du beurre par la fenêtre au-dessus de l'évier et par la baie vitrée du salon, qui donne sur la terrasse. Peut-être que cet après-midi je planterai du lierre et des géraniums roses dans mes bacs. J'en avais l'intention de toute façon. Comme ça, je n'aurai aucune décision à prendre.

Je n'ai aucune raison de continuer les leçons mais, pour les interrompre, je serais obligée de prendre une décision — active; je décide donc d'y aller une dernière fois. Mais je n'irai aux Bahamas ni avec Jake ni avec personne d'autre. Dès le départ, je ne l'envisageais qu'à contrecœur. Je pourrais sûrement faire comprendre ça à Marna.

Pourtant, j'avais presque flotté à ma dernière leçon. Je venais de commencer à me laisser aller, à laisser l'eau me tenir dans ses bras, comme disait Marna, quand il y a eu quelque chose : je me suis mise à fouetter l'eau et j'ai laissé filer l'occasion. Mais Marna était fière de moi. Elle a dit qu'il fallait « faire confiance à l'eau ». Je sais, moi, que l'eau peut devenir une ennemie sans raison apparente. Il faut que je trouve un moyen de faire coïncider cette idée avec la notion de confiance. À ma dernière leçon, une compréhension nouvelle de ce phénomène avait flotté dans la périphérie de mon champ de vision sous une forme encore insaisissable. Si j'avais pu tourner la tête et regarder la chose en face, j'aurais probablement fait une découverte.

Comme d'habitude, je ne vois pas Marna avant d'être sur le pont de la piscine car elle termine ses longueurs. Elle avance dans l'eau comme si ses bras et ses jambes disposaient d'un moteur interne; les poussées en sont toutes semblables, exceptée la quatrième quand sa tête, toujours dans le prolongement parfait du dos, pivote sur le côté pour une inspiration, avec la régularité d'un métronome. En la regardant, je prends conscience d'une sorte de fierté, comme si d'une certaine manière elle m'appartenait. C'est idiot mais, après s'être hissée hors de l'eau sans aucun effort, ayant terminé quatre autres longueurs, et avoir mis ses lunettes, elle me voit et son visage s'éclaire pour m'accueillir d'un sourire qui n'est pas simplement poli.

— Laurel ! Salut ! crie-t-elle. Viens près de moi pendant que je me sèche.

Il n'y a pas si longtemps, elle aurait seulement fait un signe de main et m'aurait lancé un « Je suis à vous tout de suite » par-dessus son épaule, comme une vendeuse à une cliente.

Je contourne l'extrémité de la piscine pour la rejoindre.

— Comment ça va ? demande-t-elle.

— Ça va, dis-je, m'efforçant d'être aussi chaleureuse qu'elle, mais sans succès.

Je ne veux pas qu'elle pense que ma réserve a quelque chose à voir avec elle. Je suis vidée et je souffre. Je n'aurais pas dû venir.

~

— Tu n'as qu'à t'allonger, je te tiens, dit Marna. Imagine que tu es sur un matelas d'eau. Tu en as un ?

Je balbutie un « non ». Mon corps est une corde pleine de nœuds.

— Détends-toi. Parle-moi, Laurel. Regarde-moi. Tu dors dans quelle sorte de lit ? On devrait demander des matelas d'eau à l'hôtel.

Elle essaie de distraire mon attention et la spécialiste en moi sourit en reconnaissant la technique qu'elle utilise intuitivement.

— Comme toute personne sensée, je dors sur un matelas extraferme qui ressemble plus à un plancher de bois franc qu'à de l'eau, dis-je en gros, pour rendre les choses difficiles.

Mais c'est vrai. Je préférerais encore dormir sur des cailloux plutôt que sur l'eau.

— Nous, on avait un matelas d'eau quand on s'est mariés, dit-elle, triste tout à coup. Ils étaient encore à la mode. Mon mari disait que je faisais des longueurs en dormant.

Puis sa voix reprend le ton professionnel et elle redevient ma monitrice.

— Avec ces matelas-là, on dirait qu'on dort dans la mer. Tu vois, l'eau cède sous toi mais elle te soutient quand même.

Elle me montre sans aucun effort comment faire la planche, comme si elle était allongée sur une surface fiable. Sans donner aucune explication, je me suis formellement opposée à le faire sur le ventre — elle appelle ça « faire le noyé ».

— C'est encore plus facile que de marcher. Comme ça. Tu te laisses aller. C'est ce qu'il y a de plus naturel au monde, dit-elle en reprenant pied. Allez, essaie encore une fois. Je te tiens la tête.

J'essaie. Je fais vraiment un effort. Mais toutes les cellules de mon corps protestent. La main de Marna soutient mon crâne et son autre main est dans le creux de mes reins. Je sens bien que je ne suis pas détendue et je n'entends pas les mots que Marna prononce calmement à voix basse, en continu.

— Tout va bien, dit-elle. Tout va bien. C'est l'eau qui te retient.

Je vois Jake en pensée. Mes bras se mettent à fouetter l'eau, mon corps se plie en deux, mon visage est submergé, je me débats et je finis par reposer les pieds au fond et par recracher.

— Je suis désolée, Marna. Je ne peux pas. Je n'y arrive pas. Ce n'est pas ta faute. Je ne saurai jamais nager, c'est tout. Ne t'inquiète pas, je te paierai quand même. Il faut que je sorte maintenant.

Marna recule imperceptiblement, ma référence à l'argent l'ayant heurtée, ce qui était voulu. Étonnamment, elle s'accroche au lieu de s'enfermer dans la blessure infligée par cet affront.

— Tu n'abandonnes pas? Tu t'en tirais tellement bien, Laurel. Tu y es presque. Tu peux y arriver.

Derrière ses lunettes, ses yeux sont deux cercles alarmés et incrédules.

J'attrape la rampe métallique et commence à monter les marches, passant outre au geste qu'elle fait pour toucher mon épaule, ce qui ne me ressemble pas du tout.

— Pourquoi est-ce que tu ne veux pas me faire confiance là-dessus? dit-elle, dans mon dos, la frustration faisant trembler sa voix.

~

Dans le vestiaire, je me change, me sèche les cheveux et range mon maillot de bain, ma serviette mouillée et mon bonnet dans mon sac de sport. D'habitude, il faut que je me maquille et m'arrange pour retourner travailler, mais aujourd'hui, je me contente d'enfiler le short kaki et les sandales que je portais hier soir et la blouse passée avant de quitter la maison. J'ai beau être rapide, Marna l'est encore plus. Quand j'arrive dans le hall d'entrée, elle a déjà mis sa veste en jeans informe et ses grosses sandales laissant voir ses ongles non vernis, et elle est là assise dans un fauteuil.

— Je peux te parler une minute ? me demande-t-elle.

Ses cheveux sont toujours mouillés mais les pointes ont commencé à sécher et elles rebiquent comme un bouquet de tire-bouchons. D'un geste automatique de l'index, elle remet en place ses lunettes tombées sur son nez.

— Je suis désolée, Marna, dis-je, décidée à poursuivre mon chemin.

Mais ma volonté fléchit. Je m'arrête et j'attends qu'elle me donne l'autorisation de partir. Elle me regarde de haut en bas, mais pas ostensiblement, pas impoliment.

— Tu ne vas pas travailler ? me demande-t-elle.

— ... J'ai pris un jour de congé.

— Allons manger un morceau. Tu n'as pas encore pris ton repas ?

Elle sait très bien que non parce qu'elle m'a dit elle-même de ne rien avaler juste avant un cours. Je suis fatiguée et découragée ; ou peut-être simplement que je ne veux pas me retrouver seule : j'hésite.

— Ça ne va pas bien aujourd'hui, hein ? Est-ce que c'est Tracy ? demande-t-elle.

Je fais non de la tête.

— Bon. J'ai pensé qu'elle avait pu se... blesser ou quelque chose comme ça. Écoute, ce n'est pas grave pour les leçons, si tu veux arrêter. J'ai pensé que tu aimerais peut-être parler... quel que soit le problème.

Qui, à part Jake, m'a jamais invitée à m'exprimer ? C'est toujours l'inverse qui se produit. Je suis tellement entraînée à ne pas confondre ma vie avec celle de mes patients, à ne pas mélanger mes problèmes aux leurs, qu'il m'est devenu naturel de ne pas parler de moi du tout. Les gens n'insistent pas car ils préfèrent parler d'eux de toute façon. Mais Jake n'est plus là et Marna insiste ; avec délicatesse, comme elle presserait une fleur, mais elle exerce quand même une forme de pression.

— Oui. D'accord, dis-je. D'accord.

Marna semblait vouloir trouver où se logeait ma douleur, comme l'eau lorsqu'elle cherche toutes les ouvertures possibles pour s'engouffrer. Nous sommes allées au *Uptown Café*, une petite pâtisserie qui fait salon de thé, où les murs sont dissimulés derrière des arbres-parapluie et des fougères grimpantes ; on y sert un petit menu froid le midi. Je ne me souviens pas d'avoir jamais été aussi peu sur mes gardes. Si on repense à notre terrible première rencontre, c'est invraisemblable. Mais dans la piscine depuis le début des leçons, elle a la douceur d'une mère, elle qui n'a que deux ans de plus que moi. Avant de quitter le YMCA, je lui ai dit que je ne continuerais pas les leçons. Elle s'est sentie visée. Elle a d'abord écarquillé les yeux derrière ses lunettes impossibles comme si j'étais une folle échappée de l'asile, mais j'ai vu ensuite que je l'avais blessée et j'ai dû lui dire la vérité. Que je suivais les cours pour Jake, que, ayant dû rompre avec lui, j'en avais perdu le goût et que, comme elle pouvait le voir, c'était une période très très difficile pour moi. Je n'ai pas mentionné la conférence à laquelle je l'avais invitée.

À table, elle m'a encouragée à tout lui expliquer :

— Pourquoi ?

J'avais perdu le fil.

— Pourquoi quoi ?

Je ne savais pas si elle me demandait pourquoi c'était si difficile pour moi ou pourquoi je ne sortais plus avec Jake.

— En fait... les deux, a-t-elle dit. Je veux dire, s'il est assez important pour que tu apprennes à nager, pourquoi est-ce que tu ne veux plus le voir ?

— C'est une longue histoire... Pour résumer, disons qu'il est marié.

— Ouhhh...

Marna a eu l'air peiné.

— Tu ne le savais pas ? a-t-elle demandé.

— Non. C'est bien ça le problème. Je ne savais rien. Enfin, il parlait de se marier, Marna. C'est un peu fort, non ?

— Ça doit être très dur, a-t-elle dit.

Elle a fait jouer son alliance sur son annulaire, un solitaire serti d'or blanc. Superbe.

— Est-ce que tu l'aimes vraiment ?

Cela ne me ressemblait pas du tout — imaginez des rayures de zèbre sur un lion — d'attirer l'attention sur moi dans un lieu public, mais j'ai eu les larmes aux yeux et, comme je les baissais, j'ai senti un tremblement dans les lèvres et le menton.

— Oui, ai-je dit.

J'avais du mal à maîtriser mes émotions à cause du manque de sommeil.

— Je suis désolée. Je n'avais pas l'intention de me laisser aller comme ça.

— Oh, Laurel, ne t'inquiète pas. Vas-y, pleure. Ne sois pas gênée.

Marna a fouillé dans son grand sac à main, en a sorti un petit paquet de mouchoirs en papier et les a poussés vers moi. Puis elle a étendu le bras et a posé sur la mienne sa main compétente aux ongles carrés, dans un geste inattendu et bienveillant. Je me suis laissée aller complètement et mes épaules ont commencé à se soulever. Cette scène me ressemblait tellement peu que j'avais du mal à croire que c'était moi qui la vivais.

La serveuse est arrivée avec une salade pour moi, un sandwich au thon pour Marna et deux tasses de café de chaque côté de son plateau. J'étais prise au piège et Marna l'a senti. Elle s'est levée, renversant son sac par terre. Des stylos, des petits bouts de papier, un tube de rouge à lèvres cabossé, un porte-monnaie, un peigne, tout ça a échoué bruyamment sur le sol dans un désordre ordonné, comme un feu d'artifice. Des comprimés d'aspirine se sont déversés d'un petit tube, le bouchon ayant sauté et roulé sous un siège.

— Oh là là ! a-t-elle dit. Bon, tant pis pour les toilettes. Tu peux m'aider ?

Tandis que la serveuse nous tournait autour pour essayer de déposer la commande sur la table, Marna et moi avons commencé à genoux à rassembler les objets dispersés. Elle travaillait lentement et peu efficacement et la serveuse a fini par nous lancer sous la table :

— Faites-moi signe si vous avez besoin d'autre chose.

Et quand ma main s'est approchée de celle de Marna pour déposer dans son sac un paquet de bonbons au chocolat, elle l'a prise et l'a serrée de nouveau.

Nous avons mangé, commandé une deuxième tasse de café à la fin du repas, puis une troisième.

— Alors, d'où te vient cette peur panique de l'eau ? a-t-elle demandé doucement.

Et, à ma grande surprise, j'ai répondu à sa question. J'ai commencé à raconter une version résumée de l'histoire, mais je me suis surprise à ajouter des détails au fur et à mesure, encouragée par son écoute tranquille.

— Oh, mon Dieu ! Pas étonnant, a-t-elle dit quand j'ai eu fini, et elle a couvert mes mains avec les siennes, comme avec un édredon.

— C'est ridicule, je sais, ai-je dit.

C'est vrai, les phobies le sont presque toujours; si elles sont explicables à la lumière du passé, elles sont objectivement absurdes.

— Docteur pour la tête, hein? dis-je, m'empressant de rire de moi avant qu'elle n'ait eu le temps de penser à le faire.

— Non, ça n'est absolument pas ridicule. Ne te moque pas de toi. Pour l'amour du ciel, tu es une personne, enfin, regarde ce qui est arrivé à ta famille.

Marna prenait ma défense. Cette loyauté inconditionnelle m'étonnait et j'ai observé ma monitrice attentivement. J'ai vu qu'elle n'était ni légèrement folle, ni hypocrite.

— Oh, parfois, c'est comme ça que je vois les choses, même moi.

— Tu peux t'en sortir. Tu t'en tirais très bien. Ça serait bien de savoir nager, non? Même si tu ne revois jamais chose.

— Jake, ai-je précisé.

Le soleil dardait déjà ses rayons obliques d'après quinze heures. Je suis devenue une experte dans l'art de deviner l'heure grâce à des changements subtils de la lumière, sachant déterminer quand une séance est finie d'après le rythme de la conversation, l'angle des rayons de soleil et les ombres dans mon bureau, le patient s'étant tu, affligé. Dans le café, déserté maintenant par les quelques clients du midi, je voyais à la distance parcourue par la lumière entre notre table et le milieu de la pièce combien de temps nous étions restées. Je ne voulais pas partir et je ne pense pas que Marna en ait eu envie non plus. Comme elle s'est révélée différente de ce qu'elle avait semblé être ! Ce que je veux dire, c'est qu'il y a des traits du visage et des qualités qui ne ressortent pas de loin. Ses yeux, par exemple, et sa peau diaphane. Et puis, ses cheveux, indisciplinés mais, d'une certaine manière, opulents, avec leur profusion de boucles indomptées. Ses sourcils sont fournis sans être trop épais et la courbe en est parfaite. Et surtout, il y a son cœur tranquille : elle est très... oui, très solide, fiable et bonne; elle ne lâche pas, comme un puits qui ne tarit pas. Je lui avais dévoilé mes pires travers, que même ma mère n'aurait pas supporté de connaître, et pourtant, elle était restée assise face à moi, aucun jugement visible dans ses yeux, aucune horreur, aucune condamnation.

— Alors, qu'est-ce que tu en dis ? m'a-t-elle demandé comme nous partions enfin.

— De quoi ?

— Des leçons. C'est gratuit. Tu te souviens, tu as presque réussi à flotter cette fois-ci ?

— Je ne peux pas accepter, ai-je dit en secouant la tête.

— Bon, c'est maintenant que tu es ridicule, a-t-elle dit.

C'était dit gentiment et ça ne m'a pas dérangée.

— Tiens, faisons comme ça. En échange, tu m'emmèneras à la conférence ce week-end.

— Oh, non ! Je...

— Alors, marché conclu, a-t-elle dit, me forçant à sortir alors que je voulais justement me cacher.

— Mais ton mari...

— Il survivra. On va partir vendredi, comme tu avais dit, et on dormira au *Westin* ?

— Je...

— Et pas un mot sur les hommes, rien !

Marna

— Tu as parlé à maman et papa ?

J.W. me suit à la cuisine, les assiettes vides à la main. Il commence à les placer dans le lave-vaisselle, là où j'ai toujours rangé les bols. Elles m'horripilent, ses tièdes tentatives pour partager les tâches ménagères, comme s'il pensait rembourser ainsi la dette de mon voyage solitaire en Californie, comme s'il utilisait son aide maladroite à la cuisine pour se sentir quitte. Après treize ans de repas quotidiens, comment peut-il encore ignorer où est la place des assiettes dans la machine ? Pourquoi n'a-t-il jamais remarqué ce détail ? Pourquoi ne le lui ai-je jamais dit ?

Je secoue la tête.

— Je pensais que tu avais dit...

— Rince d'abord, dis-je en sortant les assiettes de la machine.

— As-tu parlé à maman...

— Oui !

Malgré moi, j'ai haussé le ton.

— Et tu...

— Oui ! J'ai réservé mes billets, j'ai annulé les tiens. C'est fait, J.

J'ai encore élevé la voix.

— D'accord, dit-il.

Il lorgne l'eau savonneuse dans l'évier, la poêle que je tiens à la main.

— Laisse faire ça.

Je voudrais alléger la tension dans l'air, arrêter de l'interrompre au milieu de ses phrases comme si je savais mieux que lui ce que nous faisons. J'essaie de tourner la chose en plaisanterie :

— Tu n'arrives même pas à placer les assiettes comme il faut, et tu voudrais que je te laisse récurer mes chaudrons ? Va expédier un courrier électronique ou quelque chose de ce genre.

J. prend un torchon, l'examine, suit des yeux la ribambelle d'oies brodées qui courent sur le tissu. Puis il le plie soigneusement en quatre et le pose sur le comptoir. Quand il quitte la cuisine, je déplie le torchon et reste plantée là à me demander qui je suis, si je veux que mon mari reste auprès de moi ou si je le préfère devant son ordinateur, séparé de moi par quatre murs. Ou plus.

Le lendemain, j'attends ma classe d'arthritiques, assise sur la chaise de surveillance. Harvey est en avance. Il me voit de l'autre côté de la piscine et s'arrête net. Il laisse tomber son sac et met les poings sur les hanches. Il a un short neuf, tout à fait ridicule : un imprimé hawaïen rouge vif, avec des baigneuses aux jambes interminables étalées partout.

— Descendez de là, paresseuse. À l'eau !

— Je me repose !

— Bonne idée. Il serait temps !

Il ramasse son sac et contourne la piscine. Eric lui barre le chemin, les poings tendus comme un poids plume prêt à un combat amical. J'entends leurs voix, le rire d'Harvey. Eric fait une feinte vers la droite, vers la gauche, puis laisse Harvey passer.

— Qui a gagné le round ?

En guise de réponse, Harvey dépose son sac sur le banc et tend la main vers mes orteils.

— Holà ! Je suis très chatouilleuse à cet endroit.

— C'est vous que je déclare vainqueur ! Vous nous mettez tous K.O.

— Bien sûr.

— K.O., chaos, cacao... dame de mes rêves !

— Du calme, Harvey, il y a du nouveau.

— Du nouveau ? Je suis tout ouïe...

— Tom va me remplacer pendant que je serai en Californie.

Harvey roule les yeux et secoue la tête.

— Le commandant ! Vous nous abandonnez aux mains des fascistes.

— Harvey...

— Oui, des fascistes ! Et pourquoi ? Pour aller faire de l'espionnage en Californie avec votre cher époux.

— Ben non.

— Vous ne passez pas à l'Ouest ?

— Si, mais j'y vais seule.

Au ton de ma voix, il comprend. Pour une fois, il cesse de plaisanter et se met à l'écoute. Humphrey Bogart redevient ministre du culte.

— Quelle raison donne-t-il ?

— Oh, une réunion pour son travail. Il ne peut pas y échapper.

— Et à votre avis, mon petit poisson d'aquarium, il ne peut pas ou il ne veut pas ?

— Je ne sais pas.

Les mains sur les genoux, je me penche en avant.

— Ne partez pas encore, Marna.

Il me prend la main et caresse ma paume. Je me sens sur le point de pleurer, c'est le comble.

— Êtes-vous heureuse, mon petit? demande-t-il en suivant de son pouce déformé par l'arthrite la ligne de vie sur ma paume.

Je sens les larmes jaillir, des larmes minables qui me tranforment en bébé pleurnicheur.

— C'est quoi le bonheur, Harvey ? C'est quoi le bonheur ?

— Pourriez-vous parler à quelqu'un de ce qui vous arrive ?

Je secoue la tête.

— Non, pas à moi, mon petit lapin. À une personne qui pourrait vous aider...

— Non, je ne crois pas.

— Alors, allez-y ensemble. Allez tous les deux chez un conseiller conjugal et parlez-en ouvertement.

Je me mets debout. Harvey lève la tête pour regarder mon visage. Je mets mes mains sur ses épaules et je l'embrasse sur une joue, puis sur l'autre.

— Je vous aime beaucoup, Harvey.

— Vous me manquez déjà, Marna.

Il semble aussi triste que si nous étions des amoureux en train de se dire adieu.

— Je ne pars en Californie que dans deux semaines.

— Tom n'est pas digne de vous remplacer, petit poisson d'amour. Il se peut que je ne lui fasse pas l'honneur d'assister à ses leçons.

— Je vous le défends bien ! dis-je en le menaçant du doigt.

Je tourne les talons et, avec une autorité décontractée que je suis loin de ressentir, je crie :

— Eric, enlève-moi ces flotteurs !

Depuis la Saint-Valentin, je n'ai jamais plus offert à J.W. de l'accompagner à l'aéroport et il s'est bien gardé de me le proposer. À quoi bon, puisqu'un silence empoisonné planerait dans l'auto, comme si un mauvais plaisant avait trafiqué l'échappement pour que le monoxyde de carbone se déverse dans l'habitacle.

Ce matin, J.W. est devant la porte, prêt au départ. Il tâte ses poches, à la recherche de quelque chose.

— Les voilà !

Je lui tends ses billets d'avion, les pieds nus et transis sur les briques humides de notre allée.

— Merci, chérie.

Il se penche pour m'embrasser, mais je recule en tirant sur ma robe de chambre.

— Est-ce qu'on va aller consulter un conseiller conjugal, J. ?

Il ramasse son sac de voyage, celui que j'ai préparé pour ses deux jours à Atlanta.

— Marn, le moment est mal choisi...

— Est-ce qu'on va y aller ? Je vais prendre un rendez-vous pour la semaine prochaine. J'aimerais que ça se fasse avant Pâques, avant que je parte...

— On pourrait peut-être en reparler un jour où je n'aurais pas un avion à attraper de justesse...

— Je vais juste prendre un rendez-vous !

— Marna.

Tenant son sac de voyage contre sa poitrine, il ramasse au passage le journal enveloppé dans un sac en plastique, pivote et me le tend.

— Tu prends un rendez-vous si ça te chante, tu y vas en premier et, quand j'aurai le temps, je viendrai.

— Mais...

Il se dirige déjà vers l'auto, jetant par-dessus son épaule :

— Tu y vas en premier.

Il ouvre la portière et se penche pour poser son sac sur le siège du passager. Au milieu de son mouvement, il marque un temps d'arrêt.

— Marna, tu devrais parler à ton conseiller conjugal de T-Bone. Tu devrais lui parler de Roxie. Lui dire que...

Il ferme la portière et baisse la vitre.

— Dire à quelqu'un d'autre que moi que tu as peur tout le temps. C'est ça qui te ferait du bien.

Puis le moteur ronfle, l'auto descend l'allée en marche arrière et je hurle presque en sachant bien que J. ne peut plus m'entendre :

— Bien sûr, J.W. Tout ce que tu voudras, J.W.

Je retire les encarts publicitaires du journal et je vais les jeter dans le bac de recyclage, à l'arrière de la maison. J'ai les pieds gelés mais je m'attarde à côté du bac pour lire la première page du journal. Rien ne parvient à mon cerveau, ni les gros titres, ni le texte des colonnes. Je jette le tout dans le bac en laissant retomber le couvercle d'un coup sec. Après avoir nettoyé la cuisine, je m'assieds sur le lit pour enfiler mon survêtement. Je me souviens alors que ce n'est pas la première fois que J. me dit d'aller consulter seule parce que j'ai un problème qui relève d'un spécialiste. Je m'allonge sur le lit défait, un oreiller sous la tête, me demandant ce que ça aurait changé si je l'avais écouté.

~~~

C'était il y a deux ans. J. me harcelait pour que j'aille passer des tests de fertilité. À aucun moment il n'a douté que, si nous restions sans enfant, c'est que quelque chose clochait de mon côté. Il ne se trompait pas. Sa façon de planifier une famille en partant du principe que j'étais d'accord, c'était une partie du problème. Le reste n'était pas une histoire d'ovaires déficients, d'ovules mal formés. Ce n'était pas mon corps, mais ma tête qui refusait la maternité. Ou, plus exactement, j'étais terrorisée à l'idée de ne pas trouver en moi la force de me conduire comme une mère exemplaire.

Notre maison avait presque deux ans. Le jardin que nous avions aménagé pendant nos week-ends commençait à ressembler à un vrai jardin. La pelouse était épaisse et verdoyante. Les vivaces fleuris-
~~~

saient avec une régularité d'horloge, plus vigoureuses chaque année. Les buissons qui bordaient l'allée formaient maintenant une épaisse haie que J. taillait avec entrain, maniant ses cisailles électriques et chantant « *You have lost that loving feeling* » dans une tonalité inconnue de l'oreille humaine. Son grand plaisir, c'était d'acheter de nouveaux outils pour bricoler partout dans la maison. Il revenait chez nous avec un sac de la quincaillerie et exhibait fièrement au milieu de la cuisine une nouvelle ponceuse, une perceuse automatique, comme son père quand il débarquait dans notre appartement de jeunes mariés armé de son attirail. Je taquinais Merle en lui disant qu'il rêvait de jouer les charpentiers un peu partout sur le globe, en quête d'un public pour son orchestre symphonique de scies et de perceuses. Au fond, j'adorais cette manière qu'ils avaient, lui et son fils, de compter sur la quincaillerie pour remettre le monde d'aplomb. Et j'aimais ces journées où nous bricolions tous les trois, ne nous arrêtant que pour contempler notre œuvre une bière à la main, épuisés et couverts de poussière.

Mais J. a fini par compléter sa collection d'outils et, en bon Whitney, il s'est mis à rapporter à la maison de l'équipement pour bébé. C'était ce genre d'achats impulsifs que font d'ordinaire les femmes qui espèrent de toutes leurs forces une première grossesse. Ce fut pour moi un choc de voir mon bricoleur de mari se transformer en la caricature de ce que j'évitais de mon mieux de devenir. Il a commencé par déposer un livre, *Le Miracle de la vie*, sur la table basse du salon, près de la pile de *Newsweek* et de *U.S. News* dont il payait l'abonnement mais que j'étais seule à lire. On y voyait des photos intra-utérines montrant, mois après mois, le développement d'un fœtus. J'ai été encore plus stupéfaite — cela lui ressemblait si peu ! — quand il a rapporté à la maison un ours en peluche de la taille d'un enfant de cinq ans. Il s'est planté devant moi et s'est mis à agiter la grosse tête de l'ours en imitant la voix nasillarde d'un personnage de dessin animé : « Je suis un gros nounours qui cherche une famille d'accueil ! » Cet ours m'a glacée d'effroi : il avait réussi à s'introduire chez nous sous le bras d'un homme qui aurait attendu de mourir de faim avant d'entrer dans une épicerie et qui détestait les boutiques au moins autant que les épinards. Le désir qui le poussait à fouiner dans ces magasins, à faire ces stupides achats devait être totalement irrationnel, au point que je doutais d'avoir le même homme en face de moi.

Une autre fois, il a rapporté un paquet-cadeau et l'a déposé devant moi en me demandant de l'ouvrir.

— Attends que je devine. Tu m'as acheté un chapeau de cowboy ! Quelle idée géniale !

J. a feint de me donner un coup de poing sur l'épaule.

— Naan, dit-il de son plus bel accent texan, pas de chapeau, mon cœur... une belle paire de bottes en alligator. Vas-y, ouvre.

J'imaginais que c'était un gadget pour la maison ou la cuisine. En fait, j'espérais un baladeur qui puisse s'utiliser dans l'eau. J'avais dit à J. que le modèle existait mais il avait haussé les épaules. Un truc qu'on mettait sur les oreilles pour écouter de la musique sous l'eau ? Jamais vu ça.

À la place de mon baladeur, j'ai trouvé un de ces sacs qui servent à porter un bébé sur la poitrine. « Pour les enfants de zéro à six mois », lisait-on sur l'emballage. « Portez bébé contre votre cœur. » À travers l'ouverture en cellophane, je voyais le tissu en velours côtelé bleu foncé. J'ai lentement reposé la boîte sur la table. Puis je me suis assise et j'ai regardé mon mari.

— Tu ne l'ouvres pas, chérie ?

— Pas envie.

J. a tiré un canif de sa poche et a sorti le sac de sa boîte.

— Arrête ça, J., dis-je en lui ôtant la boîte des mains.

— Marna, ça fait plus d'un an qu'on essaye. On va bientôt avoir un bébé, non ?

— Je...

Les mots restent coincés dans ma gorge, des mensonges comme des sécrétions accumulées. Je secoue la tête.

— Chérie ?

Je me mets à pleurer. Je jure que je ne voulais pas lui mentir une fois de plus, non, vraiment pas. Mais il m'a prise dans ses bras, il a embrassé mes cheveux en chuchotant doucement pour me calmer. C'était facile, si facile de le laisser expliquer mes larmes à sa manière.

— Marna, c'est un problème... de femme, n'est-ce pas ?

— Pas vraiment.

Je tournais de mon mieux autour de la vérité — la pile de serviettes jaunes !

— Chérie, je connais un gars, Max Dettler. Sa femme ne pouvait pas... alors ils sont allés dans une clinique de fertilité et les médecins ont trouvé qu'elle avait un problème de... enfin, tu sais. Et maintenant, ils ont deux enfants, mon cœur.

Je secoue la tête de plus belle.

— Non, pas de clinique.

— Marna, ils peuvent faire des tas de choses...

— Pas de clinique. Je n'irai pas.

Je l'ai laissé supposer que j'avais peur de passer des tests. Il l'a cru parce qu'il était persuadé que le problème était de mon côté, d'où mon attitude de défense. Affronter la réalité m'aurait sans doute été trop pénible.

Je connais la différence entre le mensonge par omission et le mensonge tout court. Inventer un bobard de toutes pièces et l'affirmer effrontément, ce n'est pas tout à fait la même chose que de taire une vérité. Reste que ce sont deux façons de mentir. Je ne pouvais pas lui parler de la pilule. Le moment n'était pas encore venu. Je l'ai laissé croire que je craignais qu'on diagnostique une anomalie mais que j'étais d'accord pour continuer à essayer, comme avant.

Il s'est alors mis à faire l'amour avec une spontanéité retrouvée, en partie parce que la violence de ma réaction l'avait forcé à battre en retraite mais sans doute aussi parce qu'il avait entendu dire que le meilleur moyen de bloquer la fécondité, c'était de vouloir un enfant à tout prix. Il me prenait sous la douche, et on faisait ça en se savonnant mutuellement tandis que l'eau cascadait sur nos têtes. Ou on faisait l'amour sur le plancher de la cuisine, comme dans un film d'avant-garde, laissant les pâtes coller au fond de la marmite. Après nos ébats, on constatait le désastre en riant et J. allait chercher au restaurant du coin des hamburgers et des laits frappés.

Mais ce regain de désir a fini par s'émousser. Nous avons atteint l'impasse où nous sommes aujourd'hui, avec cette idée fixe d'avoir des enfants qui décrit des cercles au-dessus de nos têtes comme les vautours californiens guettant une charogne.

Au moins, il a cessé de rapporter à la maison ces fichues affaires pour les moutards en bas âge.

Et me voilà femme libérée, quittant mari et foyer pour un voyage à Cincinnati avec Laurel, en célibataires. On a décidé de faire semblant d'être libres comme l'air et, avant tout, on s'est interdit mutuellement de parler de nos hommes.

Je suis contente que Laurel ait accepté ce voyage. Ça me déplaisait de la savoir enfermée chez elle à pleurer toutes les larmes de son corps parce que le gars qu'elle aime est inaccessible. Il faut reconnaître que ça ne cadre pas avec l'image de *superwoman* que je lui ai collée, et je commence à changer d'avis sur la perfection de Laurel. En même temps, je relis le scénario de mon mariage en portant un œil critique sur mon propre personnage. Des pointes de refus et d'indignation surgissent de partout comme des épines, et ce n'est pas à mon honneur. Je m'en veux d'avoir toujours été celle qui courbe l'échine devant son mari.

J'ai tout de même réussi à surprendre J., ce qui n'arrive pas souvent. Singeant sa manière de m'informer de ses voyages d'affaires, je lui ai annoncé hier soir que je partais le lendemain, le mettant devant le fait accompli pour couper court à toute discussion. Il a levé les yeux pour déchiffrer mon visage.

— Qui est cette amie ?

— Une fille de la piscine.

— Della ?

— Non, quelqu'un avec qui je m'entraîne.

— Moi, je serai à Dayton, donc c'est inutile d'essayer de se téléphoner... Marna ?

— Quoi ?

— Un bon point pour toi.

~

Oui, un bon point pour moi. J'avais peur que Laurel et moi nous n'ayons pas grand-chose à nous dire en dehors de la piscine, où on peut faire alterner exercices et conversation à bâtons rompus. Mais tandis que Laurel tenait le volant, j'ai découvert que c'était facile de parler de tout et de rien, sauf des hommes.

Une seule fois, elle a brisé notre convention, en quittant la banlieue d'Auburn.

— Je ne veux pas que ton mari te manque.

— Qui ça ?

— Ton mari.

— C'est quoi son nom, déjà ?

— Le nom de qui ?

Laurel comprend la plaisanterie et éclate de rire.

— Ce soir, nous aurons l'embarras du choix pour le dîner, dit-elle pour changer de sujet.

La voiture glisse sur l'autoroute, qui serpente à travers les collines d'un vert phosphorescent, baignées dans la lumière de l'après-midi. À mon étonnement, Laurel dépasse un peu la limite de vitesse. Je me dis qu'elle aussi doit être nerveuse, ne sachant pas trop comment je vais me comporter en dehors d'une piscine.

— Des choix multiples, dis-je en étendant mes jambes, poussant du pied le sac de sport dans lequel je transporte ma brosse à dents et mes vêtements de rechange.

— Pardon ? Si tu n'as pas assez de place, tu peux faire glisser le siège avec la manette sur le côté.

— Ça va. J'ai dit multiples. Des choix multiples.

— Tu as lu *Sybil*, dit-elle, ravie.

— Ça m'a fait penser à ces poupées qui s'emboîtent les unes dans les autres, de plus en plus petites.

— Les poupées russes.

— C'est ça.

— Moi, dit-elle en repoussant une mèche sur son front, les personnalités multiples me font plutôt penser à des acteurs alignés sur une scène, chacun essayant de voler le spectacle aux autres. Une sorte de rivalité fraternelle, ajoute-t-elle doucement en me regardant du coin de l'œil.

Je ne lui dis pas que je me sens de plus en plus multiple. Il y a la petite Marna, la fille que Roxie a dû élever seule. Il y a Marna l'épouse, celle qui s'est mariée avec J.W. Enfin, il y a Marna la nageuse, celle qu'Harvey aime tant. Comme j'aimerais, juste une fois, être une seule et même Marna, quelqu'un qui se définit à elle seule. Marna tout court. J'étire de nouveau les jambes. Il y a moins d'espace dans la Toyota de Laurel que dans nos grosses Buick. J'ai envie de lui demander de conduire mais déjà, on arrive à Cincinnati et l'attention de Laurel est mobilisée par les feux de circulation. Je la regarde en me disant que cette fois, peut-être, je suis ici parce que je suis Marna. Marna tout court.

— C'est... grandiose !

Je dépose mon sac de sport, qui paraît mou et déplacé à côté de l'élégante petite valise de Laurel, bien d'aplomb sur ses roulettes. La fenêtre de notre chambre donne sur une place brillamment éclairée par des jeux de fontaines. J'entends les escarpins de Laurel tomber sur le tapis avec un léger bruit.

— Grandiose, c'est le mot, répond-elle.

Elle fait glisser sa jupe, la lance sur le lit près de la porte, puis ouvre la fermeture éclair de sa valise et en retire une bouteille de vin et un tire-bouchon.

— Un verre avant le dîner?

— Mais bien sûr, ma chère.

Je retire mes souliers plats en riant. Une de mes chaussettes tire-bouchonne autour de ma cheville; je me baisse sans plier les genoux pour donner le même aspect à l'autre. Laurel me regarde faire, la bouteille à la main. Je hausse les épaules.

— Au moins, maintenant, elles sont pareilles.

— Non, je ne pensais pas à ça... Tu es d'une souplesse !

Sur le minibar, je prends un panier rempli d'arachides et de croustilles, j'y ajoute des paquets de pastilles de chocolat et de gomme à mâcher sans sucre tirés de mon sac, et je lève le tout au-dessus de ma tête, à l'indienne. Puis, imitant de mon mieux un maître d'hôtel stylé, je propose :

— Chocolats fins ? Pralines ? Un cognac peut-être ?

Avec un petit rire, Laurel fait sauter le bouchon et brandit la bouteille.

— Gardons le cognac pour terminer notre dîner à *La Maisonnette.*

— Les oignons au Dom Pérignon, c'est là ?

— Hmmm.

Elle verse le vin dans deux tasses en carton.

— On porte un toast ?

Je prends ma tasse et trinque avec elle.

— Aux voyages bien arrosés. Aux soirées entre filles.

— *Amen.*

— *Alleluia.*

— Allah soit loué.

— Dieu ait pitié de nos âmes.

Assises dans les fauteuils recouverts de cretonne fleurie qui forment un petit salon, nous sirotons notre vin. Laurel me raconte que, même enfant, elle désirait devenir psychothérapeute.

— Pourquoi ?

— Pour en apprendre le plus long possible sur ce qui se passe à l'intérieur des gens... J'espérais avoir le don de réparer les pièces cassées. Ça doit être mon côté mère Teresa.

— Quelle noblesse d'âme !

Je sens le vin me monter aux joues. Mon deuxième verre est presque vide.

— Moi-même, il y a beaucoup de pièces que j'aurais dû réparer.

L'aveu m'a échappé, et aussitôt je m'en veux d'avoir prononcé ces mots. Si Laurel prend ça pour une plaisanterie, je crois que je ne pourrai pas le supporter.

Elle garde un long silence. Puis elle pose sa tasse vide, se met debout en tirant sur son joli chemisier en soie.

— C'est aussi mon cas, soupire-t-elle en traversant la pièce pour aller chercher la bouteille.

Elle redresse ma tasse, y verse du vin puis se sert.

Subitement, il y a dans l'air une tristesse qui me met mal à l'aise.

— Ton chemisier est très joli, dis-je pour détourner la conversation.

— Joliment froissé, oui !

— Même froissé, il te donne l'air d'un mannequin.

— Dis-moi que ça a l'air étudié, tant que tu y es.

— Ça aussi.

— Tu ne t'intéresses pas tellement aux vêtements, hein, Marna ?

— Ce n'est pas mon genre... cela ne m'a jamais paru important.

— Moi, j'aime porter de jolis vêtements parce que je suis importante.

Elle parle lentement, comme si elle s'adressait à une cliente un peu dure d'oreille.

— Eh bien, disons que moi, je ne me sens pas si importante. Juste Marna, Marna tout court.

Le vin met dans ma voix une sorte d'électricité statique ; les mots se bousculent sur ma langue. Nous restons silencieuses un moment, faisant tourner nos gobelets de carton entre nos doigts. Puis Laurel se lève et se dirige vers la salle de bains. J'entends la chasse d'eau, puis le robinet du lavabo qui coule. Un moment après, elle m'appelle d'une voix perçante :

— Mar-na ! Viens un peu ici !

Elle a baissé le siège des toilettes et l'a soigneusement recouvert d'une serviette pliée.

— Installe-toi là, ma mignonne.

— Mais...

— Je ne tolérerai aucune objection. Oh, s'il te plaît, laisse-moi mettre un peu de mascara sur tes cils. On va se faire belles...

— Tu veux me mettre du maquillage sur le visage ?

— Tu as deviné. En général, ça se met sur le visage.

— Donne-moi une minute.

Je sors de la salle de bains et j'appelle le service à la chambre.

— Chambre 453. Nous aimerions une bouteille de vin blanc. Un carafon ? Oui, ça ira. Dans combien de temps ?

Laurel m'a déjà brossé les cheveux et les a réunis au sommet de ma tête quand le garçon d'étage cogne à la porte. Je vais lui ouvrir et lui remets un pourboire royal tiré de l'épaisse liasse de billets que j'ai retirée du petit compte d'épargne où je dépose tous les mois mon salaire du Y. De retour dans la salle de bains, j'étire le bras pour saisir les verres à dents posés sur un petit plateau argenté, encore enveloppé dans du papier stérile.

— Oh, on passe du carton au verre. Je vois que c'est sérieux, dit Laurel.

— Je sais qu'on ne doit pas remplir les verres à ras bord, ça fait vulgaire, mais des fois, je ne peux pas m'en empêcher.

— D'être vulgaire ? demande Laurel tandis que je verse le vin dans les verres.

Je pose la carafe sur le lavabo en faux marbre.

— Si on veut.

Elle me rassied de force sur le siège des toilettes, retire mes lunettes et les pose sur mes genoux.

— Autre chose. Tu ne m'en voudras pas si je t'épile un peu les sourcils ?

— Ça aussi, ça fait vulgaire ?

— Dépend des goûts... mais ne t'inquète pas. Fais-moi confiance, tu me dois bien ça, prof de natation.

Elle pose sur mes genoux une trousse de produits de beauté à faire pâlir d'envie un maquilleur professionnel et en tire des crayons bruns, des pots de bleu, du brillant à lèvres.

— Voyons un peu. Toi, tu es automne. Les couleurs d'automne ne me vont pas, je suis printemps. Mais on pourrait peut-être essayer ces bruns-roux. Tiens, *Queue de Renard,* voyons un peu ce que ça donne...

— Laurel, je suis complètement miro sans mes lunettes. Tu peux me maquiller comme un clown, je ne verrai pas la différence.

— Oh, si, tu la verras, crois-moi !

Je sais qu'on est toutes les deux un peu ivres, qu'on se conduit comme des gamines, mais je reste immobile, les yeux fermés, laissant Laurel papillonner autour de mon visage. Elle m'épile les sourcils. Je proteste à chaque poil tiré et je lui raconte comment, une fois, j'ai subtilisé le rasoir de Roxie pour me raser les sourcils.

— Tu n'aurais pas un petit côté maso ?

Elle est si près de mon visage que je peux sentir son haleine légèrement parfumée au vin.

— C'était plutôt par imitation.

— Tu voulais être chauve ?

— Ma mère... enfin, Roxie... elle avait des sourcils si fins qu'elle devait les dessiner au crayon.

— Ça alors ! s'exclame Laurel. Ma mère le fait encore ! Sourcils dessinés au crayon et tabliers de cuisine en coton vert, c'est tout son portrait. Ah ! j'oubliais sa spécialité culinaire : biscuits au citron tous les lundis !

— Elle aurait pu fréquenter le salon de coiffure de madame Smart, si je comprends bien.

— Tu sais à qui son style de coiffure me fait penser, plaisanterie à part ?

— À qui ?

— À la réceptionniste du Y... Dandy ? Dixie ?

— Della ! Non, c'est pas vrai, pas Della ! Elle a tout à fait le genre de permanente impossible que madame Smart faisait à ses clientes !

J'échappe un instant aux mains de Laurel pour commander par téléphone un paquet de cigarettes.

— Un paquet de Salem au 453, vite s'il vous plaît. Merci !

— Tiens, tu t'es mise à fumer, Marna ?

Je sens que Laurel s'intéresse de plus en plus à mon cas, maintenant que je fais preuve d'un certain potentiel pour la débauche.

— Attends un peu.

On se remet à blaguer et à rire, tant et si bien que Laurel doit faire quelques retouches de maquillage. Elle est en train de changer la couleur de l'ombre à paupières quand le garçon d'étage apporte les cigarettes.

— Tu veux savoir à quoi ressemble ma mère?

— Roxie, c'est ça?

— Roxanne Dalton. Eh bien, voilà Roxie. Elle allume une cigarette, comme ça, et elle te pose une question.

— Elle pose une...

— Et alors, elle te coupe la parole, comme ça.

— Parce que...

— Parce qu'elle se fiche de ce que tu as à dire. Elle allume une autre cigarette avec le bout de la précédente, comme je fais. Un de ses petits amis, T-Bone ou Don Ray ou Ferrill, vient d'arriver, et elle n'a plus qu'une idée en tête : savoir qui couche avec qui et dans quelle position chez *Mel's* et...

— Arrête, Marna, dit Laurel en écartant de la main le nuage de fumée, moitié riant, moitié suffoquant. Jette-moi ça...

— Et n'essaie pas de conseiller à Roxie d'arrêter de fumer. Elle ne ferait qu'une bouchée de toi et te cracherait hors de sa vue!

Je jette tout de même le paquet et j'ouvre la fenêtre pour aérer. Laurel me rappelle à l'ordre : elle veut terminer ma « métamorphose ». Je reprends docilement ma place et je la laisse fouiller dans sa trousse pour parfaire son œuvre. Je me dis qu'une de mes personnalités multiples vient de se montrer. Elle a joué sa scène avant de s'effacer de nouveau, laissant Marna tout court réparer les dégâts. Je me juge plus que frivole, mais avec tout de même un sentiment de liberté tout nouveau.

Laurel retrouve son sérieux et me demande en effleurant mes joues avec un pinceau aussi doux que du duvet :

— Comme ça, tu voudrais ressembler à Roxie?

— Non, je voudrais seulement être moi-même.

— Je vois.

Le pinceau s'arrête de caresser mes joues. À ce moment, je me sens si bien, bercée par le toucher des mains de Laurel, que je retiens ma respiration. Elle passe un doigt sur mes joues, souffle sur mon visage.

— Maintenant, tu peux...
— Ouvrir les yeux ?
— Non, être toi. Être Marna.
J'ouvre les yeux. Je regarde Laurel.
— Je ne sais pas. À ton avis, c'est quelqu'un qui vaut la peine d'exister ?

~~~

Tard dans la soirée, nous sommes tombées comme des masses dans nos grands lits jumeaux. Le visage débarrassé des restes du maquillage, je revoyais en pensée Laurel me guidant vers l'entrée du restaurant *La Maisonnette.*
— Il y a trop de monde, dit-elle en me prenant par le bras. Dans notre état de soûlerie avancée, il nous faut une ambiance plus feutrée.
Nous l'avons trouvée dans un restaurant japonais grand comme un mouchoir de poche où les chefs faisaient valser sous nos yeux le thon et l'espadon dans une chorégraphie acrobatique. Les quatre hommes d'affaires qui partageaient notre table ne s'offusquaient pas de nous voir rire aux larmes et parler un peu trop fort. Le vin m'avait monté à la tête, j'avais oublié la couche de maquillage que je portais, et la coiffure soignée que Laurel m'avait faite, avec quelques mèches folles qui recouvraient mes sourcils épilés. Entre les crevettes grillées que nous dégustions en entrée et le plat principal, j'ai senti qu'une main se posait sur mon genou. L'homme qui était assis à côté de moi, le bras posé sur le dossier, entamait ses travaux d'approche. De surprise, j'en ai renversé l'huile aux piments sur mes genoux et Laurel a dû me suivre aux toilettes pour réparer les dégâts. Pliées en deux de rire, nous avons failli oublier pourquoi nous étions venues. Pendant tout le reste de la soirée, Laurel m'adressait un clin d'œil appuyé chaque fois que je croisais son regard, en disant :
— Marna, mon chou, pourrais-tu me passer l'huile aux piments, s'il te plaît ?
Je regarde les reflets des jeux des fontaines qui dessinent des arabesques au plafond. Je devine maintenant pourquoi Laurel a décidé que *La Maisonnette* n'était pas le lieu idéal pour y passer notre première soirée en célibataires. Le pantalon bleu marine que j'avais mis pour sortir faisait pâle figure à côté de sa sublime robe de cocktail noire et, à côté d'elle, j'aurais eu l'air d'un repoussoir. J'ai-
~~~

merais la remercier pour cette délicatesse, mais je ne veux pas non plus en faire tout un plat. De toute façon, elle dort déjà.

C'est alors qu'elle se tourne et me dit d'une voix ensommeillée :

— Marna? Tu n'y couperas pas d'une bonne séance de lèche-vitrines. Ta garde-robe est une insulte au bon goût, et je m'y connais.

Après le discours d'inauguration du séminaire de Laurel, je savais mieux à quoi m'en tenir. En entendant des expressions comme « états de fugue dans les troubles dissociatifs » ou « dépersonnalisation et automutilation », je me suis dit que j'avais beaucoup moins en commun avec des personnes comme Tracy que je ne le pensais. D'après les bribes d'histoires racontées par Laurel, je croyais avoir perçu des similitudes entre nous. En fait, nos cas sont de nature différente. Pourtant, Tracy arrive à survivre, malgré ses personnalités multiples qui la terrorisent tant. Elle survit sans savoir qui elle est ni ce que les autres voient en elle. Comment parvient-elle à cacher tous ces personnages intérieurs empilés comme des dominos? Moi, au moins, je sais quand et pourquoi je mens. J'ai menti à mon mari, et j'en ai des remords. Mais je ne suis pas prête à jouer cartes sur table avec lui. Pas encore.

Au lieu de rester à l'université, j'ai pris le bus jusqu'à Finlay Street et j'ai flâné en regardant les devantures des boutiques, jusqu'au marché en plein air. Là, j'ai humé les fromages, les friandises et les fines herbes. J'ai acheté un bouquet de fleurs séchées et un demi-kilo de café français rare pour Laurel. J'ai été tentée de rapporter du pain au levain tout frais. Il sentait si bon, sa croûte était si appétissante! Mais il aurait séché avant que je ne puisse le servir à la maison, aussi je me suis contentée d'admirer la corbeille débordante de miches dorées et odorantes.

Des poupées russes. Laurel dit que les multiples personnalités de Tracy sont alignées en rangs serrés, se bousculant les unes les autres pour passer au premier rang. Elles ne se contiennent pas vraiment les unes les autres comme je le pensais. Et je ne suis pas aussi déséquilibrée que Tracy. Ma maladie ne s'exprime pas dans ce jargon clinique qui enfle les épaisses études de cas que Laurel rapporte chez elle en noircissant soigneusement au crayon-feutre le nom des patients.

Pas de trace de J. quand je dépose mon sac dans l'entrée de la maison. C'est le crépuscule, il fait presque noir. J'allume le lustre qui éclaire le vestibule. Je me suis tellement efforcée de combattre l'obsession de ses allées et venues que j'ai réellement oublié quand il doit être de retour. Et pendant une journée entière, je n'ai pas prononcé son nom. Une seule fois mise à part, Laurel ne m'a posé aucune question à son sujet. Elle s'est gardée de l'introduire de force dans la conversation, comme la plupart des femmes l'auraient fait pour provoquer un échange de confidences. En sa compagnie, j'ai été Marna tout court pendant une journée entière. Je n'ai pas eu besoin d'être « la femme de... » Je n'ai pas eu envie de ressasser mes problèmes. J'ai un peu bu, j'ai retrouvé mon âme de gamine. J'ai été Marna, tout simplement.

Je brûle d'envie que J. soit ici, pas vraiment pour lui raconter mon équipée mais pour évaluer ce que je ressens en sa présence, et prendre la température de ce désir qui croît toujours en son absence. En me retournant, je vois les feux arrière de la voiture de Laurel qui disparaissent au coin de la rue. Je referme la porte et, dans la cuisine, je me verse un verre d'eau puis un autre. Je me sens aussi assoiffée qu'après un entraînement intensif.

Ensuite, je parcours la maison vide, cette maison que mon mari et moi avons construite, bien avant que je m'aperçoive à quel point nous nous connaissons mal. Et je sens que derrière mon épaule, une autre Marna m'observe, curieuse de voir comment les choses vont tourner.

Laurel

— Mort ? Votre père est mort ?

Quand Tracy avait laissé tomber l'information à la fin de sa séance précédente, j'avais scanné ma mémoire frénétiquement. Mais non, le renseignement ne s'y trouvait pas. Elle ne me l'avait jamais donné, même pas quand je lui avais demandé si elle avait vécu des événements traumatisants. Aussi, quand elle est arrivée à son rendez-vous suivant la virée à Cincinnati, j'étais prête, bien qu'aucun de mes collègues n'ait eu de suggestion utile — ils m'avaient seulement fait part de leur sympathie et rappelé que le pronostic de guérison était mauvais.

— Pouvez-vous m'en dire plus sur votre père ? ai-je dit négligemment.

Et j'ai pensé qu'il aurait été bien plus facile en comparaison d'être avec Marna, à rire, plutôt qu'ici, à arranger les plis de ma jupe, à peser chaque mot, à me renverser dans mon fauteuil pour maintenir un climat aussi peu menaçant que possible.

Tracy avait prolongé sa pause repas pour pouvoir venir. Elle avait recommencé à travailler deux semaines auparavant. Elle avait toujours des crises d'angoisse mais, grâce aux techniques respiratoires, elle arrivait à se maîtriser davantage. Maintenant au moins, m'avait-elle dit, elle pouvait réagir et savait que ses crises passeraient tôt ou tard et qu'elle vivrait pleinement. Le petit sourire qu'elle a offert pour accompagner ses mots m'a fait plaisir.

— Oh, c'était un homme merveilleux, a-t-elle dit. Enfin, tout le monde l'aimait.

— Quand est-il mort exactement ?

— En août dernier, le vingt-trois.

— Et la première crise d'angoisse, c'était…

Je lui ai laissé le loisir de compléter, sans trop avoir l'air d'insinuer que les deux événements étaient liés. Je savais que la première vraie crise de Tracy — qui l'avait amenée aux urgences en ambulance, convaincue qu'elle était de faire une crise cardiaque — était survenue comme l'éclair en pleine nuit, pendant la dernière semaine d'août. Dans les jours suivants, son médecin avait ordonné test sur test, éliminant l'une après l'autre toutes les causes possibles de ses symptômes ; totalement exaspéré, il me l'avait alors adressée.

Tracy a été frappée de stupeur. Son visage a changé, ses traits ont paru s'effondrer vers l'intérieur. Ses vêtements d'adulte — une jupe en tissu imprimé bleu et jaune, un chandail d'été jaune coordonné, des bas et des chaussures bleues à talons hauts — ont soudain eu l'air d'un déguisement porté par une petite fille. Le haut de son corps s'est tordu, elle s'est détournée de moi et a abrité son visage derrière son épaule.

— Je me souviens pas, a-t-elle dit en pleurnichant. Ils sont beaux ces crayons.

Effectivement, il y a toujours sur mon bureau une boîte de soixante-quatre crayons de couleur que j'utilise pour faire dessiner leurs sentiments aux enfants quand les mots sont difficiles à faire venir. Mais le comportement et la bizarre remarque de Tracy m'ont effrayée et j'ai marqué un temps d'arrêt, ne voulant pas risquer un faux pas sur cette glace fragile.

— Tu veux t'en servir ? lui ai-je demandé avec un calme parfait, du ton le plus naturel et le plus neutre possible.

— Oh non, a-t-elle dit. J'ai pas le droit. J'ai pas été gentille.

— Tu m'as l'air gentille pourtant. Qui pense que tu n'es pas gentille ?

— Je suis…

Elle n'a pas fini sa phrase et s'est mise à pleurer comme une petite fille perdue, terrifiée, qui essaie de ne pas attirer l'attention.

— Pourquoi est-ce que tu pleures ? Tu peux me dire ce qui ne va pas ?

— … méchante.

Un mouvement subit dans les nuages a fait ricocher dans la pièce, comme des souris libérées, plusieurs taches de lumière qui ont ensuite battu en retraite. Peut-être que ces petites taches arrivées au travers des branches par la fenêtre du bureau annonçaient un changement, peut-être que cette petite fille assise à la place de Tracy avait franchi une limite dangereuse et avait dû se sauver ; en tout cas, elle s'était enfuie aussi vite qu'elle était venue. Tracy s'est redressée et m'a regardée comme si elle attendait quelque chose de moi.

— Je suis désolée. J'ai oublié ce que je voulais dire. J'ai l'impression... que je commence une crise... Je...

C'était certain : elle a rougi et sa respiration s'est accélérée.

— Restez avec moi, Tracy, ici. Concentrez-vous. Respirez. Ça va. Je veux que vous me parliez.

J'ai commencé à aller pêcher dans une autre rivière pour rattacher Tracy au présent.

— Est-ce que vous êtes sortie faire un peu d'exercice pour profiter de ce beau temps ? ai-je demandé, me décidant pour un sujet déjà abordé plusieurs fois avec elle.

— Non, a-t-elle dit, il faudrait, je sais... j'en ai même envie. Il a fait vraiment beau. Le muguet chez papa et maman — chez maman — est complètement sorti... Il y a un coin à l'ombre sous les arbres de la cour et il s'étale comme un tapis des deux côtés du ruisseau.

— Bon, ai-je dit. Est-ce que c'est une image positive pour vous, cet endroit ?

— Oui... Je me cachais dans ce coin-là.

Ça fonctionnait. Elle me répondait et ça n'était pas une de ces réponses données automatiquement. Je la voyais jeter l'ancre dans un port tranquille.

— Parfait, lui ai-je dit. Voilà l'endroit sûr où vous réfugier, là où personne ne pourra vous faire de mal. Je vous demande d'y aller en esprit, de respirer l'odeur du muguet — il est magnifique, n'est-ce pas ? J'adore le muguet, moi aussi. Ma mère en plantait dans notre cour.

J'ai passé le reste sous silence : mon souvenir de l'odeur douce et aigrelette du muguet dans la brise, le long de la maison, de ses petites têtes blanches et timides en forme de clochettes, semblables à celles de petits enfants, cachées dans leurs énormes abris verts. Le muguet avait bien sûr disparu pendant l'inondation. Comment aurait-il pu subsister ? L'année suivante pourtant, je l'avais cherché, désirant cueillir pour ma mère les quelques fleurs qui auraient provoqué ses exclamations, son visage plongé dans le bouquet pour en faire absorber tout le parfum à son corps. J'avais cru un temps que c'était le muguet qui la faisait sentir si bon. Je n'ai pas dit à Tracy que c'était l'odeur de mon eau de toilette préférée, celle que je ne supporte pas de porter trop souvent.

~~~

Le répondeur téléphonique de ma chambre (qui compte les appels) m'indique qu'on a raccroché quatre fois dans les six derniers jours. J'en aurais fait peu de cas si l'image de Jake ne me venait pas immédiatement à l'esprit à chaque sonnerie sur la machine, comme si l'absence de message était l'indication surnaturelle de l'appel qu'il me lance. Même sans aucune preuve, je suis sûre que c'est lui qui téléphone. Ce contact qui n'en est pas un m'apporte un réconfort bizarre et je me surprends à regretter, à penser : « Oui, enfin, peut-être ». Mais je me rappelle vite à l'ordre et repose les pieds sur le tapis roulant de la réalité. « Non », me dis-je à moi-même. « Non. »

C'est la certitude qu'il a appelé et entièrement écouté mon message enregistré qui me pousse à moitié à le chercher partout. Sans cela, je pense que j'aurais été terrifiée hier à mon départ du bureau, en entendant des pas racler rapidement le trottoir derrière moi. J'ai quand même sursauté et me suis retournée d'un coup en repoussant brusquement la main que je sentais sur mon épaule, ayant rassemblé mes forces instinctivement pour me défendre. Le crépuscule montait lentement du sol, même si à l'ouest le ciel était encore jaune orangé.

— Mon Dieu que tu m'as fait peur ! Ne recommence jamais ça…

À la vue de Jake, j'ai d'abord été soulagée, mais ce sentiment a cédé la place à l'indignation, qui l'emportait sur la petite émotion procurée par sa présence. Puis une autre peur s'est insinuée, culminant à la pensée que mon intimité avait été violée.

— Tu me suis ? Qu'est-ce que tu veux ? Je t'ai dit de me laisser tranquille…

Jake a fait un pas en arrière et a levé les mains devant lui, comme pour me dire : « Attends, je ne te veux pas de mal ».

— Je suis désolé, a-t-il dit. Je ne voulais pas te faire peur.

Il portait un costume rayé bleu marine : le parfait homme d'affaires respectable.
~~~

— Tu me surveilles, tu me suis? lui ai-je redemandé, laissant la colère — la plus simple de mes émotions — mener la danse.

— Laurel, c'est moi, Jake. Tu me connais mieux que ça.

— Non, justement.

J'ai fait un pas de côté pour atteindre la portière de ma voiture mais Jake a été plus rapide que moi et m'a barré la route, dans un geste qui n'avait rien de menaçant.

— Je t'en prie, est-ce que tu veux bien me parler? S'il te plaît. Je voudrais que tu m'écoutes quelques minutes. J'ai vraiment essayé de ne plus te revoir. Je sais ce que tu ressens. J'ai tout essayé, je n'y arrive pas sans toi.

— Jake... ai-je commencé.

Il m'a interrompue doucement.

— Je peux t'inviter à manger? a-t-il dit sans implorer, mais son visage était suffisamment éloquent.

— Non, pas à manger... ai-je dit.

L'extrapolation était évidente. Une erreur.

— Bien sûr, évidemment. Juste un verre de vin ou un thé glacé, ce que tu voudras. Où tu voudras. Je suis garé là-bas.

Il a indiqué un côté du bâtiment impossible à voir depuis la fenêtre de mon bureau et je me suis gonflée de colère comme une éponge se gonfle d'eau. Il avait caché sa voiture.

J'ai secoué la tête.

— Je vais prendre la mienne.

Il a compris tout de suite.

— Bien sûr. Oui. Tu montres le chemin. Je te suis.

~

J'ai employé le court moment passé seule en voiture à rembobiner la pelote de fil qui s'était complètement dévidée à l'intérieur de moi sous l'effet du choc. En son centre exposé à la vue, il y avait cette constatation : j'aimais cet homme, aussi insensé que ça puisse paraître. Je comprenais pourquoi certains de mes patients faisaient des choix tragiques au nom de l'amour qui les laissait désemparés. J'avais toujours accepté leurs raisons bien que ne trouvant ni sages ni saines ces décisions passives. J'ai vu trop de patients devoir les assumer et faire pleuvoir le malheur sur eux et sur les autres et espérant en tirer du courage. J'ai évoqué ces décisions.

Quand nous sommes arrivés au *Evelyn's*, un restaurant pour les gens d'affaires, à la fois prétentieux et fruste, à trois kilomètres du bureau, j'étais parvenue à remettre mes idées à peu près en place.

Jake a desserré sa cravate au motif simple, bleu et crème. Sa chemise couleur ivoire semblait avoir été repassée à la main, avec soin, et on n'y voyait aucun des faux plis que laissent souvent les teinturiers. Comment avais-je fait pour ne pas remarquer ça avant ?

— Deux verres de cabernet sauvignon, a-t-il dit au serveur, à servir tout de suite.

Il ne m'avait pas demandé ce que je voulais mais je n'ai fait aucun commentaire sur sa présomption car, une fois de plus, il était tombé juste. On ne résiste pas à ce phénomène étrange qui nous fait croire qu'une autre personne connaît nos désirs obscurs mieux que nous-mêmes.

— Comment vas-tu ? a-t-il commencé.

— Ça va, Jake. Mieux que je n'aurais cru.

Un petit mensonge.

— Bien, a-t-il dit, puis il a hoché la tête de gauche à droite. Je suis content... mais d'une certaine manière, j'espérais que tu serais aussi mal en point que moi. Je n'ai personne à qui parler... Je pouvais te parler à toi.

— Nous ne parlions pas vraiment, ai-je fait remarquer.

Je me suis rendu compte qu'une partie de ma colère était dirigée contre moi-même. J'aurais pu, j'aurais dû additionner un et un... Tous ces voyages auraient dû me mettre la puce à l'oreille. J'avais mis de côté mes hésitations habituelles, ma prudence excessive (qui s'est révélée justifiée au bout du compte), croyant apprendre l'intimité, enfin. Mais j'ai gardé tout ça pour moi.

— Pourtant, ce que je t'ai dit, c'est ce que j'avais de meilleur, ce que je crois fermement, ce qui me tient à cœur. Et on se ressemble, toi et moi ; on ne peut pas perdre tout ça.

Il allait poursuivre mais le serveur est arrivé avec nos verres et s'est lancé dans un cérémonial inutile pour les déposer devant nous. Jake s'est interrompu avec une impatience visible et a fixé le serveur, réussissant à l'incommoder et le forçant ainsi à se presser. Une démonstration d'autorité. J'ai ouvert la bouche pour protester mais il a profité du temps mort pour se décharger de tout ce qu'il avait engrangé.

— Souviens-toi. On a parlé d'avoir des bébés, on désire tellement fonder une famille toi et moi, avant d'avoir des triples foyers, un sonotone, un dentier et une canne.

Il ne s'est arrêté qu'une seconde avant de m'assener la suite, et je n'avais encore pas eu le temps de répondre. J'ai cherché le petit éclat de sa dent mais n'ai vu que fugitivement cet angle qui tranchait sur la douceur de sa voix.

— Comment est-ce que tu t'es cassé la dent? l'ai-je interrompu.

Il m'a regardée comme si je m'étais échappée d'un asile de fous.

— Écoute. Ma femme... J'aurais dû te le dire, Laurel, bien sûr. J'aurais dû le faire dès le départ. Seulement... je ne savais pas comment faire. Je ne passe pas mon temps à courir les filles, tu sais, et ça a tellement bien collé entre nous, dès les premiers mots.

Il a entrecroisé les doigts pour en faire la démonstration.

— En tout cas, la vérité la voilà : j'étouffe, a-t-il dit en évitant mes yeux. Ma femme... Moi, je pensais qu'on mourait tous les deux d'envie d'avoir des enfants mais elle n'est jamais tombée enceinte et elle ne veut même pas voir de médecin.

Il a hoché la tête.

— Ça n'a aucun sens, on consulte quand on n'arrive pas à tomber enceinte... On dirait que je suis censé prendre soin d'elle mais je n'y arrive plus. Je ne veux plus le faire. C'est quelqu'un de bien. Qu'est-ce que je peux dire de plus? Quelqu'un de bien. Mais pas celle qu'il me faut. Je l'ai cru, mais quelle différence est-ce que ça fait maintenant?

— Je pensais que c'était ça que tu voulais, Jake... prendre soin de moi, je veux dire. C'est ce que tu lui as dit avant de te marier, que tu voulais prendre soin d'elle? Voilà ce qui arrive quand on encourage les gens à dépendre de nous. Ils s'appuient sur nous et, après, on se plaint qu'ils pèsent trop lourd.

J'ai les joues en feu et je sais que ma poitrine et mon cou sont tout rouges aussi. Pendant un court instant, je pense à maman, à ma détermination à être la fille parfaite quand Tim est mort, à ma fatigue grandissante sous le poids qu'elle représente et, bon sang, je comprends ce qu'il veut dire! Et je comprends l'attrait et le danger de s'en remettre à un autre pour sa sécurité.

À ce moment-là, une idée vient distraire mon attention : je parie que sa femme sait comment il s'est cassé la dent, qu'elle ait ou non accepté de subir des tests de fertilité. La connaissance de ces détails personnels confère une autorité intime sur quelqu'un, ce qui est une forme de possession différente. Un sentiment nouveau grandit en moi, comme une tumeur dans les tréfonds de mon âme. Si je lui disais : « D'accord, oui, quitte ta femme, rejoins-moi », est-ce que je ne deviendrais pas responsable ? Est-ce que ce n'est pas à moi de décider pour une fois — de ce qui arrive à Jake, à moi, et j'imagine, indirectement, à sa femme. J'en ai tellement assez de tourner en rond, de me faire ballotter et de perdre.

Mon esprit se laisse caresser par l'attrait soyeux de cette idée aussi séduisante que le repos dans la fraîcheur de l'ombre. Je veux que ça marche mais c'est finalement ma pensée suivante que j'énonce à voix haute pour Jake et j'en ai la nausée. J'avais voulu lui redemander comment il s'était cassé la dent.

— Pour moi, ça fait une différence, les choix que tu fais pour résoudre tes problèmes et ça fait une différence que tu te débarrasses des gens quand ils te déçoivent.

Prude, amère.

— Est-ce que ça n'est pas exactement ce que tu es en train de faire avec moi ?

— C'est différent et tu le sais.

— Ça ne l'est pas et tu le sais très bien. Je croyais que tu m'aimais.

Nous sommes restés immobiles, sous le coup d'une colère aussi dense que du brouillard et aussi difficile à inhaler. Il a bu le quart de son verre et s'est essuyé la bouche avec sa petite serviette de cocktail. J'ai repoussé mon verre au centre de la table, près de la chandelle que le serveur avait allumée avec un empressement méthodique et exagéré. Le restaurant devenait bruyant, les gens d'affaires s'esclaffant, un cocktail à la main.

Je ne disais rien. Finalement, c'est Jake qui a parlé :

— J'ai l'impression d'être en train d'installer des chaises longues sur le *Titanic*.

J'ai croisé son regard avec difficulté et me suis forcée à dire :

— Oui, en effet.

Puis j'ai fait ce que je déteste le plus : je suis montée sur l'estrade de la spécialiste pour pouvoir dominer la situation.

— À ma connaissance, une relation qui a commencé par une aventure, ça ne marche jamais, Jake. J'entends dire de temps en temps que ça a marché, mais je n'ai jamais pu le constater par moi-même.

— Tu n'as pas confiance, a-t-il dit, ni en moi, ni en toi non plus.

— Je ne crois pas aux secrets, ai-je dit.

J'essayais de m'en persuader, déçue qu'il ne m'ait pas convaincue.

Marna

Impossible de trouver la fichue valise que je veux absolument pour mon voyage en Californie. J.W. est si souvent en voyage qu'on a monté toutes les siennes dans l'armoire de l'étage pour les avoir à tout moment à portée de la main. La journée à Cincinnati avec Laurel a été ma première escapade depuis le déluge, une décision prise dans l'impulsion du moment. J'ai dû me résoudre à utiliser mon sac de piscine comme valise. Mes vrais bagages sont quelque part dans le garage, enveloppés dans des sacs poubelle noirs pour les préserver de la poussière. Le seul moyen de les retrouver est d'ouvrir chaque emballage de taille équivalente jusqu'à ce que je tombe sur mes valises. Je soupèse les boîtes sur les étagères supérieures, me demandant pourquoi j'ai remis mon gros sac de voyage dans son emballage d'origine. Par tous les diables, pourquoi faut-il toujours que je copie les petites manies d'Olive Whitney, qui met en boîte tous les articles qui ne sont pas destinés à un usage quotidien. Le garage des Whitney est un véritable entrepôt : sur de larges étagères, des boîtes soigneusement emballées forment une couche isolante supplémentaire tout autour de trois murs. Olive condamne impitoyablement à l'exil tout objet utilisé une fois l'an — moule à gaufres, humidificateur, jeu de croquet —, et le remet dans sa boîte après l'avoir soigneusement identifié au crayon-feutre noir. Je me souviens d'avoir lu ainsi l'inventaire le plus surréaliste : « MACHINE À FAIRE LES PÂTES », « SCÈNE MEXICAINE DE LA NATIVITÉ », « POLISSEUSE À CAILLOUX DE MERLE »...

Après notre mariage et notre lune de miel, nous avions fait le tri de tous nos cadeaux de noces — j'ai rédigé mes cartes de remerciements sur la table de cuisine d'Olive — et ma belle-mêre m'a dit le plus sérieusement du monde :

— Marna, si un jour tes enfants te demandent quelque chose de difficile à trouver, sens-toi libre de regarder dans notre garage. Tu l'y trouveras certainement.

Elle a pris son propre conseil à la lettre, et chacune de ses visites dans notre petit appartement était l'occasion de prolonger notre pendaison de crémaillère. Une semaine — je me souviens que c'était un peu avant l'anniversaire de J.W. — elle nous a apporté un bol à punch en verre taillé bleu clair, avec les tasses assorties. Pensait-elle que nous menions une vie de fêtes continuelles ? Quoi qu'il en soit, Olive était de toute évidence rassurée de savoir que si par hasard nous avions besoin d'un bol à punch, nous l'avions. L'objet a échoué dans notre garage, rangé dans son emballage d'origine où Olive avait marqué « BOL À PUNCH » en lettres d'imprimerie aussi lisibles qu'un panneau STOP. Elle nous a aussi encombrés d'un récipient pour faire cuire le riz à la vapeur, d'un wok (« Merle n'apprécie pas la cuisine orientale », avait-elle dit en rougissant), d'un appareil à jet d'eau pour nettoyer les dents, d'une paire de housses pour sièges baquets en peau de mouton, et j'en passe. Pendant des années, le garage des Whitney a déversé sur nous ses bienfaits.

Quand nous avons déménagé dans l'Ohio, Olive nous a fait livrer ses colis par la poste. Une fois terminée la construction de notre grande maison, les livraisons se sont transformées en avalanche. Couvertures de bébé, livres pour enfants, des jeux par douzaines, un T-Bird à piles avec contrôle à distance. Ils arrivaient dans l'ordre chronologique du développement d'un enfant, comme si Olive voulait nous instruire à l'avance. Elle espérait sans doute que la marchandise serait mise en fonction à brève échéance.

Un jour, nous avons reçu trois colis contenant tous les uniformes sportifs que J.W. avait portés au cours de sa vie, du baseball junior au basket et au football. Olive avait glissé dans les plis de chacun d'eux les photos d'équipe correspondantes : on y voyait J.W. une batte de baseball à l'épaule, jouant dans une ligue d'été ; J.W. posant pour les pages sportives de l'album-souvenir du collège, un genou sur le terrain, l'autre tenant le ballon ovale en équilibre, le casque sur la tête, carapaçonné dans son uniforme de footballeur. J'ai dit à J.W.

qu'Olive devait penser que nous avions construit un musée des Whitney et non une maison, mais il s'est mis à me gronder.

— Voyons, chérie. Elle pense à ses petits-enfants. Elle a accumulé tout ce stock parce qu'elle s'est dit qu'un jour, ils allaient être fiers de regarder ça.

Il a enfilé un gant de baseball et l'a agité comme une marionnette.

— Dis-lui merci, Marna. Dis-lui qu'on a plein d'espace de rangement.

C'est ce que j'ai fait, et Olive à continué à nous expédier des colis. Et notre garage est devenu la copie conforme de celui des Whitney, la poussière en moins.

J'ai mis près d'une heure à trouver ma fichue valise.

Près d'une heure pour trouver, placé à côté d'elle sur l'étagère la plus haute, un étrange paquet contenant des vêtements de J.W., emballés non pas dans du plastique noir, mais dans un sac d'un violet éclatant provenant des *Folies de Jenny*, la boutique de mode la plus haut de gamme d'Auburn. Une boutique où je n'avais mis les pieds qu'une fois et dont j'étais ressortie les mains vides. Pliés et repassés avec soin, les habits de mon mari dégageaient un léger parfum fleuri. Peut-être de l'eau de rose. Ou du muguet.

Une paire de jeans déchirés, la poche arrière dessinant le contour du portefeuille de J.W.

Un tee-shirt gris-vert délavé, celui que nous nous partagions.

Une paire de chaussettes de gym, presque usée.

Une cravate bourgogne, pas ma préférée.

Une chemise rayée de la taille de J.W., d'une marque très coûteuse. Elle m'étais inconnue. Je ne me souvenais pas de l'avoir achetée, comme ses autres vêtements.

J.W. déteste faire les magasins.

J'ai replié soigneusement les vêtements et je les ai remis dans le sac violet. L'objet suspect sous un bras, ma valise à la main, je suis remontée à la cuisine en laissant traîner intentionnellement au beau milieu de la place de stationnement de mon mari la boîte qui contenait ma valise et le sac de plastique noir. Il allait rentrer, voir la boîte, s'arrêter, sortir de l'auto pour ramasser la boîte et le sac, retourner à son auto, la stationner en tirant d'un coup sec le frein à main pour ventiler son irritation. Puis il allait partir à ma recherche, pestant à travers toute la maison en me demandant d'une voix furieuse ce qui m'a pris d'encombrer de déchets son coin de garage.

Un léger prix à payer pour pouvoir lui mettre *illico* sous le nez ma pièce à conviction.

Tout en pliant mes vêtements — qui ne sentent pas le muguet mais la banale lessive — pour les ranger dans ma valise, je m'interroge. Est-il possible que l'homme qui partage ma vie ne soit pas celui que je croyais, c'est-à-dire le mari protecteur qu'il s'est toujours efforcé d'être à mes yeux ? Je retourne dans tous les sens les pièces du puzzle, préférant chercher une solution ailleurs plutôt que de faire face à la sombre évidence qui a pris la forme de l'ombre menaçante de T-Bone, me brouillant la vue comme un méchant début de migraine. Comment expliquer ces vêtements soigneusement lavés et pliés, ce parfum de muguet, ce sac violet que j'ai laissé sur la table comme un cadeau d'anniversaire tardif ?

— Ah oui, ces vêtements...

J.W. pose son attaché-case à côté du sac violet, jette son veston sur le dossier d'une chaise.

Je ne réponds rien. Je découpe un oignon en parfaits petits cubes de dimensions égales. Dans le poêlon, l'huile d'olive commence à grésiller.

— Ils étaient...

J.W. se tourne, comme s'il entendait venir quelqu'un.

— Tu veux une goutte de chardonnay, Marn ?

Il tend le bras par-dessus mon épaule et sort deux verres à vin de l'armoire.

— Ils étaient... ah oui, c'est des fringues que j'ai dû oublier au bureau entre deux voyages... Holà, fais attention !

J'ai jeté d'un coup les oignons dans la poêle, nous éclaboussant tous les deux d'huile bouillante. Je me demande un moment si la cuisinière ne va pas prendre feu. Que faire en cas de feu de matières grasses ? Ne surtout pas verser d'eau. Alors quoi ? Du bicarbonate de soude ? De la farine ? De la poudre à canon ?

— Marnie ! Qu'est-ce qui se passe ?

Je regarde ses beaux sourcils froncés par l'inquiétude. Il se fait du souci pour moi ou pour lui ?

— Tu vois bien. Je fais revenir des oignons.

— Je ne te demande pas ce que tu fais cuire. Je voudrais savoir pourquoi tu es d'une humeur si massacrante. Tu as laissé traîner des cochonneries dans le garage et maintenant tu...

— Ce n'est pas moi qui laisse traîner des cochonneries, J.W., dis-je en éteignant le brûleur de la cuisinière.

Cette nuit-là, dans une maison empestant l'huile brûlée et l'oignon carbonisé, nous dormons pour la première fois dans des lits séparés. J.W. a pris sans un mot des draps et des couvertures dans l'armoire à linge et il est allé se coucher sur le divan de son bureau. J'ai honte de lui avoir sauté à la gorge. Je me dis qu'il doit y avoir une explication pour le sac de vêtements, les voyages d'affaires prolongés et notre abstinence sexuelle. Je mets en œuvre la pensée magique, comme Coach me l'a appris. « Si tu veux l'or, Marna, tu peux l'avoir », me disait-il quand je grimpais sur le bloc de départ. À moins que les techniques de modification du comportement de Laurel puissent m'aider. « Conduis-toi comme si tout allait bien, et tout ira comme sur des roulettes ! » L'amour de mon mari redeviendra au-dessus de tout soupçon, comme je l'ai toujours cru. Peut-être que j'interprète les paroles de Laurel de travers mais, peu importe, j'ai peut-être sauté trop vite aux conclusions. J'ai accusé injustement mon mari.

Étendue dans le lit conjugal déserté, l'oreiller de J.W. sur mon cœur pour contenir ses battements frénétiques, je sens pourtant que je viens de perdre la partie. Toute la pensée magique et toutes les techniques behavioristes du monde ne m'empêchent pas d'imaginer que, quelque part dans la ville, une femme dort dans des draps parfumés au muguet. Peut-être qu'elle sourit dans son sommeil, le bras allongé sur son oreiller, rêvant à l'homme qui est son amant. Mon mari.

Olive et Merle m'attendent à l'aéroport. L'avion a survolé la Sierra puis il est descendu vers la vallée dans un ciel si bleu qu'il semblait être l'atmosphère d'une autre planète.

— Ma petite chérie ! Marna chérie ! s'exclame Olive en m'apercevant.

Merle s'empare de mon bagage à main et m'entoure de ses bras. Il prolonge ses embrassades, comme s'il voulait compenser tous les longs mois où nous sommes restés sans nous voir.

— Heureux de te revoir, mon petit lapin, dit-il.

Olive tend la main et me caresse la joue.

— Nous sommes si contents que tu sois venue, même si J.W. n'a pas pu t'accompagner cette fois. Tu as eu un bon vol ?

— Excellent. J.W. est vraiment désolé de n'avoir pas pu venir.

— Trop de responsabilités pour rendre visite à ses vieux parents, dit Merle, trop fier de l'ascension de son fils au sein de la compagnie pour ne pas accepter les impondérables qui le tiennent éloigné.

— Roxie a hâte de te revoir, dit Olive d'un ton enjoué. Je lui ai téléphoné pour lui dire à quelle heure ton avion arrivait.

Je la remercie en pensant que, de toute façon, Roxie a d'autres chats à fouetter que de venir m'accueillir à l'aéroport.

— J'irai la voir demain. Ou après-demain.

— Tu feras comme tu l'entends, ma chérie, dit Olive en me prenant par le bras. Mais on te veut juste à nous pour la plus grande partie de la semaine.

Elle se met à rire. Même si je tentais de lui expliquer, Olive ne comprendrait jamais que mes visites laissent Roxie indifférente. Elle pense simplement que Roxie, trop occupée à administrer les deux cabinets du docteur Decker, n'a pas pu se dégager pour venir me voir à ma descente de l'avion. Je me garde de la détromper.

Dans la maison des Whitney à Roseville, Olive s'active dans la cuisine après avoir décliné mon aide. « Merci, ma chérie, dit-elle, mais vas donc plutôt te reposer dans l'ancienne chambre de J.W., et je t'appellerai quand tout sera prêt. »

Dans le couloir long et sombre qui mène aux chambres, Olive a créé une murale qui retrace nos vies en photos. J.W. et moi à la Grande Fête du printemps : c'était notre dernière année de collège, et le photographe m'a fait poser assise sur les genoux de J.W. avec une timidité feinte. La main de J.W. est posée sur ma taille. Mes cheveux sont plus frisés que jamais. Je me souviens d'avoir caché mes lunettes dans les plis de mon ample robe jaune. Je suis frappée par la profondeur de mon regard. Est-il possible que je me sois sentie aussi radieuse que je le parais sur ce portrait ? Puis voici nos photos de remise de diplômes : sourires figés sous le calot rouge et la grande cape. Un peu plus loin, la photo de nos fiancailles : Olive, Merle et J.W., les parents parfaits et le fils qui a hérité du meilleur des deux. Roxie a dû être distraite par quelque chose. Son visage est baissé, tourné vers la gauche. Assise à côté d'elle, la dominant d'une tête, avec une expression sévère qui me vieillit, j'ai l'air d'être la mère, et elle la fiancée.

Viennent ensuite les photos de vacances : J.W. et Marna à Tahoe et à San Diego, J.W. et Marna sur la pelouse de leur maison toute neuve, à Auburn. En face de la porte de la chambre de J.W., Olive a laissé un grand espace libre pour les photos des petits-enfants, qui tardent tant à venir.

~~~

En mars, pendant une leçon, Laurel m'a demandé quel âge avaient mes enfants, comme si cela allait de soi qu'une femme de trente-six ans travaillant au Y soit mère de famille.

Debout à côté de moi dans le petit bain, elle s'appuyait contre la paroi de la rigole en faisant de légères flexions.

— Nous n'avons pas d'enfant. Pas encore.

— Oh, dit-elle comme si je venais de la surprendre.

Un long silence a suivi.

— Eh bien, il n'y a aucune loi qui stipule qu'une femme doit avoir des enfants, non ?

— Lui, il en veut. Il en a toujours voulu.

— Et toi ?

Laurel a arrêté ses flexions, et je l'ai imaginée en train de guider ses patients de cette manière douce, non directive, sans empêcher le silence de remplir l'atmosphère.

— Je n'en veux pas. J'ai peur...

— Oui ? Tu as peur ?

— Je n'ai pas eu la meilleure des mères, tu vois. Alors je ne sais pas si je serais mieux qu'elle ou si... Ça me fait peur.

Je me suis hissée hors de l'eau pour m'asseoir au bord de la piscine, les jambes pendantes.

— Je pense que je suis trop... euh... égoïste, ça doit être ça.

— Très lucide, au contraire, dit Laurel en s'asseyant à côté de moi.

Elle a ôté son bonnet de bain, libérant sa chevelure.

— Si tu exerçais mon métier une seule journée, tu verrais vite à quel point c'est une erreur pour une femme de faire des enfants parce que tout le monde le fait. Tu as raison de prendre le temps d'y réfléchir.
~~~

— Dernièrement, ça va plus loin que ça.

Je ne savais pas dans quelle mesure j'avais raison de me confier à elle. Après tout, comment une fille aussi jolie, aussi douée et équilibrée que Laurel pourrait-elle comprendre ce que ressent une femme qui soupçonne son mari d'en aimer une autre ?

— Je peux tout entendre, dit-elle. Et je ne te facturerai pas plein tarif.

Je me suis mise à rire. Par une simple plaisanterie, elle avait détendu l'atmosphère. Debbie aussi faisait cela quand nous discutions.

— J.W. s'est beaucoup éloigné ces derniers temps.

Elle m'a regardée attentivement, repoussant une mèche sur son front.

— Veux-tu vraiment savoir ? dis-je comme on se jette à l'eau.

— En général, ça fait du bien de parler de ce qu'on a sur le cœur.

— Je pense qu'il est... infidèle. Il me trompe, je le sens.

Une fois ces mots prononcés, le soulagement m'a envahie. Laurel a levé les jambes, les orteils pointés, comme une ballerine.

— Oh, Marna, dit-elle en baissant les jambes. Non, pas ça.

En y repensant, Laurel m'a plus écoutée avec un cœur de femme qu'avec une oreille de thérapeute. Elle semblait savoir qu'en exprimant mes soupçons je détournais la douleur qui menaçait d'agrandir ma plaie, comme on pointe un couteau vers le sol pour éviter de se blesser. Les mères attentives apprennent ça à leurs enfants. Avoir osé parler suffisait pour la journée. Quand Laurel a quitté la piscine, au lieu de me dire au revoir de la main, elle est venue me rejoindre sur l'escalier où j'attendais que les élèves du cours d'aquaforme soient tous arrivés. Elle a doucement touché mon épaule.

— Courage, Marna. Je vais penser très fort à toi.

Au fur et à mesure que se déroule ma semaine de Pâques à Roseville, je m'aperçois que ces leçons de natation me manquent. Roulant vers Gold Strike avec la voiture empruntée à Olive, j'imagine Laurel la thérapeute assistant à mon retour sur les lieux de mon enfance. Il y a quelques années, Roxie a déménagé dans une zone plus spacieuse, plus ombragée du parc. Elle a acheté une maison mobile flambant neuve, double largeur. J'ignore pourquoi on appelle ce type d'habitations maisons mobiles, puisqu'elles ne peuvent plus guère bouger une fois que les murs sont scellés les uns aux autres et qu'elles sont fixées sur leurs fondations en blocs de basalte. Et j'ignore pourquoi Roxie n'a pas acheté une vraie maison dans une vraie rue. Cela aurait été trop lui demander, sans doute. Et j'aurais sans doute été tentée d'interpréter ce geste comme un espoir que, en s'installant dans une maison normale, Roxie devienne enfin une mère normale.

Avant de traverser les rues étroites du parc, j'arrête la voiture près de la piscine. Je monte les escaliers en ciment et je regarde à travers la grille fermée. Il est encore trop tôt dans l'année pour les nageurs. Pour l'entretien aussi, d'ailleurs. Je constate en me haussant par-dessus la barrière d'ouragan que la zone récréative est à l'abandon. Le fond de la piscine est encombré de feuilles mortes, à peine visibles à travers les flaques d'eau trouble. Le revêtement en fibre de verre a grand besoin d'être refait. Le bord de la piscine est creusé de trous, boursouflé de poches d'air. Sur les escaliers de la piscine, il manque une partie de la rampe. Le plongeoir délabré pend contre la plate-forme comme une étagère mal fixée.

On dit que, lorsqu'un adulte revient sur les lieux de son enfance, il a l'impression que les choses ont rapetissé avec les ans : les maisons sont plus petites que dans ses souvenirs, les arbres gigantesques sont devenus trop frêles pour soutenir le poids d'une grande personne. Est-ce l'infidélité de mon mari qui me menace comme un concurrent-surprise remontant trop vite le couloir voisin ? À la piscine du Gold Strike, j'ai au contraire l'impression que tout est surdimensionné. Je suis pourtant venue ici plusieurs fois depuis mon déménagement dans l'Est. Je suis frappée par les proportions de la piscine boueuse, comme si elle avait continué à grandir tout au long des années, et moi pas. En regardant les rides que le vent du soir fait à la surface de l'eau sale, une évidence me frappe avec clarté. Mon mari a une maîtresse, c'est la seule explication à ses absences répétées.

— Entre, Marna, dit Roxie quand je frappe à la porte d'aluminium de sa maison.

Il y a dans sa voix un ton vaguement irrité qui fait resurgir aussitôt des souvenirs d'enfance, quand elle venait me chercher le soir chez madame Smart et qu'elle disait : « Allez, viens, Marna » comme si elle venait de se rappeler une tâche déplaisante.

— C'est fermé, dis-je en secouant la poignée.

— Nom d'un chien, dit-elle avant d'ouvrir la porte à la volée. Tiens, tu t'es fait pousser les cheveux.

Je porte la main à ma tignasse.

— Je ne m'en occupe pas.

— Tu devrais. C'est étonnant ce qu'on peut faire aujourd'hui avec les cheveux trop frisés.

Roxie est restée mince, elle fume encore et teint toujours ses cheveux sombres dans une nuance de blond qui n'existe pas à l'état naturel. Sans sa consommation de cigarettes, je suis persuadée qu'elle n'aurait pas pris une ride. Un jour, le docteur Decker lui a demandé d'arrêter de fumer, à cause de la mauvaise image que cela donnait à ses cabinets de dentiste. Elle lui a répondu du tac au tac : « Alors, fichez-moi dehors. » Elle savait qu'il ne pouvait se passer d'elle, à moins de revoir entièrement l'organisation de ses bureaux. Ils ont fini par faire un compromis : elle cesserait de fumer sur son lieu de travail, mais il devrait se résigner à ce que le soir, aussitôt partie, elle se remette à griller cigarette sur cigarette jusqu'à son coucher. Au moment où elle s'efface pour me laisser entrer dans le salon, je remarque justement qu'elle en tient une entre les doigts.

— Tu n'as rien contre le poisson? me dit-elle en désignant nonchalamment la table.

Le couvert est mis. Des bols de laitue iceberg attendent déjà, une bouteille de vinaigrette toute faite plantée à côté.

— Je... c'est très bien, Roxie.

Je me laisse conduire à ma place.

— On mange tout de suite?

— J'ai mis les carrés de poisson pané sous le gril. Il disent sur la boîte que c'est prêt en dix minutes. Tu veux un Pepsi?

— Bien sûr, va pour un Pepsi. Je peux t'aider?

— Pas la peine.

Elle place la corbeille à pain devant mon assiette.

— Qu'est-ce que tu attends? Commence la salade.

Roxie me presse de finir mon dîner comme elle m'a pressée toute mon enfance : « Dépêche-toi, Marna, qu'on en finisse. » Une fois seulement, elle pose une question sur un sujet dont j'aimerais tant discuter avec elle.

— J.W. voyage toujours autant? dit-elle en repoussant son assiette pour s'allumer une Salem.

Du bout de mon couteau, je repousse sur le bord de l'assiette un carré de poisson à moitié entamé.

— De plus en plus. Il est allé...

— Tu as la belle vie. Tout ton temps à toi, pas d'homme dans les pattes, rien d'autre à penser que de dépenser l'argent qu'il gagne.

— Non, pas vraiment. Je préférerais qu'il ne parte pas si...

— Tu nages toujours autant ?

— Oui, je nage toujours. S'il te plaît, Roxie, est-ce que je pourrais...

— Olive et Merle, ça va ? Je parie qu'ils sont déçus que J.W. ne soit pas venu.

C'est toujours la même chose avec elle : au bout d'un moment, je me rends compte que c'est peine perdue. On pense toujours qu'on a appris à ne pas essayer de renverser les probabilités — avec Roxie, elles sont irréversibles — mais chaque fois ça se passe de la même manière. Assise à cette table, je redeviens la petite fille au visage pressé contre la vitre de la salle de loisirs du Gold Strike, essayant d'attirer l'attention d'une adolescente qui nage de l'autre côté. Elle flotte sur le dos et j'aperçois seulement sa silhouette. Elle tourne son visage vers le soleil, vers T-Bone ou Don Ray, dont les plaisanteries bruyantes couvrent ma voix. Même si elle le voulait, elle ne pourrait pas m'entendre.

Après avoir été couvée pendant une semaine par Olive et Merle, je suis presque soulagée de retrouver chez moi cet iceberg submergé qu'est devenu mon mariage. J.W. vient m'accueillir à la porte, m'embrasse et pose sa grande main chaude sur mon cou. Il renifle mes boucles. Dans la maison flotte une odeur rance, comme si on avait laissé trop longtemps traîner de la nourriture sur le comptoir.

— Tu as fait bon voyage ? Comment as-tu trouvé papa et maman ? Ils ont l'air en forme ?

— En pleine forme, J.

Je prends sa main et je l'attire sur le divan.

— Et Roxie... Roxie est égale à elle-même.

J.W. se met à rire.

— Tu m'as manqué, Marna. J'ai essayé de faire la lessive mais c'est un désastre. Tout est sorti teint en bleu bébé.

— Comme ta voiture.

— Quoi ?

— Ta Coccinelle. Notre premier rendez-vous.

— Ah oui, oui. Est-ce que ma maison dans l'arbre a survécu à l'hiver ?

— J'y suis montée. Olive dit que les petits voisins viennent y jouer. Ton père a consolidé les planches pourries pour qu'ils ne se fassent pas mal.

— Oh, non, on m'a volé ma place !

J.W. rit de plus belle, apparemment soulagé. Il croit sans doute que je vais passer l'éponge sur ce qui plane entre nous depuis mon retour.

— Et toi, tu m'as volé ma réplique, dis-je froidement.

J.W. détourne le regard, pris au piège.

— Marn, je voulais t'expliquer...

— Tu dois m'expliquer. Maintenant. Je ne bougerai pas d'ici tant que tu ne l'auras pas fait.

Je me sens épuisée mais je sais que je ne pourrai pas aller me coucher tant que mon mari n'aura pas fait une confession complète. J'ai toujours pensé que, lorsqu'il m'avouerait que oui, il couche avec une autre femme, j'allais suffoquer. Au lieu de cela, je me sens engourdie, comme si je m'endormais dans une tempête de neige, le sang glacé dans mes veines par l'hypothermie. Anesthésiée par ce froid, je deviens franchement curieuse. J'attends les détails, je les réclame et je les obtiens au moment où je pense que la neige n'est que de l'eau gelée, les flocons du H_2O cristallisé. J'aimerais que la neige fonde, que mon sang se réchauffe, mais ce que j'entends me glace. Impossible de détourner les mots de leur sens.

Il me dit qu'il ne voulait pas tomber amoureux d'une autre mais que ça a été plus fort que lui. Il me dit qu'il m'aime, qu'il n'a jamais cessé de m'aimer, mais que nous sommes devenus l'un pour l'autre — il ne dit pas cela pour me blesser, non, surtout pas — comme frère et sœur. Ce qu'il ressent pour elle est différent. Mais qui est-elle ? Je voudrais arracher son nom de la gorge de mon mari, mais il ne dira rien. En l'absence d'un nom ou d'une image, elle devient Miss Santa Clara, ce genre de femme habile à tirer de la bouche d'un amant marié des détails indiscrets. Allongés nus dans son lit à elle, ils ont dû se moquer de l'épouse myope comme une taupe, de son assommante soumission au moindre caprice de son mari, de sa façon maniaque de plier ses chemises.

Une fois lancé dans les aveux, J.W. ne peut plus s'arrêter. Il énumère les qualités de l'autre femme : son indépendance, sa perspicacité, sa vivacité. Il ne lui vient même pas à l'esprit, mon charmant, bien-aimé et égocentrique mari, qu'à chaque mot il me découpe le cœur en morceaux. Je lui dis que j'ai capté le message. À cent pour cent.

Il pense que notre mariage a sombré corps et âme.

Il a besoin de quelqu'un comme elle pour se remettre d'aplomb.

Elle est tout ce que je ne suis pas.

Non, il ne sait pas ce qui va se passer. Il ne la voit pas en ce moment. Mais il ne promet rien pour l'avenir.

Oui, il dormira en bas, bien sûr. Jusqu'à ce que nous ayons pris une décision. Nous, je présume, désigne maintenant un trio.

~

Les jours suivants, pendant mes cours, je suis distraite par les détails les plus étranges. Le soleil printanier qui déverse ses rayons à travers les puits de lumière éparpille des diamants sur les lignes peintes au fond de la piscine. Leur éclat me tourne la tête au point que j'en oublie de compter mes longueurs. Vendredi, Eric et Chris ont déroulé le toit ouvrant et ouvert les grandes fenêtres coulissantes, laissant la brise envahir la piscine jusqu'à ce que Louise, dans un rare moment de lucidité, refuse d'entrer dans l'eau à moins qu'on ne ferme les fenêtres. Même avec les vitres fermées, les bruits venus du terrain de basket d'à côté se fraient un chemin jusqu'à nos oreilles, et les cris et les jurons rebondissent sur les parois de la piscine avec les reflets du soleil.

Mardi matin, pendant le cours pour les arthritiques, j'ai oublié d'arrêter de compter. Normalement, les exercices pour les bras durent dix secondes.

— Et dix, et onze, et douze...

— Marna, a protesté Hannah, une nouvelle venue, on ne baisse pas les bras à dix ? J'ai mal aux muscles !

— Oh, pardon. Où en étions-nous ? Et si on baissait les bras à sept ?

Mes champions m'ovationnent, pardonnant ma distraction avec une générosité qui me pèse comme un cadeau non mérité. Nous travaillons les jambes puis les épaules, valsant à travers l'eau. Puis je les reconduis au pied de l'escalier, aidant les uns et les autres à saisir la rampe. Ensuite, je monte décrocher les bretelles de Selma. Avec un intérêt maussade, je remarque la manière qu'elle a de retenir pudiquement le tissu qui recouvre ses seins pendants.

Elle se retourne pour me remercier puis regarde la piscine pardessus mon épaule en plissant les yeux.

— Encore ce Harvey qui fait son spectacle pour vos beaux yeux.

Je pivote et vois Harvey, seul dans la piscine, flottant près des marches, face vers le bas.

— À son âge, il devrait connaître la fable du petit garçon qui criait au loup, dis-je en me tournant vers Selma.

Ces jours-ci, les blagues d'Harvey m'exhortant à quitter mon mari pour lui m'ont mis les nerfs à vif; j'ai cessé d'encourager son flirt, dont la troublante prémonition me consternait. « Votre mari, l'agent secret », disait-il pour me taquiner. Ou : « Il vous faut quelqu'un de plus généreux ! » Dans un rare moment de sérieux, il m'a de nouveau conseillé de suivre une thérapie conjugale.

— Non, ai-je répondu, mon mari a refusé d'y aller pour le moment.

— Il ne connaît pas sa chance, mon gentil dauphin, a ajouté Harvey.

Depuis les aveux de J.W., la semaine dernière, continuer à jouer le jeu d'Harvey me donnerait un sentiment d'imposture, comme si je m'étais déguisée en irrésistible princesse ou en femme fatale tout au long de ma vie conjugale.

J'emboîte le pas à Selma en direction du vestiaire.

— Il a des poumons d'acier, ce Harvey, dit-elle en hochant la tête du côté de la piscine.

En trois bonds, je suis dans l'eau, appelant Eric à l'aide. Chris est parti pour sa pause café; nous sommes seuls ici. Officiellement, ce n'est pas mon travail de m'occuper d'un cas de noyade. Je suis monitrice, pas surveillante. Mais Eric est plus près du téléphone, et je soulève déjà Harvey dans mes bras.

— Une ambulance, Eric ! Appelle tout de suite !

Je retourne Harvey sur le dos. Impossible d'avoir la compression nécessaire pour le bouche à bouche quand la victime est dans l'eau. Je dois donc utiliser de précieuses secondes pour le sortir de l'eau sans l'aide d'Eric. Je lève les bras inertes d'Harvey et plaque son thorax contre le mur de la piscine.

— Harvey !

Je hurle à son oreille. Il ne m'entend pas. Je m'y attendais. Plaquant d'une main les bras d'Harvey allongés au bord de la piscine, soutenant de l'autre sa tête ballante au-dessus de l'eau, je grimpe sur le bord et le tire de toutes mes forces. Selma est derrière moi, immobile.

— Cher Harvey, dit-elle d'une voix monotone, comme si elle dictait une lettre. Oh, cher Harvey.

Après avoir étendu Harvey à plat, je me lance dans les étapes de la respiration artificielle. Libérer les voies respiratoires. Pencher la tête de côté. Soulever le menton. Souffler deux fois pour gonfler ses poumons.

Eric est à côté de moi.

— Seigneur, je suis content que tu sois là, Marna. Je n'ai jamais fait ça pour de vrai.

Je regarde le doux visage inquiet d'Eric — « Il est si gentil ! » a dit de lui une des adolescentes qui lui tournent autour — tandis que mes doigts palpent la carotide d'Harvey. « Par pitié, faites qu'il y ait un pouls, dis-je en invoquant les divinités expiatoires qu'on ressuscite toujours en cas d'urgence. Je dirai à J.W. la vérité sur mes pilules. J'essaierai même d'aimer Roxie... »

— Il n'a pas de pouls, dis-je à Eric sur le même ton neutre que Selma, comme si je lui donnais un cours sur un mannequin.

Je croise les mains sur le sternum d'Harvey et je pousse. Eric — bon garçon, il commence à se souvenir de ses cours de sauvetage — m'aide à compter.

— Cinq, dit-il.

Je donne à Harvey une bonne goulée d'air puis reprends le massage cardiaque.

Plus tard, installée à la table de ma cuisine devant un bol de soupe en boîte en train de refroidir, je me souviens comment nous nous sommes acharnés jusqu'à l'arrivée de l'ambulance. Je me souviens avoir donné le nom de famille d'Harvey à l'assistant ambulancier, tandis qu'Eric trouvait dans les registres le numéro de téléphone d'Alene Keppler et composait le numéro sur le portable parce que mes mains tremblaient trop pour presser les touches.

— Bon travail, madame Whitney, m'a dit le chef ambulancier en roulant la civière vers le véhicule alors que je grelottais sous ma serviette humide. Vous avez fait ça comme une vraie pro.

Il a donné une tape sur le carnet de notes glissé dans la poche de sa chemise.

— Nous allons donner tous les renseignements sur le patient à l'hôpital Memorial. Hé, ne pleurez pas, madame Whitney. Ne pleurez pas...

Il a mis le moteur de l'ambulance en marche. Avant qu'elle ne s'éloigne du trottoir, avant que la sirène ne se mette à hurler, il s'est tourné vers moi.

— Vous avez fait ce qu'il y avait à faire. On n'aurait pas fait mieux. Vous êtes de la race des sauveteurs.

POUSSER

Dites aux élèves de garder les jambes droites, sans raideur, et d'exécuter des battements de haut en bas... En aucun cas ce mouvement ne doit être pratiqué dans le grand bain.

Même dans une zone sous surveillance, un nageur débutant est exposé à des accidents graves.

Johnny apprend à nager
(American Red Cross)

Laurel

Après la virée avec Marna, je me suis sentie mieux, mais j'ai quand même repoussé de quelques jours ma visite à maman. Elle avait tellement aimé Jake. Je ne me sentais vraiment pas en état de travailler non plus. Mais tant pis. Tant que je ne suis pas morte ni trop évidemment contagieuse, je vais à mon cabinet. Je n'ai jamais manqué. Je suis formée pour ranger mes problèmes personnels sur l'étagère du haut, à l'écart des vies des patients confiés à mes soins.

Mais il y a Tracy : elle me prend beaucoup d'énergie. Pas parce qu'elle est franchement exigeante mais parce que je dois être extrêmement prudente; je ne marche pas sur des œufs, mais sur les tessons de verre dispersés dans son esprit et dans son âme. Une petite faute d'inattention et je risque d'en enfoncer un profondément, peut-être sans m'en rendre compte. Du moins pas sur le coup.

Pendant quelque temps, les séances avaient été calmes. Elle entrait et, cinq ou dix minutes plus tard, je remarquais un changement dans le ton de sa voix, dans sa posture ou ses gestes, et je savais qu'une personnalité différente — une enfant effrayée qui m'avait un jour demandé si j'avais des clémentines ou des crayons de couleur — était entrée dans la pièce sur un soupir de Tracy.

L'enfant qui arrive par le corps de Tracy se cache derrière des yeux opaques que je ne vois que rarement. D'habitude, elle fait pivoter son siège pour se mettre de côté et elle scrute le feuillage à l'extérieur. Au moindre bruit, elle sursaute et prend une brève inspiration avec un petit cri aigu. Il a fallu que je demande à Janet d'éviter de claquer les tiroirs ou même de tirer la chasse d'eau pendant les séances de Tracy, car elle est alors prise d'une telle terreur qu'on la dirait empoignée par son bourreau.

— Est-ce que quelqu'un peut entrer par cette porte? a-t-elle murmuré un jour.

— On pourrait, mais il ne viendra personne, lui ai-je assuré.

Elle m'a regardée d'un air dubitatif, puis elle redirigé les yeux vers la fenêtre, les plissant pour glisser son regard au travers des persiennes ouvertes et se fixer sur quelque chose au-delà. Une fois, elle m'avait fait remarquer qu'un oiseau avait fait son nid dans l'arbre en face de la fenêtre. Elle avait observé ses allées et venues, m'avait-elle dit, et elle pensait que l'oiseau donnait à manger à son bébé.

— Est-ce que tu as un bébé? avait-elle demandé alors, d'une voix plaintive.

— Non.

— Pas de bébé?

— Non.

— Est-ce que tu as besoin d'un bébé? Tu veux une petite fille?

— Est-ce que tu voudrais être ma petite fille? ai-je demandé, en conservant à ma voix un ton égal et chaleureux.

Pas de réponse. Elle se remet à scruter le feuillage pour essayer de voir la mère et son bébé dans le nid, à l'abri du danger.

— Tout le monde désire des choses impossibles parfois.

C'était difficile à dire, difficile à avaler.

~~~

À peine deux semaines plus tard, un événement imprévisible et désastreux pour une patiente comme Tracy, aux nerfs déjà tellement fragiles, se produit pendant sa séance. On frappe soudainement à la porte, un martèlement aussi sec et rapide que celui d'un pivert, un bruit agressif, exigeant.

Irritée par cette intrusion, je décroise les jambes et vais pour me lever, ce qui me rapproche naturellement de Tracy au moment où on entend la dernière partie du coup frappé à la porte — et elle réagit tout autant au geste qu'au bruit.

Elle sursaute et pousse un cri aigu immédiatement étouffé par son bras, puis tombe à quatre pattes et va se cacher derrière le fauteuil rembourré où elle était assise. Toujours par terre, le corps agité de tremblements (comme Barbiche, notre golden retriever, quand on l'emmenait chez le vétérinaire), elle devient une masse au déplacement difficile, elle rampe et roule à la fois vers une table d'angle
~~~

sous laquelle elle se cale comme pour passer inaperçue. Elle pleure : un vagissement haut perché qu'elle essaie de ravaler pour se rendre inaudible, invisible, pour devenir un atome de poussière suffisamment petit pour échapper au regard.

L'œil sur Tracy, j'hésite, me demandant comment intervenir, quand on frappe de nouveau.

— Tout va bien, dis-je tout doucement à Tracy. Tout va bien, n'aie pas peur.

Je vais à la porte, que j'entrebâille de cinq centimètres. Un homme, très grand, d'environ vingt-cinq ans, cravaté, en manches de chemise, est là dans le couloir entre mon bureau et celui de Janet, un dossier et des brochures à la main.

— Bonjour, bonjour, dit-il cordialement d'une belle voix de baryton.

Il lève des sourcils épais qui se rejoignent presque au-dessus du nez et s'apprête à faire son boniment publicitaire.

— Je m'appelle Rob Price et je suis venu vous parler de...

— L'accès de cet immeuble est interdit aux représentants, dis-je.

Le téléphone de Janet se met à sonner et le répondeur se déclenche immédiatement. La voix de femme cultivée de ma secrétaire commence à débiter son message pour le correspondant, qui se termine avec la promesse qu'elle rappellera.

— Et ici, c'est un cabinet de consultation. Je suis avec une patiente. Je vous serais reconnaissante de bien vouloir sortir immédiatement.

— C'est comme vous voulez, madame. Quand puis-je revenir pour vous montrer notre catalogue de plantes de bureau à louer ou à vendre ?

— C'est un immeuble interdit aux représentants, lui dis-je une nouvelle fois.

Je suis furieuse mais je ravale ma colère pour ne pas risquer de rendre l'homme à la grosse voix encore plus effrayant pour Tracy. Elle se met à pleurnicher à ce moment-là et il essaie de voir derrière moi. Je réduis l'ouverture à trois centimètres et cale mon pied et mon épaule contre la porte. Mais où est Janet, bon sang ?

La porte d'entrée s'ouvre au même moment et, une seconde plus tard, Janet apparaît, son sac en bandoulière et une boîte cartonnée du *fast-food* du coin à la main. En voyant la scène, elle écarquille les yeux.

— Excusez-moi, dit-elle au représentant. Vous n'avez pas le droit de frapper à cette porte. Je vais vous demander de quitter ce bureau.

Il se retourne alors, pour discuter avec elle, j'imagine, et je referme la porte solidement. Tracy se tapit devant moi.

Je m'avance vers elle très lentement. Le blanc de ses yeux est immense et on y voit presque complètement le cercle de ses pupilles. Ses iris semblent s'être vidés de leur bleu, remplacé par le noir de deux trous béants.

— Je suis là, Tracy. Tu es en sûreté. Il ne t'arrivera rien.

Elle se fait toute petite dans le refuge formé par la table, le divan et le mur. Elle a perdu l'une de ses chaussures à talons plats, une sorte de pantoufle bleu marine qui gît devant son fauteuil. Le tailleur rouge qu'elle avait mis pour aller travailler au-dessus d'un chemisier blanc avec incrustations de dentelle est tout froissé. Une mèche de cheveux foncés tombe en éventail devant son visage à cause de l'électricité statique et reste collée à sa lèvre. Elle ne la balaie même pas. Toujours à quatre pattes, elle se berce, inquiète. Le vagissement aigu — presque semblable au test sonore de la télévision juste avant l'aube —, qui s'était momentanément interrompu, me revient maintenant en pleine figure comme venu d'un autre monde. Je conserve environ un mètre entre nous deux et me laisse glisser sur le divan.

Je lui tends la main, ouverte.

— Je suis désolée que cet homme t'ait fait peur. Il est parti maintenant.

— Mais tu m'as dit... tu m'as dit que... personne pouvait entrer...

Elle s'exprime très difficilement. Sa mèche de cheveux lui est entrée dans la bouche. Toujours tremblante de peur, elle se met à frissonner.

— Je suis vraiment désolée. C'est vrai, c'est ce que j'avais dit. Mais il n'aurait pas dû frapper à la porte, ça n'aurait pas dû arriver. D'ailleurs, tu as vu, il n'est pas entré. Je ne l'aurais pas laissé entrer.

— Tu m'as dit...

C'est une accusation. Je soupire. Le patient suivant, Mike Kline, est déjà dans la salle d'attente mais je ne vais pas pouvoir laisser repartir Tracy avant un bon moment, au risque sinon de beaucoup retarder sa guérison.

Il me faut encore quarante minutes avant de pouvoir terminer la séance. Aucune parole de réconfort ni aucune cajolerie ne la touche. Finalement, je demande à Tracy si elle se pense capable de sortir s'il n'y a personne pour lui faire du mal.

— Il faudra vous assurer que c'est bien Tracy qui s'en retourne et qui conduit, lui fais-je remarquer.

Je ne sais pas si la petite fille a un nom, mais quand je rappelle Tracy, l'enfant laisse toujours la femme reprendre l'ascendant. J'obtiens un très léger hochement de tête : je fais donc demi-tour et sors en refermant la porte tout doucement. J'attends dans le bureau de Janet jusqu'à ce que j'entende la porte et le bruissement de Tracy se glissant hors du bureau. Je n'ai aucune idée de l'état dans lequel elle se trouve et je me demande si je ne vais pas appeler son fiancé.

— Je suis désolée, dit Janet à voix très basse, bien que le silence ne soit plus nécessaire.

Une boucle recouverte de fixatif lui barre le front.

— J'ai expliqué à Mike Kline — je lui ai dit qu'il y avait eu une urgence et que je devais lui donner un autre rendez-vous. Je suis désolée... Il fallait que j'aille me chercher à manger. J'ai travaillé sur les impôts toute la matinée. Je suis passée par le service au volant, j'ai été partie seulement cinq minutes.

— Je sais.

Ça ne fait aucun doute. Janet est aussi attentionnée avec les patients qu'elle est implacablement organisée.

— Mais, s'il vous plaît, ne prenez plus le risque de laisser arriver ce genre de choses quand Tracy est là. Je ne sais pas si je vais pouvoir rattraper ça. Quel gâchis !

Je secoue la tête de frustration, au bord des larmes et épuisée, inondée comme au début par l'impuissance face à l'incontrôlable, l'incontrôlé. Un pas en avant, quatre ou cinq en arrière.

— C'est comme un disque rayé — est-ce que ton père avait aussi de ces vieux disques 33 tours ? —, bloqué, tu vois ? Avant, je pensais que l'esprit et le cœur guérissaient tout seuls, pourvu qu'on leur en donne le temps, bien sûr, mais pour le cas Tracy ça ne marche plus du tout, dis-je à Marna à propos de mes difficultés avec ma patiente. Parfois, les gens passent leur temps à reproduire certains schémas et, même s'ils s'en rendent compte, ils ne peuvent rien y faire.

— Je n'en ai pas eu.

— Pas eu de quoi ?

Nous sommes au bar-grill *Applebine's* pour le repas du soir ; son mari est en déplacement et je n'ai pas eu le courage de faire la cuisine. La semaine a été aride et aussi difficile à avaler que du vieux pain. J'ai trop souvent Jake en tête ; je n'ai pas regagné un pouce du terrain défriché avec Tracy et Mike Kline a été hospitalisé, sa dépression plus envahissante que jamais. Il est irrationnel de penser que le rendez-vous annulé par Janet a été un facteur déterminant, mais je ne peux pas m'en empêcher.

— Un père, dit-elle.

Je reviens en arrière pour retrouver à quoi Marna réagit. Les suspensions en vitrail de style Tiffany — il y en a une juste au-dessus de notre table — font un éclairage diffus et il m'est difficile de voir l'expression de Marna. Mais je décide qu'elle n'est pas en train de se moquer de mes divagations.

— Qu'est-ce qui s'est passé ?

Marna essaie de prendre un ton léger.

— Oh, rien de spécial, maman coincée dans une caravane, beaucoup de tontons qui circulent…

Elle retire ses lunettes et les essuie avec sa serviette.

— Ça a dû être vraiment difficile, Marn.

Tout à coup, inexplicablement, elle se met à pleurer.

— Je suis… passée à côté de beaucoup de choses, c'est tout, mais ça n'est pas grave. Je me suis mise à la natation et après j'ai eu J.W.

Elle ferme les yeux et les pointe du doigt.

— J'ai trouvé le crayon pour les yeux, celui que tu m'avais indiqué.

— Du crayon *waterproof,* Marna, tu te souviens de ce que j'avais dit ?

Je prends un mouchoir en papier dans mon sac et le lui tends.

— Est-ce que tu as connu ton vrai père ?

— Non. J'ai pas mal de pères de remplacement, des sortes de papas à la journée.

Marna sourit comme si l'histoire était risible.

— T-Bone et Don Ray quand j'étais petite, Ferrill Flocks quand je faisais mes études secondaires. Roxie avait toujours un homme dans le coin.

Marna lève son verre d'eau, le redépose.

— Elle n'a pas dit un mot sur mon vrai père, rien. Même maintenant, je n'ai pas l'impression que je pourrais l'interroger sur ce sujet. Je me suis inventé mes propres histoires de père. C'est ce qu'on fait, quand on désire quelque chose vraiment fort. Tu vois, je me sens un peu comme Tracy pour ça. Parfois, je ne sais pas où est le vrai.

— Marna, tu es vraie, toi, et tu es unique.

Elle fait non de la tête.

— Qu'est-ce qu'il y a ? Qu'est-ce que tu veux dire ?

Elle ne répond pas. J'essaie de savoir.

— Est-ce que ta mère... est-ce qu'elle a été une bonne mère pour toi ? Parfois, tu sais, les gens font de bons parents même s'ils n'arrivent à rien avec le sexe opposé.

— Roxie a fait ce qu'elle a pu.

L'imitation que Marna avait faite de sa mère dans la salle de bains de l'hôtel, la cigarette au bec, repasse devant mes yeux. Je décide quand même que le secret n'est pas à chercher du côté de sa mère, bien que, pour une femme, le fait de l'appeler par son prénom ne soit pas habituellement le signe de très bons rapports.

— J'espère que je ne t'ai pas fâchée en parlant de ton père.

Le serveur, joli garçon — des yeux de Latino-Américain immenses bordés de cils noirs recourbés sous d'épais sourcils épilés —, flanque deux verres de vin blanc sur la table dont l'un déborde. Marna ne répond pas, attendant qu'il s'en aille. Il fait un grand sourire, décoche un demi-clin d'œil ouvert à l'interprétation tandis que Marna regarde ses mains fixement, et s'en va.

Elle gratte une petite peau autour de son ongle et hoche la tête.

— Les hommes se bousculent à ta porte, hein ?

Puis elle reprend où elle en était.

— C'est juste que... Enfin, ce n'est pas le manque de père. Ma famille, c'est J.W. et ça me suffit.

— Oh là ! Qu'est-ce qui te fait croire que c'est moi qui l'intéressais ? Tu ne te vois pas dans la glace, quand tu te maquilles ? Et si J.W. te suffit comme famille, qu'est-ce qui te bouleverse comme ça alors ?

Les mains de Marna bougent dans le cercle ambré où son diamant accroche la lumière et fait des clins d'œil, comme le serveur. Son visage est dans l'ombre.

— Je sais qu'il a une maîtresse... Je crois qu'il va me quitter.

— Est-ce qu'il te l'a dit?

Si seulement la musique n'était pas si forte, qu'on puisse parler facilement. Je me rends compte que je suis repassée au mode psychothérapeute, comme si j'avais poussé le commutateur de mon être intime. J'essaie de revenir au rôle d'amie, mais la frontière entre les différentes parties de moi est toujours aussi floue. Avec Jake, c'était plus facile, comme s'il avait posé du papier peint sur ce commutateur et qu'il était resté inutilisé.

— Pas dans ces termes.

— Et le conseil conjugal? Je connais beaucoup de conseillers, enfin, je veux dire, je pourrais te donner les coordonnées de très bons conseillers, dis-je maladroitement.

Je suis terriblement fatiguée tout à coup. Je pense à la femme de Jake, qui souffre peut-être comme Marna, et la culpabilité enfle comme un ballon dans mon esprit. Rouge. « Une femme écarlate », c'était l'expression de ma mère.

— Ça fait tellement mal. Il ne veut pas aller voir un conseiller et, de toute façon, c'est ma faute. Il veut des enfants...

— Oh là! dis-je, l'interrompant. Tu ne prends pas tout sur toi, hein? Tu ne te sens pas responsable?

— Il n'est pas heureux avec moi.

Des larmes mouillent ses cils du bas, où le mascara forme des pointes noires. Je fouille dans mon sac à la recherche d'un mouchoir en papier et lui tends celui que j'ai trouvé, chiffonné mais propre, dans une poche de côté.

— Écoute, Marna. Écoute-moi. C'est bien de chercher à savoir de quoi on est responsable dans une situation donnée, mais c'est J.W. qui a pris cette décision, pas toi. Ce n'est pas sain d'essayer de se sortir de son malheur comme il l'a fait, en admettant qu'il ait réellement été malheureux. Ce n'est pas convenable. Et elle aussi, elle est coupable...

J'aligne les mots en improvisant et je me rends compte tout à coup des implications de ce que je viens de dire. Je sens le rouge me monter à la gorge et aux joues.

Marna comprend tout de suite et me touche la main.
— Ça n'est pas la même chose, dit-elle simplement.
Elle continue.
— On ne s'est jamais disputés, murmure-t-elle. On ne se disputait jamais. Il était tellement gentil. Il s'est tellement bien occupé de moi.
— Oh oui, je sais exactement ce que tu ressens.
Parfait. Je laisse tomber ma défroque de thérapeute et je redeviens une personne, avec elle, pas loin d'elle derrière un bureau.
— Je ne sais pas ce qui a mal tourné. Et pour toi, tu sais ?
— Ouais, disons que, dans mon cas, il y avait un léger hic : il était marié.
— Oui effectivement, un léger défaut... J.W. était parfait à mes yeux, dit-elle en rêvassant, ne portant que peu d'attention à mon interruption. Ça a toujours été comme ça. Tu sais, joli garçon, brillant, fort. Bon, il ne prend pas la natation au sérieux — enfin, les cours de natation —, mais je ne sais pas si je peux considérer ça comme un défaut.
— Je ne vois pas comment ton excellence dans le domaine pourrait lui échapper. Après tout, tu aurais pu aller aux Jeux olympiques. Peut-être qu'il veut oublier que tu as dû laisser tomber tout ça pour être avec lui ?
Je lui avais soutiré l'histoire un jour où Harvey, que je croisais sur l'escalier de la piscine, m'avait tapoté le bras et conseillé de prêter grande attention à Marna, *sa* candidate aux Jeux olympiques.
— Effectivement, j'ai fait ça pour lui, dit Marna, mais il ne le sait pas. En tout cas, je ne l'ai pas regretté. Je ne m'imagine pas ayant fait un autre choix.
— Et moi, je ne t'imagine pas t'en sortant sans ta natation ni tes cours. Regarde comment tu es avec eux tous. Harvey...
À la mention de son nom, Marna fait une grimace de douleur et secoue la tête.
— Ça va mal. J'étais à l'hôpital ce matin.
— Tu lui as sauvé la vie, lui fais-je remarquer.
Elle secoue la tête encore une fois.
— Non, je veux dire vraiment mal. Je ne sais pas s'ils vont pouvoir... Enfin, si c'est pour qu'il reste comme ça, je n'aurais pas dû lui faire de massage cardiaque. Il ne supporterait pas de savoir ça, et ce sera ma faute.

Je me moque de savoir qui pourrait être en train de regarder ou ce qu'on pourrait penser. Je fais le tour de la table, me glisse à côté d'elle sur la banquette et la prends dans mes bras. Elle se tient raide pendant un moment, puis se laisse aller contre moi, en larmes.

— Écoute-moi, lui dis-je. Écoute. Tu as fait ce qu'il fallait. Tu as mis tout ton cœur dans le sauvetage de ce que tu aimes. Tu sais que tu as essayé, que tu as fait de ton mieux. Ce n'est pas à toi de décider de tout. Il faut agir selon son jugement sur le coup, faire de son mieux et être en paix avec ça. Peut-être que les médecins de l'hôpital pourront sauver Harvey, peut-être que non, mais tu lui as donné sa première chance.

Je marque un temps d'arrêt et caresse sa tête.

Notre serveur s'approche et je lui fais un très léger signe de la tête pour qu'il ne s'arrête pas, qu'il ne la gêne pas. Je poursuis.

— J'ai compris une chose : peu importe la force de la douleur qu'on ressent quand on lâche prise, tout n'est pas bon à sauver — et d'ailleurs il ne faut pas essayer de sauver une situation à tout prix, tu comprends ? Quand elle n'en vaut pas le coup, on finit par perdre la chose de toute façon, même en faisant le maximum. Il faut que tu te contentes de ça, Marna. Il faut espérer qu'il y a une certaine sagesse dans un dénouement. Peut-être qu'il est temps de laisser aller Harvey. Peut-être même qu'il est temps de laisser aller J.W.

Marna

Laurel nous fait enfin entièrement confiance, à moi et à l'eau. Je le sens quand je lui demande de « faire le remorqueur » à l'aide d'une planche flottante et de traverser le petit bain pour travailler les battements de jambes. Quand je lui demande d'ouvrir les yeux sous l'eau pour observer mes mouvements de jambes, les genoux légèrement fléchis, les pieds pointés vers l'arrière avec souplesse. Elle me suit quand je l'amène à la limite du grand bain, main dans la main, comme aujourd'hui. J'ai compris que tenir à distance l'image de son frère emporté par un tourbillon d'eau boueuse, ça fait partie de mon travail. J'ai appris à reconnaître les signes de sa phobie. Je sais quand elle cesse de m'écouter, n'entendant plus que le bruit de ce mur d'eau rugissant qui la transporte dans un autre lieu et dans un autre temps. Je sais que le meilleur moyen de garder Laurel ici avec moi, saine et sauve, c'est de lui parler de mon présent, de la laisser entrer dans ma vie. Aussi, pour capter son attention, je lui parle de J.W. et de moi. Elle oublie sa phobie, et j'y trouve un réconfort.

— Je crois que je l'ai poussé à me tromper...

Regardant ses mains crispées sur la rigole, je précise :

— Il y a seulement un mètre cinquante d'eau ici, Laurel. Au besoin, si je n'étais pas là, tu pourrais aller d'un mur à l'autre par petits sauts, comme ça. Tu vois ?

— Pourquoi te crois-tu responsable ? dit-elle en se dirigeant vers la marque indiquant un mètre quatre-vingts de profondeur. Et je ne lâcherai pas le bord de la rigole. Je sais ce que tu cherches à me faire faire, Marna. Dis-moi plutôt pourquoi tu es persuadée que c'est ta faute.

— Oh, il n'y a qu'à me regarder.

— Voilà autre chose !

— Je dis ça sérieusement. Je ne suis pas le genre de femme qu'un mari est fier d'exhiber. J'ai passé toute notre vie conjugale à tenir la maison et...

Nous sommes à deux mètres.

— Et ?

— Je pense que, inconsciemment, il m'en veut. Il aurait préféré une femme plus dynamique, plus active, avec une vie à l'extérieur.

— Tu as une vie à l'extérieur. Tu as ton travail à la piscine. Peu importe si ce n'est pas un bureau avec ton nom inscrit sur une plaque de cuivre.

— Ce n'est pas seulement ça.

On fait une pause. Le repère indique trois mètres de profondeur. Je me demande si Laurel réalise qu'ici elle n'a pas pied. Je ne peux pas la convaincre qu'elle pourrait traverser la piscine dans sa largeur en sautillant, parce que c'est faux. Il faudrait qu'elle respire. Qu'elle flotte. Qu'elle nage.

— Quoi d'autre, alors ?

— Tu te souviens quand je t'ai dit que J.W. voulait des enfants et moi pas ?

Elle fait signe que oui, son antenne de thérapeute largement déployée à ce qu'il me semble.

— Eh bien, je n'ai jamais arrêté de prendre la pilule.

Elle respire profondément. Un instant, j'ai l'impression qu'elle va lâcher le mur d'elle-même et se laisser submerger.

— C'est ton droit, Marna. La décision d'avoir des enfants ne peut venir d'un seul partenaire.

Elle me donne un coup de hanche.

— Continue à longer le mur, prof. Si tu tiens à plaider coupable, il va falloir que tu trouves mieux que ça.

— Je ne lui ai jamais dit.

— Quoi ?

— Je ne lui ai jamais dit que je continuais à prendre la pilule. C'est mon secret. Bon sang, toutes ces années à cacher mes pilules dans la lingerie.

Nous retournons vers le petit bain. Deux mètres cinquante. Deux mètres. Un mètre quatre-vingts.

— Laurel ?

Un mètre cinquante.

— Regarde ça, Marna, regarde-moi.

Elle lâche le rebord de la rigole et lève les bras comme si elle se rendait. Elle prend une respiration, ferme les yeux et plonge. Quand elle jaillit de l'eau, elle bat l'air de ses bras et agrippe mon épaule au lieu de la rigole, mais c'est tout de même une grande première. Je crie de joie.

— Super ! Eric, tu as vu ce que Laurel vient de faire ? Une médaille d'or pour Laurel !

Je me demande peu après pourquoi Laurel s'est abstenue de tout commentaire sur ma confession. Une fois déjà, je lui avais parlé des voyages d'affaires de J.W., des reçus de cartes de crédit qui ne concordaient pas. Elle s'était tue puis avait levé les yeux.

— Marna ! Si on s'éclatait un peu ? Tu prends le gâteau chiffon aux fraises, moi le gâteau au fromage, et on partage.

Cela m'avait amusée car elle ne mange jamais de dessert, aussi c'était pour elle une autre expérience inédite. Son courage à la piscine venait aussi de cette réserve secrète, tout près du cœur, qui rend une personne invulnérable quand elle protège quelqu'un de cher.

Je me dirige vers l'hôpital Memorial pour rendre visite à Harvey, comme chaque jour depuis sa crise cardiaque, en pensant que j'ai aussi ce type de force en moi. Peut-être l'ai-je eu toute ma vie sans m'en apercevoir. Cela prend une certaine dose de courage pour aborder les infirmières des soins intensifs et leur demander s'il y a une amélioration, en sachant bien que la réponse sera : « Non, pas d'amélioration, mais vous pouvez aller le voir. »

Alene est assise au chevet de son mari. C'est une forte femme, plus corpulente qu'Harvey, mais elle paraît toute petite ici, avec ses yeux clos, sa tête qui dodeline.

— Alene ?

Je murmure son nom en touchant son épaule.

— Pardon, je ne voulais pas vous surprendre. Comment vous sentez-vous ?

— Il n'y a aucun progrès, Marna, dit-elle avec un sourire triste.

Elle n'a pas besoin de me le dire. Chaque jour, il y a plus d'appareils dans la chambre d'Harvey que la veille. L'un d'eux remplit ses poumons d'oxygène. L'autre mesure le pouls artificiel induit par la pompe à oxygène. Un autre règle le débit de la perfusion ; on voit que l'aiguille a laissé un hématome sur la peau grisâtre de son bras, comme si un petit enfant l'avait pincé et repincé pour le réveiller. Enfin, une autre machine, la plus sinistre, attend dans un coin, prête à imprimer la ligne droite qui dit, jour après jour, désolé, aucune activité cérébrale.

Je m'assois près d'Alene et je lui prends la main. C'est celle d'une vieille dame, chaude et soyeuse dans la mienne. Le seul réconfort dans cette veille auprès d'un moribond est là, dans nos mains jointes sur les genoux d'Alene, dans nos pouls qui battent à l'unisson.

— Les filles sont toutes à la maison, dit Alene.

— Bien, dis-je, saisissant à demi-mot.

— Lucy prendra les chiens chez elle. Après que nous... qu'ils...

— Je comprends ce que vous voulez dire, Alene.

Je ne peux me résoudre à utiliser l'expression habituelle, qui fait de l'arrêt des appareils maintenant artificiellement la vie une opération aussi triviale que le débranchement d'un grille-pain.

— Lucy et Harvey adorent les chiens.

— Il dit que vous êtes toutes les femmes de sa vie. Il est si drôle...

— Je sais, ma chérie. La vérité, c'est qu'Harvey adore les femmes. Depuis toujours. Il flirte comme s'il avait toute la vie devant lui. Quand nous étions plus jeunes, il me disait : « C'est juste un jeu, jouer n'est pas tromper ». Il me rendait furieuse ! Mais nous savons combien il nous aime.

Elle se tait et s'essuie les yeux avec ce genre de grands mouchoirs en coton que les gens âgés sont désormais les seuls à utiliser.

— Vous aussi, Marna, vous êtes une de ses femmes. Il vous aime aussi.

Je pleure, le visage dans mes mains.

— Tenez, ma chérie, dit Alene en mettant son mouchoir humide dans ma main. Vous avez fait de votre mieux. Le docteur a dit...

— Je sais.

Le jour même de l'attaque d'Harvey, j'avais enfilé un short en vitesse pour suivre l'ambulance à l'hôpital. Le médecin m'a assurée que, s'il y avait des lésions cérébrales, elles seraient causées par l'attaque, pas par le séjour dans l'eau. La privation d'oxygène avait été causée par l'embolie cérébrale, pas par l'eau dans les poumons. D'ailleurs, a-t-il ajouté, il y avait très peu d'eau dans les poumons, ce qui est surprenant dans un tel cas. Il supposait qu'à cause de l'attaque les fonctions respiratoires d'Harvey s'étaient arrêtées pendant son séjour d'une minute dans l'eau. On ne pouvait donc pas parler de noyade au sens strict du terme. Plutôt désagréable à entendre. Ça revenait à dire que j'avais sauvé un homme déjà mort.

Je reste aux côtés d'Alene pendant plus d'une heure. Parfois, nous gardons le silence ; parfois, elle me pose une question sur mes cours de natation, me demande des nouvelles des élèves qu'elle connaît. Au moment où je pense à prendre congé, elle se lance :

— Harvey m'a dit que votre mari ne vous mérite pas.

Elle dit cela comme une mère qui cherche à secouer un peu sa fille.

— Il dit qu'il part tout le temps en voyages d'affaires, plusieurs semaines d'affilée.

Un autre flot de larmes me monte aux yeux, aussi brutal que l'inondation qui hante la mémoire de Laurel. Je lâche la main d'Alene et je me lève.

— Je dois y aller. Je suis désolée, Alene.

— Vous savez, après la dernière attaque d'Harvey, le docteur nous a dit de nous préparer au pire. Harvey ne l'a pas pris au sérieux.

Elle pose la main sur le bras d'Harvey et le caresse doucement.

— Il n'en a fait qu'à sa tête, comme d'habitude. Mais moi, je me suis préparée à le perdre, Marna chérie. Quand c'est arrivé, j'étais prête.

Elle glisse son mouchoir trempé dans ma main.

— Tenez, gardez-le.

Quand je franchis la porte, elle me dit, d'une voix ferme et sereine :

— Nous vous avertirons, Marna. Quand nous prendrons la décision. Et pour les funérailles. Nous y tenons beaucoup.

~~~

J.W. veut que nous parlions.

— Peu importe de quoi, dit-il en m'asseyant sur le divan à côté de lui, mais deux personnes qui continuent à vivre sous le même toit doivent être capables de se parler.
~~~

— Je ne sais plus où j'en suis avec toi, Marna.

Il parle comme si c'était moi qui m'étais égarée en chemin. Je ne sais jamais quoi dire à mon mari quand il réclame de moi l'impossible. Pourquoi s'attend-il toujours à ce que je réchauffe son dîner, à ce que je trouve ses chemises ? Parce que je l'ai toujours fait.

— Allons, Marn.

Il lève mes lunettes et les place sur le sommet de ma tête. Quand nous étions adolescents, cela voulait dire que nous allions échanger un baiser. Aujourd'hui, je ne sais plus ce que veut dire ce geste.

— Je ne la vois plus, Marn.

Je repousse la main posée sur ma joue.

— Oh, J.W., penses-tu que cela ait amélioré les choses entre nous ?

— Non, chérie. Je suis désolé. Regarde-moi, je suis vraiment désolé.

Je veux bien le croire. Il est désolé de me faire mal. Désolé qu'il n'y ait pas de lait ou de café à la maison. Désolé parce que la soumission pour la petite compagnie d'Anderson a mal tourné. Il se peut aussi qu'il soit désolé de ne plus la voir. Comment savoir ? Et comment le lui dire ? Lentement, je cherche mes mots.

— Moi aussi, je suis désolée. Désolée de ne pas être partie en Indiana au lieu de rester à Sacramento avec toi.

— Qu'est-ce que tu dis ?

— Ce que je viens de dire. J'aurais pu poursuivre ma carrière de mon côté.

— En Indiana ? Tu aurais pu nager dans l'équipe de l'Indiana ?

— Je ne t'en ai jamais parlé.

— Qu'est-ce que ça signifie, Marna ?

— Que moi aussi j'ai renoncé à quelque chose pour toi. Pour cette maison, pour cette vie. Cela m'a coûté cher, J.W.

— L'Indiana ! Pourquoi ne pas m'en avoir parlé ?

— Comment aurais-je pu faire autrement ? Tu aurais pris la décision pour moi, pas vrai ?

— Tu es injuste. Je croyais en toi comme nageuse.

— Oui, quand je raflais les médailles d'or aux Jeux régionaux ! Mais crois-tu en moi maintenant, en cette pauvre Marna qui passe sa vie à barboter au Y en compagnie d'une bande de vieux gâteux ?

Je fonds en larmes de nouveau.

— Pas étonnant que tu aies une liaison... Je respire l'ennui, hein, J.W. ? J'ai toujours été ordinaire, ennuyeuse, sans surprises...

— Non, Marn, non.

Il caresse mes cheveux et me prend dans ses bras. Peut-être qu'il pleure, lui aussi. Serrés l'un contre l'autre, nos corps retrouvent les gestes de l'amour. J'ai toujours pensé que c'était ce que nous faisions de mieux ensemble.

Mais cette fois, il y a quelque chose de doux-amer, comme une excuse déguisée. Peu importe après tout que nous fassions l'amour motivés par un besoin qui n'a rien à voir avec le cœur. On dit qu'en temps de guerre les gens se jettent à corps perdu dans l'érotisme pour éloigner la mort et la solitude. C'est peut-être ce qui m'arrive. Quant à J.W., il paye peut-être ainsi une dette involontaire. La dette de l'Indiana.

Quand nous nous rhabillons sans un regard l'un pour l'autre, je préfère interpréter cela comme une chance inattendue.

Je n'ai pas encore abandonné la partie.

J'ai rendez-vous avec Laurel dans la Promenade des marchands, sous un ciel bleu intense de la couleur des yeux de J.W., un ciel qui est une promesse de bonheur. Les branches touffues des sycomores couvrent de leur ombre le banc où nous nous asseyons pour boire un déca et flâner un peu avant de planifier la journée. L'écorce grisâtre des troncs pèle en légers copeaux qui découvrent un bois d'un blanc crémeux comme la peau d'un nouveau-né. Tout en écoutant Laurel, je joue avec des morceaux d'écorce tombés à terre. J'essaie de les tresser comme des rubans, mais ils se brisent entre mes doigts.

Auburn est une jolie ville qui a la chance d'être épargnée par la prolifération des centres commerciaux géants, une calamité qui a enlaidi Roseville et la plupart des villes moyennes de Californie. Pourtant, Roxie a applaudi quand le premier centre commercial de ce genre est sorti de terre. Elle aimait l'idée de pouvoir disposer d'une trentaine de magasins sous le même toit, même si elle ne faisait que passer de l'un à l'autre, regardant un soutien-gorge ou une paire de sandales en fronçant le nez à la vue du prix sur l'étiquette. Quand je suis devenue adolescente, elle choisissait un vêtement dans les rayons et le tenait devant moi en disant : « Ça serait parfait pour toi, Marna, si c'était trois fois moins cher. »

Elle m'a si bien dressée que, quand je vais faire des courses pour moi, il me semble que je retiens mon souffle jusqu'à ce que l'achat soit conclu. Je n'ai pas cette vanité légitime qui pousse une femme à s'habiller avec goût. Ce qui n'est pas le cas de Laurel ; je constate qu'elle privilégie l'esthétique plutôt que le fonctionnel, convaincue que quelque part, dans une boutique, la robe parfaite qu'elle mérite l'attend sur son cintre. Qu'elle porte un pantalon, un tailleur ou même un short, Laurel a toujours des vêtements choisis avec soin pour mettre sa beauté en valeur. Elle sait que cela vaut la dépense. Je commence à comprendre, grâce à elle, qu'il y a une sorte de vanité qui est loin d'être un trait de caractère négatif. Disons que, bon, elle espère se faire aimer du monde entier. J'envie ça.

Je ne me souviens pas que Roxie m'ait dit une seule fois : « Cette robe est parfaite pour toi, Marna. Horriblement chère, mais elle le vaut. Elle sera splendide sur toi. » C'est exactement ce que Laurel m'a dit en passant devant les vitrines des *Folies de Jenny*. En entrant dans la boutique, nous avons laissé le passage à une cliente d'une certain âge qui sortait, tenant contre sa poitrine un énorme sac violet. « Excusez-moi, mesdames », a-t-elle dit avec un sourire. Elle a dû se demander pourquoi cette étrange fille à lunettes fixait le sac qu'elle transportait, parfait jumeau de celui que j'ai fini par jeter à la poubelle avec la mystérieuse chemise neuve de J.W., le jour où j'ai décidé de reconquérir mon mari, à ma manière et à mes propres conditions. Il y a des *Folies de Jenny* dans tout l'Ohio, de Cincinnati à Dayton en passant par Columbus. Rien ne prouve qu'elle habite notre ville. D'ailleurs, c'est impossible. J.W. ne m'aurait jamais fait une chose pareille.

Laurel me pilote jusqu'à la vendeuse, une petite femme coiffée d'un parfait casque de cheveux noir corbeau.

— La longue robe noire, lui dit-elle. Celle qui est en vitrine, avec des coquelicots. Quelle taille, Marna ?

— Oh, je ne sais pas trop. Du quatorze, je crois.

Je choisis une robe en jeans, style western avec des incrustations en pierres du Rhin sur les revers, portée par un mannequin punk aux cheveux verts.

La vendeuse me regarde, un sourcil levé.

— Marna, c'est impossible que tu fasses du quatorze, objecte Laurel.

Elle se tourne vers la vendeuse.

— Pourriez-vous nous trouver un douze et un dix ? Il vaut mieux que nous... enfin qu'elle essaie plusieurs tailles.

Puis elle me gronde :

— Bas les pattes, Marna ! Écarte-toi de ce truc en jeans.

— Je ne sais pas quelle taille je porte !

Tandis qu'elle me pousse vers la cabine d'essayage, je me défends mollement. Imperturbable, elle accroche la robe aux coquelicots, recule d'un pas puis sort en refermant derrière elle la porte à claire-voie.

— Marna, tu as trente-six ans. Comment peux-tu ignorer encore quelle taille tu fais ?

Je fais glisser mon short.

— J'ai mon truc. Je marche à l'œil. Et arrête d'espionner à travers les fentes.

— Je n'espionne pas, je supervise. Hé, coach, je ne veux pas verser dans la critique, mais ton système visuel ne marche pas du tout. Et je t'interdis de loucher vers quoi que ce soit en denim.

J'enfile le douze. C'est vraiment une jolie robe : longue, sans manches, dans un tissu fin et moelleux piqué de magnifiques coquelicots dorés. Je n'ai jamais porté pareille splendeur.

— Es-tu prête, Marna ? dit Laurel en frappant trois coups à la porte de la cabine d'essayage.

— Je crois. Viens m'aider avec la fermeture éclair.

Laurel tourne autour de moi, pinçant l'étoffe autour de la taille.

— Ce n'est pas ta taille, mon chou. C'est quoi, celle-là ?

— Le douze.

— Marna ! tu portes du quatorze depuis des années alors que ta vraie taille, c'est le dix ! Tiens, essaye-le.

Cela dit, sur un ton de sous-officier dirigeant l'exercice, elle baisse ma fermeture éclair et repasse la porte.

— Roxie achetait toujours des fringues deux fois trop grandes pour moi. Par mesure d'économie. Parce que je grandissais trop vite.

La porte s'ouvre, Laurel me regarde en secouant la tête d'un air incrédule. Je dois vraiment lui paraître pathétique.

— Marna, ma douce.

Elle me fait asseoir sur le petit banc. J'obéis.

Laurel s'agenouille et lève les yeux.

— Marna, ça va être dur à encaisser, mais il faut bien que quelqu'un te le dise.

J'attends.

Laurel prend une profonde inspiration, puis expire en tapotant mon genou :

— Ta croissance est terminée.

On éclate en chœur d'un rire si tonitruant que la vendeuse entrebâille la porte. Laurel est écroulée sur le sol de l'étroite cabine, et moi j'en pleure, assise sur le banc en sous-vêtements et en chaussettes, essuyant des larmes sur mes joues. La vendeuse se raidit à ce spectacle. Il est clair qu'à ses yeux notre comportement ne cadre pas avec l'ambiance feutrée des *Folies de Jenny.* Elle bat en retraite, le dos raide, et Laurel lui lance :

— Ne vous en faites pas, on prend la robe.

Le dix me va comme un gant. Laurel siffle en remontant la fermeture éclair. Dans le dos, l'étiquette griffée dépasse comme un petit fanion triomphant. Laurel la remet en place, repousse mes boucles vers l'arrière.

— Et maintenant, Marna, opération coiffeur.

Il existe en Californie un insecte à mi-chemin entre la libellule et le hanneton qui fait sa mue en été, abandonnant sa vieille carapace comme de fragiles coquillages sur les rochers et les bancs de sable des rivières. Après avoir grandi et pris des forces au soleil de l'été, il se glisse hors de sa peau aussi facilement que j'ai laissé choir sur le sol mon short kaki et mon tee-shirt fatigué. D'un sursaut rapide, il se dégage de son ancienne forme et s'envole vers le soleil qui fait briller ses ailes translucides. Je me sens ainsi dans cette robe. J'ai abandonné la carapace de l'ancienne Marna et déployé des ailes qui peuvent m'emporter vers le soleil. La robe neuve glisse sur ma peau, frôle le sol et soulève un gracieux bouquet de coquelicots tandis que je parade devant Laurel.

— J.W. ne va pas me reconnaître.

J'ai dit ça à voix basse en me contemplant devant le miroir, et aussitôt je m'en mords les lèvres. Heureusement, Laurel n'a pas l'air de m'avoir entendue.

— Tu m'écoutes, Laurel ?

— Je ne fais que ça.

— Tu crois vraiment que ça va m'aller ?

La coiffeuse émet un murmure désapprobateur et me redresse le menton.

— On ne bouge pas la tête, dit-elle en alignant ses ciseaux sur les premières mèches.

Laurel ferme le magazine qu'elle feuilletait.

— Contrairement à une opinion très répandue, dit-elle d'un ton doctoral, l'apparence d'une femme n'est pas un facteur de succès déterminant dans ses relations avec les hommes.

— Tu parles comme un livre.

La coiffeuse fronce les sourcils.

— C'est plus simple que ça, Marna. J'ai beau détester le jargon de la pop psycho, il faut reconnaître que ce qui compte, c'est la manière dont une femme, une personne en général, se perçoit elle-même.

— La confiance en soi, renchérit la coiffeuse.

Laurel hoche la tête.

— C'est tout à fait vrai, ajoute la coiffeuse. Cette nouvelle coupe va le mettre K.O. ! Le chauffer au rouge ! L'exciter comme lion en rut !

— Taisez-vous, vous deux, crie Laurel.

Elle se tourne vers moi.

— Marna, dit-elle doucement, c'est simplement agréable de se refaire une beauté. Pour son plaisir à soi. Mais ça ne changera pas le moindrement ce que tu es. Tu le sais bien, n'est-ce pas ? Ta nouvelle robe, ta nouvelle coiffure, rien de tout ça ne résoudra tes problèmes avec ton mari. Tu comprends ça, dis-moi ?

— Oui, docteur Freud, dis-je, au garde-à-vous.

Un peu plus tard, au moment où je paie à la caisse tandis que Laurel m'attend dans la rue, la coiffeuse me glisse à l'oreille :

— Prochain arrêt : la lingerie Frederick. On y trouve de ces amours de soutiens-gorge... Prenez du noir.

Elle désigne ma poitrine :

— Mettez vos atouts en valeur, c'est un conseil d'amie !

Elle me décoche un clin d'œil, et je lui glisse dans la poche un pourboire presque aussi élevé que le total de la coupe, de la coloration et de la mise en plis.

Les mains chargées de paquets, nous descendons la rue Hamilton. En passant devant le magasin de sport, j'arrête Laurel.

— On pourrait entrer une minute? Il me faut de nouvelles lunettes de plongée.

— Bien sûr, dit-elle.

Elle hésite, figée devant la vitrine. On y voit tout un assortiment de bikinis aux couleurs vives disposés sur des palmiers miniatures. En arrière-plan, une affiche géante montre une mer turquoise dont les vagues roulent sur le sable blanc d'une immense plage des Bahamas. Je la sors de sa contemplation en la poussant avec mon sac des *Folies de Jenny.*

— Ce serait chouette de nager dans cet océan.

— Jamais je ne serai capable de nager dans l'océan.

— Tu disais ça de la piscine...

— L'océan, jamais. Pas cet océan.

Laurel dit parfois des choses qui me rendent têtue comme une mule, prête à tout pour renverser sa détermination à se poser en vaincue. D'ailleurs, je deviens de plus en plus têtue ces temps-ci. C'est ce que je me dis en attrapant du coin de l'œil mon reflet dans la vitrine. Entêtée à reconquérir J.W. Entêtée à poursuivre cette amitié si bizarrement équilibrée. Entêtée à empêcher ces maillots deux-pièces de nous narguer.

— Laurel, on va toutes les deux s'en acheter un.

— Bien sûr, Marna, bien sûr.

— Je parle sérieusement. On s'achète chacune un bikini.

— Où diable veux-tu qu'on ait l'occasion de le porter à Auburn?

— Aucune importance.

— Alors pourquoi?

— Tu sais que, quand une personne veut maigrir, elle s'achète un pantalon trop petit...

— Question silhouette, on vient de régler ton cas, Marn.

— Parlons plutôt du tien, Laur. On va s'acheter ces deux-pièces parce qu'un jour tu vas nager dans l'océan. Ce sera notre but commun. Tiens, celui-là, jaune avec des fleurs noires. Voilà le tien.

— Que le ciel me protège!

— Tu n'as pas besoin du ciel. Je suis là.

On s'installe pour le dîner à la terrasse du *Café Hamilton.* Laurel me taquine à propos de mes goûts vestimentaires.

— Denim californien pures années 70, ironise-t-elle.

Nous rions ensemble de la nécessité de faire ensemble un voyage à Paris pour trouver des vêtements dignes de nous. Quoique, prétend Laurel, je serais capable de n'en rapporter que des survêtements, des talons plats et des lunettes de plongée.

Une fois nos sandwichs avalés, nous lézardons au soleil en sirotant un café. La conversation prend un tour plus sérieux, comme cela arrivait souvent entre Debbie et moi. On parle de nos mères, qui nous rendent dingues pour des raisons différentes. Puis on en vient à échanger des confidences sur nos hommes.

— Ils ne nous méritent pas, dit Laurel.

Je lui avoue que J.W. et moi dormons de nouveau dans le même lit. Elle me dit que Jake revient toujours dans ses fantasmes.

— C'était un bon amant, dit-elle en détournant les yeux et en rougissant.

Elle dit qu'elle ne pourrait pas reprendre une liaison fondée sur un mensonge, mais j'entends dans sa voix quelque chose de plus que le regret d'avoir perdu un bon amant, un espoir qu'elle cache de peur qu'il soit déçu. Le soleil fait briller ses cheveux, de minuscules diamants se balancent à ses oreilles. Marié ou pas, comment un homme pourrait-il ne pas aimer Laurel à la folie? C'est le genre de fille pour laquelle un homme quitterait sa femme.

Si j'étais un homme, je le ferais.

~~~

J.W. n'est pas un dragueur. Il ne l'a jamais été. Mais quand il entre dans la cuisine, je sens son regard dans mon dos, réchauffant ma nuque dénudée par ma nouvelle coupe.

— Tu veux du vin? lui dis-je en tournant la salade — jeunes haricots verts et tomates cerises.

— Va pour le vin. Je m'en occupe.

Il se colle contre moi pour attraper les verres et me caresse les cheveux.

— C'est très beau, Marna. Ça change ton visage.

« Un point pour moi, Laurel, me dis-je. Je peux changer la manière dont il me voit. Et ce n'est pas fini. »

— J.? Le barbecue est prêt. Peux-tu faire griller les steaks?

On mange sur le patio, à la mode californienne. J.W. s'informe de la famille d'Harvey. Il propose de m'accompagner dimanche aux
~~~

funérailles. Je lui dis que cela fera sûrement très plaisir à Alene, mais je ne lui dis pas quelle importance sa présence aura pour moi. N'est-ce pas le symbole d'un mariage intact quand un couple apparaît ensemble à la plus solennelle des cérémonies ?

— Alors, tu as dévalisé les magasins ? finit-il par dire, comme s'il avait attendu le dessert pour laisser percer sa curiosité.

Je pose mon couteau sur l'assiette, lame à l'intérieur, comme Olive me l'a appris.

— Avec une amie. Tu sais, celle avec qui je suis allée à Cincinnati ?

— Qui est-ce ?

— Quelqu'un à qui je donne des leçons particulières au Y.

J.W. termine son verre. Soudain, j'ai envie de lui parler de Laurel, de lui faire comprendre que je suis importante pour elle, que nous sommes amies, que mon métier a de l'importance pour au moins une personne. Je lui raconte son histoire depuis le début : la noyade de Tim, son frère, dans une inondation, sa lutte contre sa phobie de l'eau. J'omets simplement de mentionner l'amant marié. Il risquerait d'en conclure que j'incline à l'indulgence.

— Comment s'appelle-t-elle ? me demande J.W. quand j'arrive au bout de l'histoire.

La nuit d'été vient de tomber. Les braises dans le barbecue luisent comme de petits yeux rouges. Mon mari a tourné la tête ; son visage est plongé dans l'ombre. Il fait semblant d'être poli. Il oubliera sans doute le nom sur-le-champ, mais tant pis.

— Elle s'appelle Laurel McArthur. Excepté pour la natation, c'est la personne la plus parfaite que j'ai jamais rencontrée.

Laurel

— Quand est-ce que tu me ramèneras Jake ? demande maman dans un geignement qui me rappelle Tracy même si elle est occupée à retourner des pommes de terre sautées d'un poignet agile et exercé. L'odeur âcre et mordante de l'oignon emplit l'air de la cuisine dans la chaleur étouffante de juillet. Maman a un climatiseur mais elle refuse de s'en servir. Elle me regarde, ses sourcils bruns passés au crayon froncés en des lignes onduleuses. Ses cheveux sont uniformément gris et, ce soir, son allure et sa voix sont bizarres ; le gris et le brun sont mal assortis. C'est probablement l'angle de la lumière, auquel je juge qu'on approche de dix-huit heures, alors que la pendule de maman indique seize heures trente.

— Ce n'est pas la bonne heure ça, maman, hein ?

Je lève le poignet par réflexe mais j'ai laissé ma montre sur la commode de ma chambre.

— Qu'est-ce que tu as fait de Jake ? Je lui aurais demandé de réparer la pendule.

Elle porte une robe d'intérieur sans forme en indienne rose et bleue, boutonnée sur le devant, comme celle de ma grand-mère dans mon souvenir.

Je bredouille :

— Mais, enfin, je peux le faire, moi !

Trois longues enjambées jusqu'à la cuisinière et ma main est sur le bouton de réglage de la pendule ; puis je me souviens que je ne sais pas l'heure exacte et je suis forcée de la retirer.

— Tu vois bien ! dit-elle triomphante.

Il y a tellement de choses qu'elle ignore. Le chagrin finira par tous nous noyer.

— Je te l'ai dit, maman? Je suis des cours de natation, dis-je en sachant pertinemment que je ne lui en ai pas parlé.

C'est à Jake seul que j'avais voulu en faire la surprise, comme quand on s'imagine pouvoir réserver à un seul être tout le plaisir rattaché à une chose si on ne le partage avec personne d'autre. En réalité, bien sûr, on ne fait que thésauriser pour soi — pour ne pas diluer à l'avance en voyant les réactions des autres la joie ressentie devant le plaisir de quelqu'un. C'est ce qu'on appelle l'intimité et, en ce moment, c'est la dernière chose que je désire.

Je m'attends qu'elle soit contente. Après tout, elle et papa ont essayé à maintes reprises de m'immerger dans la piscine municipale. Mais j'ai sous-estimé ce poids des ans qui l'a confinée en elle-même.

— Oh, mon Dieu, dit-elle, le front creusé par des rides inquiètes, comme des sillons parallèles et réguliers. Tu es sûre que ce n'est pas dangereux?

Elle retourne au travail de sa pâte. Des bribes en sont restées collées à ses mains et je pense à ces lambeaux de passé accrochés à son âme et à la mienne.

— Mais non, maman, c'est sans risque.

Voilà où en est la communication entre nous : elle fait une tarte ou des petits biscuits au citron, ou encore ses lasagnes aux épinards, en assez grande quantité pour m'en faire remporter la plus grosse partie emballée avec soin dans du plastique; et moi, je garde à l'intérieur tous mes doutes.

~~~

Il y a deux ou trois semaines, quand j'ai parlé à Marna du représentant qui avait fait irruption dans mon bureau au cours de ma séance avec Tracy, elle s'est raidie et inquiétée avec moi. Nous nous étions attardées après une leçon et assises sur le bord du bassin pour parler, des serviettes autour des épaules et les jambes ballantes. Elle insistait pour s'identifier à Tracy, malgré tous mes efforts pour lui expliquer la différence entre rôle et identité.

— Enfin, Marna, cacher ses pilules, ce n'est pas la même chose.

— Mais c'est bien une partie cachée de moi, ça, et pas la personne que les gens voient quand ils me regardent. Tu ne comprends pas? J.W. m'a donné une existence, mais je ne suis pas la femme qu'il a faite de moi... À l'intérieur, je ressemble plus à la petite fille
~~~

que j'avais toujours été. Alors, je ne me sens pas « vraie ». Tu ne crois pas que c'est le cas aussi pour Tracy ?

— Tout le monde se sent un peu comme ça.

J'ai secoué la tête et posé ma main sur la sienne.

— Tu sais, toi, que tu as un secret, c'est ça la différence. Tu agis intentionnellement. Tu as tes raisons.

Il y a une telle gentillesse chez Marna ; même après avoir compris cette différence, elle m'a redemandé comment Tracy s'en sortait. Je lui ai finalement assez bien expliqué que Tracy, même malade, pouvait mener une vie apparemment normale. Les gens atteints de ces troubles ont parfois l'intuition de l'arrivée possible d'un *alter ego* et, le sentant venir sur eux comme un fantôme, ils savent quand le repousser et rester maîtres d'eux. Habituellement, ce double naît d'un traumatisme infantile trop accablant pour qu'ils s'en souviennent consciemment.

Or, il est toujours là, caché. Une partie de la psyché se le rappelle et donne naissance à une autre personnalité, celle-là capable d'engranger l'expérience et de protéger du traumatisme la personnalité originelle. Plus tard dans la vie, il se peut qu'un événement remue les vieux souvenirs, comme une cuillère soulève le dépôt au fond d'une marmite de ragoût qu'on a laissé mijoter trop longtemps. Peut-être que le traumatisme remonte alors suffisamment loin dans le passé, que les risques se sont réduits suffisamment pour que la personnalité cachée puisse commencer à réclamer de l'aide ou une reconnaissance. C'est parfois ce qui entraîne les crises d'angoisse, cet appel d'un passé qui refuse de rester enterré plus longtemps.

La souffrance que ressent Marna concernant son mari m'inquiète. Elle se sent coupable pour Harvey et elle le pleure. Pendant mes leçons, elle est concentrée sur son travail. Elle me fait maintenant traverser le petit bain en battant des jambes, une planche au bout des bras ; ce n'est pas joli, surtout avec le cou tendu hors de l'eau, mais je le fais. Après, nous mangeons ensemble et je retourne au bureau. Elle prépare souvent quelque chose pour nous deux, une salade au poulet, avec des cornichons à l'aneth, enveloppés à part pour leur garder leur croquant et qu'elle sort bien frais du réfrigérateur du YMCA. Nous emportons sur la table de pique-nique son sac en papier plein à craquer avec les Coca-Cola sans sucre et les chips que j'achète aux distributeurs automatiques, et nous allongeons les jambes au soleil pendant qu'elle parle de J.W. Cette année, le mois de juin a été frais comme un printemps et la petite roseraie autour du patio cimenté du YMCA est toujours fleurie : des roses de la paix, jaunes aux pétales ourlés de rose, y embaument l'air d'une légère odeur piquante, comme celle du citron dans le miel. Quelquefois Marna pleure un peu et je passe mon bras autour de ses épaules.

Aujourd'hui, elle a enfilé un short et un tee-shirt kaki au-dessus de son maillot parce qu'elle y retourne un peu plus tard pour remplacer Sa Majesté impériale, malade. Toujours indécise, elle me reparle de J.W., bien qu'à ses paroles je devine que son mari n'a encore rien dit d'assez précis pour aggraver son désespoir ou prolonger son espoir. Ils font l'amour, et alors ? C'est loin d'avoir autant d'importance qu'elle le dit.

— Parfois, il vaut mieux lâcher prise, laisser aller les gens, dis-je, reprenant ma ritournelle de ces derniers temps.

— Tu ne comprends pas, Laurie. Je ne peux pas. J'ai passé ma vie entière à... à l'étudier, à le mémoriser. Il me comble. C'est le seul homme pour moi. Il est parfait.

Elle essaie de s'en convaincre tout en parlant.

— Je sais. Tu me l'as déjà dit. Mais ça n'est pas très réaliste. Ce qui se passe entre vous en ce moment, c'est loin d'être parfait, non ? Personne n'est parfait. Tu es bien meilleure, bien plus forte que tu ne croies.

Marna secoue la tête. Ses boucles sont toujours aplaties sur son crâne, mais celles du dessus ont séché et le soleil leur donne un éclat doré.

— Tu ne crois pas que c'est justement ça, l'amour : avoir l'impression que l'autre est parfait ?

Je marque un temps pour réfléchir à cette phrase. Tout ce que j'ai appris me souffle que non, que les choses se passent différemment ; je sais que ça ne fonctionne pas quand on octroie toutes les perfections à quelqu'un. Mais je dois l'admettre : Jake était parfait à mes yeux, du moins quand j'étais avec lui. Je suis obligée de constater que l'amour nous force à nier l'évidence. Marna profite de son avantage acquis.

— Pense à Jake, dit-elle. Tu sais qu'il est marié et tu continues à voir en lui l'homme parfait. Tu serais avec lui en un battement de cœur si tu pouvais.

Je souris d'un air désabusé.

— C'est vrai que je ne lui vois aucun défaut, à part un petit éclat au coin d'une de ses incisives.

~~~

Nous nous remettons lentement de l'intrusion du représentant, Tracy et moi. Je m'applique à recréer sa confiance, essayant de lui faire dire la cause de sa terreur. Je lui demande une nouvelle fois :

— Avez-vous cru qu'il pourrait vous faire du mal ?

Pas de réponse de Tracy, qui aujourd'hui regarde résolument par la fenêtre. En fait, ses traits se tordent exactement comme j'ai cru voir ceux de Marna le faire quand je lui ai donné ce détail sur la dent de Jake, comme si c'était moi qui voulais lui faire du mal. Mais j'ai dû me tromper pour Marna. Elle, au moins, elle sait ce qu'elle fait.

Tracy a arrêté de travailler pour quelque temps, me dit-elle. Rick est déçu qu'elle refuse d'aller faire du camping avec lui, mais il la soutient même s'il ne comprend pas. (Tracy m'a dit — du ton cynique occasionné par les blessures encore à vif — que Rick était une perle rare.)

Le bâtiment craque — un bruit anodin ; Tracy sursaute exagérément et se blottit de nouveau dans son fauteuil.

— Veux clémentines, pleurniche-t-elle, veux clémentines.

C'est la deuxième fois qu'elle dit cette phrase et aujourd'hui, je suis prête. J'ai une pleine corbeille d'agrumes sur mon bureau, tout un assortiment de clémentines, de mandarines, de tangerines et d'oranges. Je me retourne et prends à deux mains dans le panier une bonne quantité de fruits, que je pose dans mon giron sur ma jupe étendue. Elle est en coton noir imprimé avec de petites fleurs jaunes et, quand j'ouvre les genoux pour y recevoir les fruits, ils y forment avec le dessin de ma jupe un camaïeu jaune orangé.

— J'ai beaucoup de clémentines, dis-je. Tu peux prendre ce que tu veux. Bon. Ne sursaute pas. Je vais m'approcher de toi. Tu pourras te servir.

Je me lève en tenant par deux bouts ma longue jupe déployée, comme un filet retenant un chargement précieux, et rapproche le
~~~

butin de Tracy petit à petit. Elle tient bon et regarde dans ma jupe, puis se détourne et pleure.

— Pas clémentines... dit-elle.

— Mais si, tout va bien. C'est bien des clémentines. Regarde, il y a aussi des mandarines et des oranges. Qu'est-ce que tu préfères ?

Je ne suis pas certaine que ma technique soit la bonne car j'improvise, mais je suis persuadée de devoir montrer à cette petite fille cachée dans un corps de femme qu'elle peut s'adresser librement à moi. Quoi qu'elle me demande, j'ai pensé que ça lui donnerait confiance : elle verrait qu'elle peut exprimer ses désirs avec des mots et obtenir satisfaction. (Le psychiatre que je consulte a secoué la tête et haussé les épaules quand je lui en ai parlé. « Pas mal comme idée, a-t-il dit. J'aurais voulu y penser moi-même. »)

« Il ne faut pas attendre de sa compagnie d'assurances qu'elle nous rembourse pour les kilos de fruits achetés hors saison, je suppose », avait commenté Janet en me regardant par-dessus ses lunettes comme je lui donnais le reçu.

C'est la période creuse de l'été et elle a constamment peur de ne pas rentrer dans ses frais.

« Non, mais vous pouvez déduire ça des impôts. Si on ne peut pas se payer vingt dollars de fruits, c'est que ça va vraiment mal », avais-je répondu.

J'étais sûre d'être dans le vrai, pour cette fois seulement. C'est Janet qui mène la barque ici, mais elle s'arrange pour me laisser croire que je suis le chef.

« Estimez-vous heureuse qu'elle n'ait pas demandé un vélo.

— Ou une maison, a marmonné Janet.

— Je paierai le prix qu'il faudra. »

J'étais allée trop loin avec Tracy pour reculer maintenant, même si je me posais encore beaucoup de questions. « Qu'est-ce qui m'échappe là-dedans ? » C'est la phrase que je répète toujours quand je raconte mes déboires à Marna. La dernière fois, elle avait passé le bras dans mon dos. « Tu vas trouver », avait-elle dit et j'avais même failli la croire à ce moment-là. Mais pour l'instant, les réponses — et Marna — me sont aussi inaccessibles que l'ombre d'un fantôme.

Tracy ne jette même pas un second coup d'œil au spectre de ma jupe offerte. Elle pleure et se recroqueville pour se faire toute petite.

— Plus clémentines... plus là... parties.

Je m'efface, aussi troublée par mes propres personnalités multiples que par celles de Tracy.

~

Il y a plusieurs personnalités en chacun de nous ; certaines sont mieux cachées que d'autres, c'est tout. Il suffit de savoir qu'elles existent. Cette lucidité est le seul trait de caractère qui distingue le commun des mortels de Tracy. Ça et savoir à quelle personnalité se fier, à quelles oreilles et à quels yeux. Ceux de la psychothérapeute, qui, pendant que nous parlions de défauts, ont lu sur le visage de Marna cette haine soudaine rappelant le vilain éclair aperçu une première fois quand j'avais sollicité ses leçons. Ou ceux de la nageuse, de la femme qui a parcouru tellement de chemin, qui donne sa confiance et sait en recevoir, qui aime et qu'on aime et qui ne vacille pas pour une expression étrange qu'elle pense avoir surprise sur le visage de son amie. Ma pauvre Marna, qui doit vivre tenaillée par ce manque de confiance en elle ! Pas étonnant qu'elle ait tellement de choses à cacher, qu'elle ne puisse pas s'imaginer suffire à son mari si elle ne lui donne pas d'enfant. Je suis la seule personne à qui elle se soit confessée de ses secrets : Roxie, la chance envolée des Jeux olympiques, les mensonges de son mari, la cachette de pilules dans le placard à linge, le dernier rempart de son mariage. Elle me fait confiance, à moi qui ne suis pas sa thérapeute mais son amie, et c'est aussi nouveau pour moi que pour elle, cette confiance mutuelle. Il faut que je l'appelle dès que mon dernier patient sera parti pour convenir d'un rendez-vous au restaurant. Je dois lui raconter que Tracy demande des clémentines pour les refuser ensuite.

~

Tracy a une notion du temps surprenante (un peu comme moi) qui la rend capable de juger du moment où elle doit redevenir l'adulte. C'est presque chaque fois cinq à dix minutes avant l'heure, car il lui faut quelques instants pour se réorienter. Elle ne se souvient ni de ses paroles ni de ce qui est arrivé, et ne pose pas de questions, comme si elle se savait incapable d'entendre les réponses. Il n'est pas encore temps de la précipiter dans la conscience. Qu'il s'agisse d'une patiente ou de sa meilleure amie, je sais maintenant qu'il est impossible de faire admettre une vérité à quelqu'un qui n'est pas prêt pour ça.

Tracy secoue un peu la tête, soupire, change de position dans le fauteuil rembourré beige. Accroché au mur au-dessus d'elle, il y a un canevas au point de croix représentant un oiseau, dans les tons brun et vert doux avec un peu de bleu sur du crème. C'est ma mère qui l'a brodé pour moi, ayant choisi de mémoire les couleurs pour aller avec celles de mon bureau, et sans utiliser le fil fourni dans la boîte, dont les teintes étaient trop vives. J'avais toujours cru y voir un oiseau dans la forêt, mais je découvre tout à coup que le tapis de feuilles à l'arrière-plan est en fait une eau d'un vert bleuté. Ou peut-être que ce sont des feuilles finalement. J'y vois toujours des feuilles si je veux.

À l'heure habituelle, j'observe Tracy revenir presque instantanément, d'après un changement radical dans sa posture. Une idée me tourmente.

— Vous pouvez rester encore une minute ?

Tracy a un air craintif. Elle finit par lâcher un « Oui » flanqué d'un point d'interrogation. C'est la fin de ses vacances mais elle ne donne pas l'impression de s'être reposée. Elle a des cercles sombres creusés autour des yeux, comme une chouette. Avec son short et ses sandales, sans maquillage, elle ressemble plus que jamais à une petite fille. Malgré les antidépresseurs que mon collègue psychiatre lui a prescrits, elle continue à maigrir, ce qui lui donne des airs d'enfant martyre.

— Comme ça vous pourrez peut-être éviter la pluie, dis-je pour essayer de détendre l'atmosphère.

Dehors, il pleut des cordes ; c'est l'un de ces jours implacablement noirs qui portent sur leur dos tout le poids de l'été. J'avais mis un petit vase d'œillets, de pétunias et de dahlias sur la table près de Tracy, et j'ai vu la petite fille, comme je l'appelle, les regarder et esquisser un très bref sourire, comme si c'était un acte répréhensible. Elle les a donc aimées.

— J'ai un parapluie, dit Tracy du ton laborieux et terre à terre propre à la dépression.

— Tant mieux. Bon, il manque quelques informations dans votre dossier.

Je vais devoir choisir où je mets les pieds pour ne pas risquer de lui faire peur.

— Sur votre fiche de renseignements, je vois que vous n'avez pas indiqué les noms de vos père et mère.

— Walter et Camilla, dit-elle. Pourquoi avez-vous besoin de ça ?

— Oh, pour rien, les assurances. On nous demande d'avoir des dossiers complets. Parfois, ils font des vérifications.

C'est la pure vérité, mais ce n'est pas ce qui motive mon petit interrogatoire.

— Et leurs dates de naissance ?

Elle me les donne et ajoute :

— Je pensais que... j'en avais parlé.

C'est sa première allusion directe au fait qu'une autre personnalité, dont elle ignore tout, s'exprime par sa bouche. J'y vois un bon signe.

— Non, ce n'est pas pour ça que je vous pose ces questions.

Elle acquiesce d'un signe de tête.

— Et vous ne mentionnez pas de frères et sœurs. C'est bien ça ?

— Oui. Je n'ai pas de frères et sœurs.

Je pense : « Comme Marna. Comme moi. »

— Est-ce que vous avez déjà été très proche de quelqu'un ? Une cousine, une amie ?

— Pas que je me souvienne.

— Vos parents n'ont jamais été alcooliques ni drogués ?

Elle a répondu à ces questions sur le formulaire et je m'attends à ce qu'elle m'en fasse la remarque mais, apparemment, elle a oublié. C'est bien.

— Non.

J'arrive là où je voulais en venir. Je procède rapidement et sur le mode routinier.

— Pas de mauvais traitements ?

J'avais déjà abordé le sujet, mais il arrive qu'un patient nie des événements cruciaux lorsque je les sous-entends une première fois pour finalement réussir à me les raconter plus tard. Leur réponse contient parfois des indices ou des faits « oubliés », qu'on rend à la vie par une allusion.

— Non.

Je jette un œil vérificateur sur son visage et sa posture, mais elle n'a même pas eu un battement de cil. J'ai visé à côté.

— Bon. C'était juste pour les dossiers. Merci.

J'inscris un ou deux mots sur le formulaire pincé sur une planchette, comme si je confirmais ses réponses, et le pose derrière moi sur le bureau.

Elle lance un regard à la pendule et constate que sa séance est terminée. Au moment de sortir, elle se retourne, hésitante. Je réprime un soudain mouvement d'impatience. Plus rien à donner aujourd'hui.

— J'ai… J'ai bien eu une sœur, dit-elle. Mais elle est morte. Pas de frères et sœurs donc.

Sur ces mots, elle disparaît.

Encore un secret. Quelle force ils ont pour réussir à nous engloutir ainsi dans un tourbillon irrespirable où on ne peut se fier à rien. Mais je refuse de continuer à vivre comme Tracy. J'ai appris à affronter ma peur et à confondre ma méfiance. Je n'ai connu qu'un reflux temporaire de ma confiance retrouvée quand j'avais le visage sous l'eau, dans mon vieux rêve de noyade. Je prends le téléphone pour appeler Marna. Je sais qu'il ne lui viendrait pas à l'idée de me faire du mal. Il faut que je sache comment elle va depuis la mort d'Harvey, et que je lui dise que je pense à elle. Et elle voudra sûrement entendre le secret de Tracy sur sa sœur.

~

La nausée et la terreur au ventre, je me réveille au milieu d'un cauchemar qui ne se dissipe pas, malgré mes efforts démesurés pour reprendre mon souffle et ouvrir les yeux. Ma gorge est obstruée par un corps étranger. Je suis prise dans une cataracte, entraînée vers le fond bouillonnant de la rivière.

— Tim ! Tim !

Je m'entends dire son nom et je me mets à pleurer pour la première fois depuis des années.

— Je veux Tim. Tim, j'ai besoin de toi.

Derrière mes paupières défilent rapidement des tourbillons noirs vertigineux et je sais que je suis en train de me noyer, et je sais que quelqu'un m'observe tout comme j'avais observé mon frère. Je crie :

— Tim !

J'ai l'impression que nous n'avons pas cessé et ne cesserons jamais de nous noyer tous les deux.

~

La confiance. Pourquoi ai-je rêvé que, debout là-haut sur la rive, Marna refusait de me sauver, les bras croisés, un vilain masque de pierre à la place du visage ? Deux instincts contradictoires se heurtent en moi : l'un, primaire et perverti, me souffle qu'elle veut ma mort ; l'autre, tout aussi fort, me jure qu'elle est bonne et bienveillante et qu'elle m'aime. Puis, je pense à Jake, à la confiance que j'avais en lui ; jamais je n'aurais imaginé qu'il pourrait me tromper. Quand j'étais avec lui, mon sixième sens s'exprimait aussi, me disant : « Oui, c'est arrivé, vas-y, fonce, aie confiance ». Mais je le sais : il faut écouter la voix du rêve. Il faut prêter attention au haussement d'épaules ou à l'éclair de méfiance dans le regard ; le conscient les dédaigne, mais le subconscient les analyse quand on croit dormir tranquillement.

Je me demande si c'est ce que ressentent Tracy Haltman et la petite fille cachée qui habite son corps.

Je pense pouvoir supporter de n'avoir confiance en personne. Ce qui est insupportable, c'est de ne pas savoir si je peux me faire confiance, ni quand c'est possible.

Marna

Ce que j'entends, ce qui hurle de plus en plus fort dans mon crâne chaque fois que je repasse en esprit cette scène dans la cour du Y, c'est la voix de Laurel évoquant un détail aussi familier pour moi que ma propre peau : le petit éclat qui manque à l'incisive gauche de J.W. Ce minuscule défaut, j'en ai tracé le contour avec le doigt, avec la langue. J'ai tenu la poche de glace sur la bouche tuméfiée de J.W. le jour de l'accident. Le garçon qui allait devenir mon mari jurait qu'il ne souffrait pas le moins du monde. Pendant treize ans, j'ai pris mon ton le plus enjôleur pour convaincre l'homme qui partage ma vie de faire arranger ça. « Une séance chez le dentiste, un peu de ciment et de polissage, et tu serais comme neuf », ai-je seriné. Les paroles de Laurel décrivant ce détail intime qu'elle n'a aucun droit de connaître ont pénétré mon âme à une profondeur que je ne soupçonnais pas. Elles m'ont submergée, elles ont vidé l'air de mes poumons, m'ont suffoquée.

Je ne pense pas qu'elle ait remarqué ma réaction. Quand j'ai rassemblé les restes de notre casse-croûte et trouvé une excuse pour m'éclipser, elle ne s'est pas étonnée de mon comportement.

— J'ai oublié le plan de leçon de Tom, il faut que je le récupère, ai-je dit.

En me retournant, je l'ai vue s'asseoir à l'ombre des grands ormes, cueillir une fleur à demi fanée et l'effeuiller comme une petite fille. « Il m'aime, un peu, beaucoup... » J'ai réussi de justesse à atteindre les toilettes du Y, j'ai refermé la porte à la volée derrière moi et j'ai vomi mon dîner sans avoir le temps de m'agenouiller à côté de la cuvette ni de maîtriser mes tremblements. Que ce soit par un habile raisonnement ou par l'invocation d'une coïncidence quasi magique, il n'y avait pas moyen cette fois de travestir la réalité.

Le Jake de Laurel et mon J.W. sont une seule et même personne.

J'ai été vraiment malade pendant deux jours : fièvre de cheval, sueurs nocturnes, migraine, vomissements, spasmes des muscles de l'estomac. Le délire est un remède, j'ai découvert ça : l'esprit s'accroche aux rameaux les plus étranges de la mémoire, bercé par la fièvre, jusqu'à ce que la température baisse. J'ai fini par redescendre de cet état second à mi-chemin entre l'ivresse et la folie.

Comment ai-je pu mettre tant de temps à comprendre ?

Quand Debbie et moi, nous étions toutes petites, Roxie et madame Smart nous laissaient transporter nos oreillers et nos couvertures sur l'étroit rectangle de pelouse qui séparait les deux maisons mobiles pour contempler la nuit d'été. Couchées sur le dos, nous guettions les étoiles filantes, écoutant les bribes de conversation venant de la véranda en blocs de basalte où nos mères étaient assises. Roxie allumait une cigarette. Pendant que mes yeux myopes s'habituaient à la flamme jaune de l'allumette, elle criait :

— Marna, tu l'as vue ? Là, avec sa longue queue, près de la Grande Ourse.

Évidemment, je n'avais rien vu. Sans mes lunettes, je ne voyais même pas Roxie à l'autre bout d'une pièce. Et à l'école, le tableau noir me paraissait flou au-delà de trois rangées. Le temps que je cherche mes lunettes sous mon oreiller et que je suive du regard le doigt de Roxie pointé vers le ciel, l'étoile filante avait disparu et il était trop tard pour que je fasse un vœu.

— Lambine ! me disait Roxie d'un ton dénué d'affection. Comment vas-tu réussir à réaliser tes souhaits, Marna ?

Comment ai-je pu être aussi myope sur des indices qui crevaient les yeux, sur cette longue chaîne de trahisons qui mène de mon mari à Laurel McArthur ? Jake, c'est ainsi que Laurel l'appelle, alors que J.W. n'a jamais utilisé ce prénom de toute sa vie. Pour moi, il n'a jamais été Jacob, même si Olive m'a dit il y a des années que son fils avait reçu ce nom en l'honneur de deux personnages de la Genèse, Jacob et Esaü. Une façon de rendre hommage, m'a-t-elle dit aussi avec un mélange de force et de tristesse, au frère jumeau de J.W., né trop faible et trop cyanosé pour survivre à la vigoureuse entrée dans la vie de son aîné de quelques minutes. Seul fils survivant, mon mari était assuré de recevoir tout au long de sa vie une double ration d'amour : de la part de ses parents, de ses petites amies et de la femme qu'il choisirait d'épouser. « Tu te rends compte, mon chéri, plaisantait Olive quand son fils et moi commencions à sortir ensemble. Des femmes pour deux ! » Des enfants pour deux ! Il a été Jacob Whitney, puis J.W. Mais Jake, jamais.

Le Jake de Laurel.

L'homme sans défauts.

À un détail près, il est marié.

Avec moi.

« Oh, Marna, comment peux-tu être aussi lente sur le bloc de départ ? Il crevait les yeux, et pourtant tu ne l'as pas vu, cet indice aussi lumineux et artificiel qu'une guirlande de Noël clignotante en plein mois de juin : le sac violet des *Folies de Jenny*, rempli des vêtements lavés et pliés par Laurel, imprégnés de son parfum. *Muguet des bois,* le petit vaporisateur d'eau de Cologne qu'elle a rangé sur l'étagère de son casier du Y, à côté de sa brosse à cheveux et de son sac à main. »

« Oh, Laurel, je pourrais t'en dire long sur la dent ébréchée de ton homme parfait. Je pourrais te dire sur lui des milliers de choses que seule une intimité de treize ans — et même plus, si l'on compte nos nuits clandestines dans nos chambres d'étudiants de Sacramento State — permet de connaître. Je peux te dire combien de lait il prend dans son café le matin, quand se glisser derrière lui et lui masser les muscles des épaules pour le faire sourire béatement, quels sont ses codes pour dire « à la maison » ou « pas encore rentré » quand il reçoit un coup de téléphone d'affaires tard le soir ou pendant le week-end. Je peux te dire qu'il aime ses parents autant que sa femme, mais je devrais peut-être parler au passé. Et tu ferais mieux d'être prudente si tu comptes briguer la seconde place après Olive. Je pourrais t'apprendre un truc pour te souvenir de l'ordre dans lequel il range ses outils sur son établi du garage ; je pourrais te dire le nombre exact de canards de bois qui ornent la corniche de son bureau.

Saurais-tu dire à quel âge il a eu la varicelle, Laurel ? Et quel était le mot de passe pour monter dans sa maison du grand chêne, sur le Grand Bourbier ? Quelle côte il s'est fracturée quand sa Coccinelle a fait un tonneau, à deux coins de rue de chez lui ? Est-ce qu'il lit des romans policiers ? Est-ce qu'il chante juste ou faux ? Préfère-t-il le vin blanc ou le vin rouge ? Quel est le seul examen qu'il ait raté de toute sa carrière universitaire ? Quel est son guitariste préféré, Eric Clapton ou Chet Atkins ? Et son meilleur ami, est-ce encore Tommy Robello ? A-t-il voté républicains ou démocrates aux dernières élections ? Est-il capable d'engouffrer deux gros morceaux de tarte aux myrtilles d'affilée ? A-t-il ou non pour principe d'« acheter américain » ? Quels noms avait-il choisis pour ses futurs enfants, le garçon et la fille ? De quel côté du lit dort-il, Laurel ? Lui arrive-t-il de prier ? D'où viennent les galets noirs posés sur sa table de chevet et pourquoi tient-il tant à les garder ? Dans les bras de quelle fille a-t-il perdu sa virginité ? Qui était-elle, dis, le sais-tu ? »

La Laurel avec laquelle j'ai pris mon repas de midi la semaine dernière devient un fantôme, une création de mon esprit au même titre que les pères imaginaires que je m'inventais dans mon enfance. Comment ma Laurel pourrait-elle être cette femme qui aime mon mari, son Jake même s'il est marié ? Comment cette femme pourrait-elle être l'amie qui, après s'être écroulée de rire comme une collégienne dans le salon d'essayage, m'a dit avec une réelle affection dans la voix : « Tu es vraiment jolie quand tu ris, Marna. Tu devrais rire plus souvent » ?

Rien ne colle plus. Tantôt je pense à Laurel mouillée et grelottante, agrippée à mon bras pendant nos leçons comme si sa vie en dépendait. Je me souviens d'elle faisant des bulles, fière comme une enfant : « Tu as vu, Marna ? Tu as vu ? »

Je la vois accrochée à la rigole, s'exerçant gauchement aux mouvements des jambes, les membres raides. Je la revois lâcher le mur à un mètre cinquante de profondeur, s'enfoncer dans l'eau et s'applaudir elle-même en refaisant surface. J'entends la pointe d'anxiété dans sa voix quand elle m'a dit à notre dernière leçon : « Les mouvements des bras la semaine prochaine ? »

Puis, je vois Laurel séchée, rhabillée. Je capte son reflet dans le miroir du salon de coiffure, son sourire radieux, ses deux pouces levés pour signifier que oui, ma nouvelle coupe est impec. Je revois son joli visage rosir, ses grands yeux verts s'alanguir quand elle décrit son mystérieux amant qui lui a proposé le mariage entre deux voyages d'affaires. Je l'entends encore confesser sa phobie de l'eau, toute penaude : « Pas brillant pour une psy, hein ? »

Et aussitôt après, j'enclenche le mécanisme de l'autoflagellation, saupoudrant du sel sur la plaie, imaginant J.W. la voyant comme je l'ai vue, passant de la taquinerie au réconfort, des conseils à la plaisanterie, de la douleur à la peur, de l'encouragement à l'amour...

Comment pourrait-il ne pas l'aimer?

— Une gorgée d'eau minérale, Marn? me demande J.W. de la porte de notre chambre.

— Merci.

J'émerge de ma pile d'oreillers. Il tient le verre tout près de mon visage, touche mon front du dos de la main.

— La fièvre est tombée. Tu as faim?

— Un peu.

— Veux-tu du pain grillé? Te sens-tu capable de manger un œuf?

— Je vais essayer.

J.W. s'assied sur le lit, à côté de moi.

— Tu as mieux dormi la nuit dernière. Tu as arrêté de bouger dans tous les sens.

— J'ai dû t'empêcher de dormir, alors...

— Pas tant que ça.

— Qu'est-ce que tu as mangé?

— Tu aurais dû voir ce que tes amis du Y ont envoyé. Della a envoyé une salade aux trois fèves. Hier, un des surveillants — Eric, je crois? — a apporté un plein baril de poulet frit, juste à temps pour le dîner.

— Du poulet barbecue. Ils n'arrêtent pas d'en manger.

— Ils ont tous l'air de t'aimer beaucoup.

— Et pour l'Omaha, tu as pu annuler?

— J'ai réussi à remettre la plupart des opérations. Pour le plus pressé, j'ai téléphoné à Max Dettler et il est parti pour Denver.

J.W. porte un short et un tee-shirt parsemé de taches d'herbe.

— J'ai réglé la tondeuse et tondu la pelouse.

— Je vais me lever et prendre une douche. Tu veux que je balaie les allées?

— Ce n'est peut-être pas raisonnable, chérie. Tu te sens assez bien?

— Je suis malade d'être malade.

— Je ne me souviens pas que tu aies manqué la piscine si longtemps.

— Peut-être que j'ai oublié comment on nage. Peut-être que je vais me noyer.

— Forte probabilité pour ça.

J.W. se lève et me donne mes lunettes. Il me tend les mains.

— Tu peux te lever ?

Je saisis ses mains et il me tire du lit, soudain gêné par mes cheveux mal peignés et les restes de sommeil qui traînent dans mes yeux.

— Œufs et toasts dans vingt minutes ? dit-il en se dirigeant vers la porte.

— Merci.

Il se retourne, me fixe du regard.

— Marn ?

— Oui ?

— Je... Tu n'as pas de vertiges ?

— Ça va.

— Alors, j'y vais.

Je le regarde sortir de la chambre. Je jurerais qu'il ne m'a pas posé la question qui lui brûlait les lèvres.

J.W. et moi vivons dans des limbes où règne le non-dit. Comme si l'identité de sa maîtresse ne s'inscrivait pas dans ma tête en lettres géantes comme sur les panneaux publicitaires du centre-ville. Un autre secret enfermé à double tour, une autre mine que j'évite de la pointe du pied. Les tâches quotidiennes nous tiennent l'un à l'autre, dans l'inoffensive routine de la vie de couple. Par la fenêtre de la cuisine, je le regarde qui lave et cire les voitures. La sienne d'abord, puis la mienne. J'aimerais sortir pour l'aider et l'asperger avec le boyau d'arrosage pendant qu'il savonne les enjoliveurs. Il faudrait qu'il m'attrape pour me faire arrêter. Mais il vaut mieux que je le regarde ainsi, en secret, à son insu. Il est torse nu, avec seulement un vieux short de bain usé à la corde, et je vois à quel endroit précis ses épaules commencent à rôtir.

« Ça, c'est bon pour les femmelettes », plaisante-t-il chaque fois que j'essaie de lui mettre de la crème contre les coups de soleil. Il faut alors que j'appuie mon pouce sur son biceps pour lui montrer la brûlure. Alors seulement, il consent à se laisser enduire le dos et la poitrine de lotion. Penser à ça me donne une envie dévorante de le toucher. Je monte à l'étage pour aller chercher la lotion dans l'armoire de la salle de bains.

Le téléphone sonne. J.W. ne l'a pas entendu. C'est à moi de prendre les appels quand il est à la maison et ne veut pas être dérangé. Je réponds et je lui transmets le message afin qu'il puisse juger s'il s'agit d'un vrai cas d'urgence ou du caprice, une fois de plus, d'un drogué du travail qui espère, en plein week-end, l'expédier à six États d'ici pour résoudre un problème de réseau qu'un ado maniaque d'informatique réglerait en dix secondes. Je ne veux pas le voir partir, pas maintenant. Si je laisse le répondeur se déclencher, il ne verra peut-être pas le voyant clignoter avant notre sortie au cinéma et notre repas. Mais s'il trouve le message, il sera furieux que personne n'ai répondu au téléphone. Il ne le montrera pas, mais il sera fou de rage. Je ne veux rien faire qui puisse le mettre de mauvaise humeur ; je décide donc de décrocher. Je dirai qu'il est sorti — c'est la vérité, après tout — et je demanderai s'il y a un message. Il y a d'autres experts que lui sur terre ; dans son entreprise, ils n'ont pas autant besoin de sa présence que moi en ce moment.

— Allô ?

— Marna ?

— Oui.

— Salut, c'est moi. Comment vas-tu ? Della m'a dit que tu étais malade. Pourquoi ne m'as-tu pas appelée ?

— C'est fini, maintenant.

— Bonne nouvelle. Qu'est-ce qui s'est passé ?

— Rien, je vais bien.

— L'autre jour, après notre lunch, je me disais bien que tu avais l'air toute drôle. Je me suis fait du souci. Marna ?

— Je suis là.

— Tu as l'air un peu... déprimée.

— Je suis occupée, c'est tout. J.W. et moi, on lave les voitures.

— Excitant comme programme.

— Très.

— C'est toujours d'accord pour ma leçon de demain ? On m'a dit qu'il y avait les funérailles d'Harvey. Est-ce qu'on ne ferait pas mieux de remettre ça à un autre jour ?

Perplexe, je ne réponds rien.

— Marna, veux-tu que je t'accompagne aux...

— Non, non. Et pas besoin de remettre le cours. Je vais me débrouiller pour être à la piscine à treize heures trente.

— D'accord, treize heures trente. Tu es sûre que ça va, Marna ? Tout ça va être dur pour toi. Si tu veux, on peut discuter au lieu de nager. Je peux acheter des sandwichs chez *Applebine* et...

— Laurel, je préfère qu'on nage.

Je suis à court de mensonges, aucune excuse ne me vient à l'esprit, mais la dernière chose au monde dont j'ai envie, c'est de parler avec Laurel, de regarder son joli visage et ses gestes vifs, et, surtout, de devoir faire l'effort de chasser de mon esprit l'image de mon mari charmé par sa voix, par la finesse de ses traits. Au moins, dans l'eau, nous n'aurons pas trop à parler.

— Je n'aurai pas le temps de manger mais, pour la leçon, ça va.

— Oh, pour les mouvements des bras, ça peut attendre... Marna, s'il te plaît, fais attention à toi, d'accord ?

— Compris.

Je raccroche le combiné sur le mur. « Bien sûr », me dis-je en montant les escaliers pour aller chercher la lotion contre les coups de soleil. « Bien sûr. Pourquoi devrais-je arrêter de donner des leçons de natation à la maîtresse de mon mari ? Dites-moi un peu pourquoi ? »

~

— C'est un film d'action, il fallait s'y attendre. Mais l'intrigue était tout de même un peu mince.

On rentre à la maison en voiture après la séance de cinéma. J.W. a posé son bras sur le dossier de mon siège, tout contre ma nuque.

— Moi, j'ai aimé. J'aime cette manière de brouiller les pistes et de vous prendre par surprise.

— Surprise, tu parles ! C'était totalement irréaliste, oui !

— Oh !

Je n'ai pas envie de chercher d'autres arguments. J.W. retire son bras.

— Ton coup de soleil te fait mal ?

— Non, je l'avais même oublié. Ta lotion a limité les dégâts... Marna?

Je l'entends venir, cette question qu'il n'a pas osé me poser quand j'étais malade, quand il jouait au bon mari qui chouchoute son épouse souffrante.

« Non, me dis-je. Non, non et non. »

— Marna, on traverse une mauvaise passe en ce moment. C'est entièrement ma faute, j'en prends toute la...

— Peut-être que j'ai aussi ma part.

— Non, ça vient de moi. J'aurais envie... je cherche à... Marna, je crois que nous devrions nous séparer pendant un bout de temps.

— Tu veux demander le divorce?

L'affreux mot enfle, remplit toute l'auto.

— Non, je ne parle pas de divorce... pas encore. Nous pourrions vivre chacun de notre côté.

— Pourquoi?

— Pourquoi? Est-ce que ce n'est pas... Ne peux-tu pas...

— Je ne veux pas. Je ne pense pas que ce soit nécessaire. Vivre séparés, non.

— Mais nous sommes...

— Tu veux recommencer à la voir?

Bien sûr qu'il le veut, même s'il ment, s'il jure que non. Et il se gardera de prononcer son nom, comme s'il ne clignotait pas en lettres de néon géantes dans sa tête.

— Non, ce n'est pas ça.

— J.W., dis-je d'une voix si tranchante que je ne me reconnais pas. Tu ne peux pas la revoir. Je ne te laisserai pas faire. Il faudra que tu me passes sur le corps. On pourrait voir un conseiller conjugal. On pourrait déménager, retourner en Californie.

— Marna, ce serait mieux pour toi aussi. Je sens que j'ai fait de toi une infirme, Marn. Je t'ai coupé les ailes. C'est comme si j'avais fait de toi une moitié d'être humain.

— Non. Tu as fait de moi une personne entière.

J.W. freine avant de bifurquer dans notre allée, puis arrête l'auto en laissant le moteur tourner au ralenti. Je lui ordonne, en élevant la voix :

— N'essaie pas de me raconter des histoires à dormir debout. Comme si tu faisais tout ce que tu peux pour moi, pour mon bien! Tu fais ça pour elle. Dis au moins la vérité là-dessus.

— Non. Toi non plus, tu ne m'auras pas ! Nom de Dieu, Marna, laisse-la en dehors de tout ça. Je ne l'ai pas revue. Je ne la reverrai pas. C'est entre toi et moi que ça se passe, maintenant.

La porte du garage se lève. J.W. stationne l'auto à l'intérieur. Il sort et claque la portière, violemment.

— Je ne voudrais pas avoir à te faire ça une seconde fois.

— Quoi, J.W. ? Qu'est-ce que tu ne voudrais pas devoir me faire une seconde fois ?

— Laisse tomber.

Il traverse le garage et se dirige vers le jardin au lieu d'entrer dans la maison. Il est déjà en train de chercher où et quand il va pouvoir reprendre cette conversation. C'est ce que « Laisse tomber » veut dire.

~~~

L'église de Dieu est un petit édifice, trop petit pour contenir tous les gens qui sont venus rendre hommage à leur ami et ancien ministre du culte. La double porte de cèdre est grand ouverte, laissant entrer la brise d'été. Près de la porte, je remarque des petits groupes de gens en deuil, surtout des vieillards en costume sombre. Il y a quelques chaises vides derrière Alene et ses filles, et le vieux placeur m'invite du geste à m'y installer. Je secoue la tête et reste à l'arrière de l'église. Les charpentes de bois vibrent des accords de l'orgue électronique. Une petite fille en robe rose avec des rubans assortis fait marcher un éléphant en peluche sur le dossier du banc d'église, monopolisant l'attention des gens de toutes les rangées devant elle. L'organiste se met à jouer un cantique qui m'est inconnu, mais ma voisine a l'air de le connaître par cœur. Les yeux clos, elle fredonne la mélodie, suivant les acrobaties de l'orgue qui escalade les tons du grave à l'aigu. À chaque changement d'octave, elle prend sa respiration, toujours les yeux fermés, traquant la musique avec l'oreille et le cœur. Une fois, Alene s'est retournée pour jeter un rapide regard sur la foule et nos yeux se sont croisés. Elle m'a souri, puis a entouré de son bras les épaules de sa fille la plus proche et leurs têtes se sont de nouveau tournées vers moi tandis qu'elles parlaient à voix basse. Alene m'a dit qu'elle s'était préparée à cette cérémonie funèbre. Je suis heureuse qu'Harvey ne l'ait pas fait. Je suis heureuse qu'il ait vécu la dernière année de sa vie sans penser à la mort, sans guetter sa venue ni gaspiller son temps à l'attendre.
~~~

Je me sens désolée d'avoir contribué, en quelque sorte, à prolonger son agonie. Et, bien que je fasse l'impossible pour la tenir à distance, Laurel s'impose à mon esprit. C'est elle qui m'a incitée à voir la mort d'Harvey comme une compétition perdue d'avance, pour des raisons plus hautes et plus importantes que la gloire d'une seule championne.

« Il y a des choses qui ne peuvent être sauvées. »

Elle a prononcé ces mots en me prenant dans ses bras, m'exhortant à « laisser aller » Harvey comme Alene avait bravement préparé son deuil en regardant la mort en face. Ce qu'elle disait à propos des choses qui ne peuvent être sauvées ne s'appliquait-il pas aussi à J.W. et à moi ? Ne voulait-elle pas en fait que je laisse mon mari échouer dans ses bras comme un voilier rompt ses amarres et glisse librement vers le large ?

Ne savait-elle pas que J.W., cela pouvait aussi être les initiales de Jake Whitney ?

La petite fille en rose laisse tomber un recueil de cantiques sur le sol. Comme si la chute du livre était le signal qu'il attendait, le jeune pasteur pâlichon qui a pris la relève d'Harvey après sa première attaque prend place au lutrin, à côté du cercueil en acajou vernis. Devant celui-ci, un agrandissement couleur du visage d'Harvey est posé sur un chevalet de bois qui me rappelle mes cours d'art graphique obligatoires en seconde année, au collège de Roseville. La photo ne ressemble pas au Harvey que j'ai connu. Celui-ci est plus jeune, plus sérieux. Il paraît engoncé dans son veston, et ses lunettes cerclées d'acier effacent de son regard toute lueur de joyeuse espièglerie. On ne pourrait deviner, d'après ce portrait, qu'Harvey adorait les femmes et les chiens et qu'il passait trois matinées par semaine à me divertir par son feu roulant de plaisanteries bancales, remontant le couloir central en soulevant des gerbes d'eau comme un bateau à aubes. En dépit de la ressemblance, le Harvey de la photographie et le Harvey que j'ai connu pourraient être deux personnes différentes.

Comme Laurel.

Le jeune pasteur entame la lecture d'un verset du *Livre des Psaumes*. Il est question de Dieu comme refuge, de l'homme qui est poussière et retourne à la poussière, de la rédemption du juste, du réconfort du Tout-Puissant, celui d'Harvey maintenant et le nôtre un jour, si nous le voulons.

J'ai cru que Laurel m'apportait un réconfort, mais celle que je connais ne ressemble pas à la traîtresse qui brouille le portrait de notre amitié comme une double exposition. Cette Laurel inconnue secoue sa chevelure blonde, choisit un négligé de soie crème chez *Les Folies de Jenny*, s'admire dans le miroir, attend les appels de Jake, tente mielleusement de convaincre la naïve épouse de son amant que son mariage ne vaut pas la peine d'être sauvé. Quelle amie dirait, aussi clairement et sereinement que le jeune pasteur dans son éloge funèbre : « Il faut parfois accepter de laisser aller les choses » ?

Elle sait, bien sûr. Elle doit savoir, puisque J.W. sait. Je lui ai dit le nom de mon amie, Laurel McArthur, et il a continué comme si de rien n'était à être J.W., le mari attentionné qui m'a soignée pendant ma fièvre, histoire de me remettre suffisamment d'aplomb pour me parler de divorce. Chacun de ses actes ressemble à une photo truquée. J'ai été la dernière à savoir — ça aussi, ils l'ont probablement fait exprès. Parce que Marna est myope comme une taupe, parce que Marna la lambine a mis ses lunettes trop tard, elle a raté l'étoile filante, et son souhait ne sera pas réalisé.

Et parce que Marna les aimait tous les deux, elle s'est laissée aveugler par l'amour.

Nous remontons maintenant la nef pour aller serrer la main aux filles de Harvey et murmurer quelques mots de condoléances à l'oreille d'Alene. Elle pense que les larmes qui coulent le long de mes joues sont pour Harvey. Mais j'ai déjà pleuré Harvey. Puis il y a la triste procession jusqu'au cimetière, où un groupe restreint de membres de la famille et d'amis proches remonte l'allée de gravier jusqu'à la tombe. Nous écoutons encore les paroles bibliques qui nous exhortent à laisser le défunt entre les mains du Rédempteur, Dieu le Père, notre Seigneur et ami.

Je sais maintenant que Laurel savait.

Peut-être même depuis le début. Tout au long de notre amitié, elle cherchait sans doute à m'éloigner de mon mari, à me préparer à le perdre, à m'apprendre à renoncer pour que j'enterre moi-même mon mariage.

Je ne le ferai pas. C'est à moi de décider ce qui doit être sauvé et ce qui ne doit pas l'être. À moi seule.

Perché sur la chaise de surveillant, Eric émet un sifflement admiratif quand j'entre dans la piscine, vêtue du tailleur noir que j'ai aussi porté à l'enterrement de Debbie.

— Hé, Marna, t'es sur ton trente et un ! Tu viens de faire la fête ?

— Je viens seulement de l'enterrement d'Harvey, Eric.

Je lui ai balancé ça par-dessus mon épaule et la dureté de ma voix me paraît aussi étrangère que le son de mes souliers à talons hauts sur le sol de la piscine.

— Aïe, merde ! Je suis désolé, Marna.

— Calme ta conscience, tu n'es pas responsable de sa noyade.

Je sens un désir de cruauté se lever en moi comme un vent contraire.

Eric riposte.

— J'en ai rien à foutre de ma conscience. Personne n'est responsable, souviens-toi de ça.

Le temps que Laurel se mette en maillot et arrive en haut des marches, je suis déjà dans l'eau. Plus rien ne l'effraie, ni l'escalier, ni l'eau léchant son visage, ni même le grand bain. Elle n'a plus peur de moi, enfin.

— Hé, Marn !

Elle descend les marches et nage comme un petit chien vers le bord où je suis suspendue par les bras, les jambes droites comme une passerelle. Elle me donne un rapide baiser, d'un geste gauche à cause de nos niveaux différents : moi, la plus grande des deux, flottant sur l'eau ; elle, la plus petite, debout, les pieds à plat au fond de la piscine.

— Comment te sens-tu ?

Elle se trempe jusqu'aux épaules pour que nos visages soient à la même hauteur.

— J'ai pensé à toi toute la matinée. Comment ça s'est passé ?

— C'était un enterrement. Triste, comme tous les enterrements.

— Oh !

Un peu blessée, elle remue l'eau de ses mains.

— Si ça ne te fait rien, je préférerais ne pas trop parler. On pourrait juste travailler la respiration pour les mouvements des bras. C'est la prochaine étape.

— Allons-y.

Elle me fixe avec attention. Elle s'est enfin acheté un bonnet de bain comme le mien, mais rouge. Tant qu'elle ne bouge pas vraiment, on pourrait la prendre pour une vraie sportive, avec son maillot de nageur et son bonnet de compétition, quelqu'un qui se sent à l'aise à n'importe quelle profondeur, qui pourrait même performer dans le style libre. Mais dès qu'elle fait un mouvement, on voit qu'elle n'a pas encore maîtrisé la nage. Elle redevient simplement une jolie femme qui porte bien le maillot.

— Regarde-moi, lui dis-je.

Visage dans l'eau, j'expire en faisant des bulles, des chapelets de bulles comme le font, avec du savon, les enfants trop petits pour comprendre qu'il ne faut souffler ni trop fort ni trop vite. Puis, je sors mon visage de l'eau et j'inspire une grande goulée d'air, en accentuant l'expression pour que Laurel puisse saisir le rythme. Vers le côté, inspiration. Vers l'eau, expiration. Côté, inspiration. Bas, expiration. Je lui demande de s'exercer plusieurs fois à l'air libre, en faisant comme si son visage était plongé dans l'eau.

— Pas si difficile, dit-elle, souriante, en s'essuyant les yeux.

Ses doigts laissent une fine trace de mascara, comme une légère cicatrice qui lui barre la joue.

— D'accord, maintenant, fais ça dans l'eau.

Je me hisse hors de l'eau pour m'asseoir sur le bord de la piscine.

— Étends les bras, pousse avec les pieds et essaie de respirer dans l'eau.

Laurel fait de son mieux, mais elle n'y arrive pas. D'abord, elle avale une grosse gorgée d'eau parce qu'elle n'arrive pas à coordonner l'inspiration et l'expiration. Puis, ses jambes s'enfoncent parce qu'elle oublie de pousser. Cependant, elle persévère. C'est moi qui me lasse la première. Je redescends dans la piscine.

— Viens ici. Je vais te montrer quelque chose.

Une fois de plus, j'exécute au ralenti l'enchaînement des mouvements : bras tendus, pieds qui poussent, visage dans l'eau, visage sur le côté. Elle me regarde, totalement absorbée dans sa contemplation, comme si elle assistait au tour de magie le plus prodigieux au monde. Quand je m'arrête, elle commente, ravie de sa trouvaille :

— Je crois qu'il faut que j'arrête de penser à chaque mouvement séparément, qu'ils deviennent un réflexe, non? Ce qu'il faut, c'est que je laisse aller...

« Laisser aller. Laisser aller J.W. Laisse-moi aller. Allez, Laurel. Vas-y, Marna, vas-y. »

Je me tape la joue.

— Je vais te montrer le rythme de respiration qu'il te faut avant de passer aux mouvements des bras.

Laurel se penche à la surface de l'eau.

— Montre-moi, coach, dit-elle en imitant mon geste.

Je mets les mains sur ses joues, doucement, comme un amant pourrait le faire, comme mon mari l'a certainement fait. Je l'écoute respirer, les lèvres closes. Puis, j'incline son visage vers l'eau, et j'attends qu'elle fasse ses bulles. Je la relève, elle inspire. En bas maintenant.

Je pourrais le faire. Je pourrais la tenir comme ça. Combien de temps faudrait-il pour que tout soit consommé? Trois minutes? Quatre? On n'apprend pas aux maîtres nageurs à noyer les gens, mais cela doit être l'inverse d'un sauvetage. Au lieu de remplir les poumons d'air, on fait ce qu'il faut pour qu'ils se vident, et la victime est forcée de respirer de l'eau. Ses poumons deviennent aussi lourds et aussi inutiles qu'une paire de ballons remplis d'eau. Il faut avoir la force de le faire, bien sûr, de la même manière que sauver une vie demande de la force. Il suffit de remplir ses propres poumons d'une bonne quantité d'air afin de pouvoir attendre jusqu'au bout que la victime ait fini de se débattre. On peut aussi préférer tirer le corps sous l'eau et le laisser lutter, serré contre soi, jusqu'à épuisement. Je la sentirais faiblir dans mon étreinte comme si elle faisait enfin totalement confiance à mes méthodes pédagogiques. Pour l'éternité. Je saurais alors que je l'ai fait. Que j'ai décidé seule ce qui devait être sauvé et ce qu'il fallait laisser aller.

Sous l'eau, mes mains sont lourdes, paralysées, comme si elles étaient prises dans le ciment. De tout leur poids, elles la maintiennent sous l'eau au lieu de la tourner vers l'air libre. Je pourrais aussi sombrer avec elle, me noyer avec elle. On parlerait de double noyade. Pendant notre entraînement, on nous met en garde contre ce risque. On nous dit toujours : « Si la victime panique, pensez d'abord à sauver votre vie. » Si je la noie, aucun indice ne révélera que je me suis accrochée à elle comme une statue de pierre pour qu'on meure ensemble. « Pauvre Marna, noyée en tentant de sauver son amie. »

Je sens la joue de Laurel pressée contre ma paume. Elle se tourne vers la surface, étonnée de la pression que j'exerce. Je retire les mains.

— Je crois que j'ai compris, dit-elle en se mettant debout et en reculant d'un pas.

— Je le crois aussi, dis-je en m'écartant d'elle.

J'arrache mon bonnet, comprenant en un éclair que j'ai failli devenir T-Bone. Ou pire.

J'ai toujours cru que la confiance, c'était de croire que quelqu'un pouvait vous sauver. Qu'en cas de noyade, il saurait vous tirer de là.

Maintenant, j'ai découvert une autre forme de confiance, plus forte, plus absolue. Quand quelqu'un semble vous dire : « Je sais que tu pourrais me noyer. Je sais que tu es assez forte pour le faire. Mais mets tes mains ici, sur mes joues. Laisse-moi te prouver que tu ne veux pas le faire. »

« Tu ne me tueras pas parce que j'ai confiance en toi. »

TIRER

Pour lui enseigner cette technique, demandez à Johnny de se pencher, debout sur la terre ferme. Dans cette position, apprenez-lui les mouvements des bras.

Johnny apprend à nager
(American Red Cross)

Laurel

Bizarrement, ma dernière leçon ne s'est pas bien passée. Je ne crois pas que Marna ait vu ma terreur ; je savais à quoi me fier et je ne voulais pas la voir penser que je régressais, que je ne croyais pas en elle. Peut-être était-elle préoccupée par tout ce qu'elle devait subir avec son mari : elle a laissé ses mains peser sur moi, maintenu mon nez et ma bouche sous l'eau pendant qu'elle m'apprenait à respirer en faisant pivoter la tête. Pourquoi ne m'a-t-elle pas appelée ? Pourquoi ne l'ai-je pas fait, moi non plus ?

J'aimerais pouvoir raconter à Marna où en est Tracy. J'ai peur qu'elle ne se replie sur elle-même et ne s'attribue la responsabilité de la mort d'Harvey. Je voudrais la prendre dans mes bras, lui rappeler que ce qui est arrivé n'est pas de sa faute. Della a téléphoné pour dire que Marna annulait mes leçons des prochains jours. Je sais qu'elle pleure Harvey et se sent responsable. Si je ne craignais pas d'être égocentrique comme peut l'être le narcissique Keith McKendrick — mon patient le plus atteint —, je serais prête à croire qu'elle m'évite, moi aussi. C'est une idée un peu folle. Je me fais du souci pour elle. Et surtout, elle me manque, comme Jake me manque, car ils laissent derrière eux un grand vide qui est d'autant plus douloureux qu'il avait été comblé pendant un temps.

Je suis en train de laver quelques assiettes sans enthousiasme, tout en regardant au-dessus de l'évier les derniers feux d'un coucher de soleil orangé, quand un coup frappé à la porte d'entrée me fait sursauter. La baie vitrée du patio est ouverte, rien que la moustiquaire entre moi et les lucioles dans la fraîcheur du soir. Je n'attends personne; la seule qui pourrait passer, c'est Marna. Aussi, après le sursaut, ma deuxième réaction en est une de joie.

— Tu en as mis du temps, commencé-je à dire par taquinerie en ouvrant. Jake ! Qu'est-ce que tu... ? Ça va ?

J'ébauche un pas en arrière pour le laisser entrer mais me ravise.

— Qu'est-ce que tu veux ?

Il est debout devant moi, les traits tirés et le corps voûté, les épaules plus basses que dans mon souvenir.

— Je... Je ne sais pas quoi faire. S'il te plaît, ne sois pas comme ça avec moi.

Il porte une chemise de sport à manches courtes, bien repassée, d'un bleu moyen choisi pour aller avec ses yeux : il doit toujours être avec sa femme. Son air à la fois fripé et soigné donne l'impression qu'il s'est débarbouillé pour venir me voir mais qu'il se néglige depuis quelque temps. J'ai un pincement de cœur et une sensation de malaise envahit mon ventre.

— Je ne suis pas venu t'ennuyer, Laurie. Tu peux me croire. Mais il fallait que je te dise quelque chose et ça ne pouvait pas se faire au téléphone. J'aurais voulu venir plus tôt mais elle a été très malade... et, en fait, ça m'est très difficile. Je ne voulais rien te dire.

Je l'observe pendant quelques instants et il en fait autant, sans bouger, sans expliquer.

— Je n'essaie pas de te jouer un tour, c'est grave... dit-il.

Je m'écarte pour le laisser entrer.

— On peut s'asseoir ? demande-t-il.

Malgré que je ne trouve pas l'idée très bonne, je hoche la tête comme un automate. Jake ne s'assied pas là où il en avait l'habitude. Plutôt que la facile causeuse vert clair près de la petite table sur laquelle il posait toujours son verre de vin ou son thé glacé, il choisit le fauteuil blanc cassé, qu'il n'utilisait jamais parce que, disait-il, il n'était pas assez propre pour ça. « Il va falloir nous en séparer quand on aura des enfants, tu sais », avait-il dit un jour pour me taquiner. Il ne s'adosse pas mais reste assis sur le bord du fauteuil comme pour marquer que rien n'est comme avant. Même si je n'en attends pas moins de lui, c'est une blessure supplémentaire. Je contourne son siège pour aller allumer une lampe et vais m'asseoir un peu à distance dans un fauteuil à dossier droit. La plante de mes pieds nus me brûle au contact de la luxueuse moquette blanc cassé, d'ordinaire fraîche et moelleuse.

— C'est grave, répète-t-il.

Son front est caché par des mèches de cheveux en bataille. Je ne l'avais jamais vu comme ça.

— Je ne sais pas comment te le dire. Tes leçons de natation...

« Il m'a suivie. Sinon, comment saurait-il ? » Il a dû surprendre mon expression car il dit :

— Tu te demandes comment je peux être au courant ? Ta monitrice, Marna, c'est ma femme.

Il a fini par le sortir.

— Quoi ? dis-je, comme abrutie, l'esprit d'un coup tout embrumé. Mais non, elle habite ici, à Auburn. Son mari s'appelle J.W. Je ne sais pas ce que ces initiales signifient, mais...

— Johnny Weissmuller, m'interrompt-il d'une voix éteinte. Tu sais, Tarzan. Jacob Whitney, J.W., Johnny Weissmuller.

— Tu ne m'as même pas donné ton vrai nom ?

C'est une accusation, pas une question.

— Si. J'ai pris le nom de celui que je veux être, pour la femme avec qui je veux vivre, dit-il d'un ton pitoyable.

— Non, dis-je encore une fois. C'est impossible.

Je n'arrive même pas à élargir le champ de ma conscience pour envisager la possibilité que Marna... ma Marna... Une bouffée de chaleur me monte au cou et au visage. Je baisse les yeux et, sous mon short kaki, je vois mes cuisses devenues rouges comme à travers un miroir déformant. Je commence à me concentrer sur une image, puis sur le nom de Jake, sur celui de Marna, et mon esprit se rebelle et brouille tout. J'ai le vertige.

— Oh, mon Dieu, dis-je. Oh, mon Dieu. Est-ce que... Est-ce qu'elle pourrait savoir ?

— Non... Comment voudrais-tu ? À moins que tu n'aies dit quelque chose...

— Seulement que tu... l'homme... n'habitait pas à Auburn ; je ne pense pas lui avoir dit où — et dans ce cas-là, j'aurais dit Atlanta, comme tu me l'avais laissé entendre... Je ne me souviens pas...

Il ignore mon sarcasme et se presse les yeux avec la main. J'y vois pour la première fois une alliance en or blanc, imposante et possessive.

— Pas de noms ?

Je fouille ma mémoire.

— Seulement Jake Whitney.

Je suis soudainement exaspérée car il ne fournit aucune excuse pour cet autre mensonge concernant son lieu de résidence et celui de sa femme.

— Laurie... Je regrette. Je suis vraiment désolé. Il ne faut pas qu'elle l'apprenne. J'essaie de m'en sortir comme je peux, c'est un vrai gâchis tout ça, mais... il faut que tu saches à quel point je t'aime.

Il fait une pause.

— Je lui ai proposé qu'on se sépare... Je vais m'en occuper. Il ne faut vraiment pas qu'elle sache, ça lui ferait trop de mal, et ça n'a rien à voir avec nous deux.

Chancelante, je reste silencieuse, ce qu'il prend pour un signe d'encouragement. Dans un mouvement familier, il se penche vers moi pour essayer de me gagner à sa cause.

— Nous nous en relèverons, dit-il en tendant le bras dans l'espace qui nous sépare pour prendre ma main.

Ce tête-à-tête est pire que la nuit où il m'a appris qu'il était marié. Je suis gagnée par la nausée. La honte. Pour la première fois, il ne réussit pas à m'attendrir et à me fondre en lui. Je ne ressens pas ce besoin irrésistible de le toucher, ce qui ne veut pas dire que je l'aime moins tout d'un coup mais seulement que, pour la première fois, une autre réaction est tout aussi forte. Plus forte.

— Arrête, Jake ! Ou J.W., quel que soit ton nom. C'est imp... Comment as-tu pu faire ça ? Comment as-tu pu être aussi malhonnête ?

Je suis déchirée, incapable de brûler le pont qui me relie encore à lui, mais tout aussi incapable de le retraverser pour revenir au point de départ, quand il — quand nous étions innocents et que tout était magique.

Jake s'emporte.

— Attends un peu ! Tant que tu en es à distribuer l'opprobre un peu partout, ne t'oublie pas. Si tu m'avais parlé de ton frère ou de ta phobie, bon sang ! Pourquoi est-ce que tu ne m'en as rien dit, à moi ? Rien de tout ça ne serait arrivé, j'aurais pu tout arrêter avant même que ça commence.

Parfois, quand je suis poussée au-delà de la douleur ou de la culpabilité, même au-delà de la raison — qui est d'ordinaire ma première et ma dernière défense —, je suis capable de rage.

— Et tu peux me dire comment tu aurais fait pour tout stopper ? Qu'est-ce que tu aurais dit, Jake ? « Oh, ma chérie, quelle bonne idée, mais on va te trouver une autre monitrice, d'accord ? Cette Marna-là, c'est ma femme ». Va-t-en ! Jake, J.W., Jacob, Johnny Weissmuller, sors d'ici.

Plus tard, après avoir arpenté la maison dans tous les sens, le cœur battant au rythme du choc et du chagrin, je commence à me rejouer des scènes mentalement, d'abord sans m'en rendre compte, puis sciemment. Qu'est-ce que j'ai pu dire à Marna ? En tout cas, il y a une chose pour laquelle Jake a raison : ce n'est pas la peine qu'elle sache jamais la vérité. Comment pourrait-elle s'en remettre ? Comment pourrait-elle un jour refaire confiance à quelqu'un ?

Et dans mon bureau le lendemain, c'est à moi que je ne peux plus faire confiance, même si je sais qu'il me faut mentir pour pouvoir agir, avec mon corps et le ton de ma voix, qu'il me faut nier ma culpabilité pour ce que j'ai fait à Marna et cette tension qui me colle à la peau. Je dois paraître détendue face à Tracy, arriver à enfiler la fameuse question à la suite des autres, tout naturellement, comme si elles étaient toutes du même fil, comme Marna me dit de fondre ces choses incompatibles, la chair et l'eau.

« Tu as une sœur, je crois ? Comment s'appelle-t-elle déjà ? » C'est comme ça que j'ai répété mon entrée en matière. Je surveille ma respiration et j'attends le moment propice où Tracy, indifférente à la corbeille de fruits que j'ai placée sur la table près de son fauteuil, semblera tranquille. Elle a refait un dessin avec les crayons et le papier blanc que j'avais posés sur son siège : des personnages à la forme élémentaire, enfantine, qu'elle refuse d'identifier. Certains dessins montrent des boîtes et on dirait, à cause des longs cheveux noirs et de la jupe triangulaire de l'un des personnages, qu'elle a voulu s'y représenter personnellement. Après avoir dessiné le personnage, elle a tracé au-dessus du corps et sur les côtés avec le crayon noir des lignes verticales, comme si elle se mettait en prison. Évidemment, je demande :

— Est-ce que ce sont des barreaux de prison ?

Elle ne me répond que par un signe de tête négatif.

— Est-ce que tu veux me dire ce que c'est ? dis-je, insistant.

Cette fois encore, elle ne fait que balancer légèrement la tête d'un côté puis de l'autre, « non ».

— Bon, eh bien, dis-le-moi si jamais tu en as envie. Tu peux me parler de ce que tu veux.

Cette idée, je la plante régulièrement, comme on plante de fragiles semis, en la protégeant chaque fois par ma voix douce et mes gestes attentionnés.

À peu près à la mi-temps de la séance, j'arrive à poser ma question lourde de signification, aussi calmement qu'au cours de mes répétitions :

— Tu as une sœur, je crois ?

Comme chaque été dans mon bureau plein sud, la chaleur de l'après-midi devient plus pesante et j'ai fermé les stores, ce qui donne la sensation d'être au frais dans un nid douillet, quelle que soit la température extérieure. La lumière arrive au travers des feuilles et des stores par petites taches, totalement immobiles en ce moment.

À ma surprise, Tracy n'hésite pas.

— Oui-oui, c'est mon petit bébé, dit-elle.

— Tu ne m'en as pas parlé.

— Elle est dans son lit.

— Ah bon. Comment s'appelle-t-elle ?

— Clementine.

— Peut-être que tu pourrais me dessiner Clementine.

Tracy fait une pause, la tête un peu inclinée sur l'épaule. Sa main parfaitement manucurée, aux ongles vernis de rose aujourd'hui, tient un crayon en équilibre.

— Je ne suis pas très bonne en dessin, dit-elle.

— Je trouve que tu dessines très bien, et tu pourras toujours m'expliquer si je ne vois pas toujours de quoi il s'agit. Il n'y a pas de problème. On demande à beaucoup d'artistes de commenter leurs œuvres.

Elle hausse les épaules.

— Je peux prendre le mauve ?

— Bien sûr. Tu peux utiliser toutes les couleurs que tu veux.

Elle choisit d'abord le bleu lavande, puis le rose et le jaune, enfin un marron foncé.

— Elle a les mêmes cheveux que moi, dit-elle.

— Elle est jolie. Quel âge a-t-elle ?

— Petite, dit Tracy.

Elle a tracé les contours d'un personnage et remplit maintenant de couleur l'espace circonscrit ; les traits de son visage sont déformés par l'attention qu'elle porte au remplissage de la surface blanche. À la réception, le téléphone sonne, mais c'est un bruit étouffé et Tracy ne sursaute pas comme elle en a l'habitude. De temps en temps, on entend un sifflement au passage d'une voiture, mais aujourd'hui, Dieu merci, la rue au-delà du stationnement est calme.

— Vraiment petite ?

— Je n'ai pas le droit de la prendre dans mes bras, murmure Tracy en confidence. Mais j'aime le faire quand même.

Un sourire inhabituel passe sur ses lèvres et ses yeux s'éclairent et se plissent.

— Qu'est-ce que c'est que ces lignes devant le bébé ? dis-je.

Voilà de nouveau l'espèce de cellule de prison.

— Elle est dans son lit, dit Tracy. Il faut qu'elle dorme.

La consternation se lit sur le visage qu'elle vient de tourner vers moi, comme s'il en avait soudainement été aspergé.

— Il y a personne qui peut entrer ici, hein ?

Cette fois-ci, je ne referai pas l'erreur de promettre et je dis :

— Bon, tu sais Janet, ma secrétaire, à l'entrée ?...

Je pointe du doigt un espace au-delà de la porte pour indiquer le bureau de l'intendance, comme on l'appelle, là où Janet gère les appels téléphoniques, les rendez-vous, la facturation, l'ensemble des affaires d'un cabinet.

— ... Eh bien, elle est là-bas et elle fait attention à ce que personne n'entre. Nous sommes en privé, il n'y a que nous deux qui pouvons être ici.

— Et Clementine, dit Tracy en recommençant à dessiner, la tête penchée sur le papier, protégée par un rideau de cheveux.

~~~

En fin d'après-midi, avec la permission accordée à contrecœur par Tracy peu après le début de sa psychothérapie, je décide de m'entretenir avec son fiancé une nouvelle fois. Rick est évidemment déconcerté par mon appel et il panique. « Je pense que nous nous dé-
~~~

brouillons bien sans la faire hospitaliser, mais pourquoi ne viendriez-vous pas demain midi pour parler un peu ? » lui dis-je au téléphone.

Janet a posé devant moi sur le bureau une pile de chèques et de formulaires pour les assurances, en m'annonçant qu'elle fermait la porte à clé et m'empêcherait ainsi de sortir jusqu'à ce que j'aie fini.

— Dites... commence-t-elle, de ce que j'appelle sa voix de professeure.

Elle a une nouvelle permanente qui la fait un peu ressembler à une poupée, mais une poupée sur son trente et un : Janet est toujours tirée à quatre épingles et tous les détails de sa tenue — foulard, nuance de couleur des collants, boucles d'oreilles, vernis à ongles, collier, parfois ceinture et châle — sont parfaitement coordonnés. Telle une artiste se servant de toute sa palette, elle a une nouvelle création à montrer chaque jour. J'admire ce génie mais je n'ai pas sa patience.

— Vous n'avez pas l'intention de mettre la clé sous le paillasson? Alors, signez ces papiers pour que je puisse les poster. Vous étiez déjà censée le faire hier.

— Je suis troublée.

— Ça, c'est une révélation ! Vous avez usé les bancs de l'école tout ce temps-là pour arriver à des conclusions comme ça ? Incroyable.

Je suis troublée, par Tracy, bien sûr, la patiente qui finira par faire sombrer mon cabinet, mais aussi par Marna... Je m'inquiète : que lui arriverait-il si elle apprenait la vérité ? Je ne l'ai pas vue et elle ne m'a pas téléphoné non plus. L'appeler semble être une mauvaise idée — j'irai peut-être au YMCA en espérant qu'elle voudra bien me laisser lui parler d'Harvey et lui expliquer que rien de ce qui est arrivé n'est de sa faute.

Rick n'est qu'un gentil garçon velléitaire, malgré tout ce que peut penser Marna, qui a vu en lui un prince parmi les hommes quand je le lui ai décrit. « Tu ne peux pas savoir, m'avait-elle dit, combien l'intérêt qu'il porte à Tracy compte pour elle. Il voit en elle une personne à part entière. » Je savais à quoi elle faisait allusion.

Je devine ce qui chez Rick a pu attirer Tracy. C'est le genre d'homme qui, après quelques années de mariage seulement, est entièrement contrôlable, quelqu'un qui n'irait jamais voir ailleurs. Et il est charmant — un air gamin, un visage lisse à fossettes, des yeux noisette bordés de longs cils; bien bâti, mais pas assez grand pour inspirer une crainte physique. Il est assis sur le bord de son siège dans mon bureau, mal à l'aise, effrayé, déférent.

— Est-ce qu'on va être obligés de la, disons, de l'enfermer? demande-t-il pour la vingtième fois.

— Pour l'instant, il me semble que l'hospitalisation n'est pas nécessaire. Elle continue à travailler, vous savez, et même si, de temps en temps, elle n'est pas... totalement avec vous, il faut vous souvenir qu'elle se sent en sécurité près de vous; elle baisse la garde. Ça peut faire peur, je sais, mais c'est une bonne chose.

Je souris et veux donner l'impression d'être sûre de moi. C'est un effort que je fais souvent ces jours-ci.

Rick n'a retenu que ces mots : « il me semble ».

— Vous ne savez pas? Il vous semble que ce n'est pas nécessaire? Comment est-ce que je peux en être sûr?

Son pantalon kaki est chiffonné et sa chemise aussi.

Je décide de traiter la chose légèrement. C'est le mieux à faire.

— Ben, j'ai oublié ma boule de cristal dans le coffre de ma deuxième voiture, la Mercedes, alors aujourd'hui, je me borne à faire des suppositions...

Je marque une pause pour lui laisser le temps de sourire mais il n'a pas compris.

— Parlons sérieusement, Rick. Je ne peux pas prédire l'avenir mais je peux vous dire par expérience qu'une hospitalisation n'accélérerait pas sa guérison.

Le mois d'août tambourine à la fenêtre, vainqueur par K.-O. de la fraîcheur matinale du bureau. Je suis fatiguée et j'ai encore les patients de l'après-midi à voir. Bien qu'elle ait moins insisté que d'habitude, Janet a protesté quand je lui ai demandé d'inscrire Rick à l'heure du repas sans lui réclamer d'honoraires. J'ai besoin des renseignements qu'il pourra me donner.

— Vous pouvez me parler de la sœur de Tracy?

Rick a l'air ahuri.

— Elle n'a pas de... Oh, vous voulez dire celle qui est morte?

— Oui.

— Euh, ils ont dit que c'était une histoire du genre où le bébé meurt sans raison apparente, vous savez, quand il n'y a pas de raison qu'il meure.

Il n'y a jamais aucune raison à la mort d'un enfant, mais je ne peux pas dire ça, évidemment.

— La mort subite du nourrisson, dis-je, pour lui fournir le nom exact.

— Je crois, oui...

— Est-ce que Tracy vous en a parlé ?

— Il me semble que oui. Elle ou sa mère.

La conversation n'est pas aussi concluante que je l'avais espéré, mais le renseignement concernant la mort subite du nourrisson est intéressant. Je passe le reste de mon heure de repas à essayer, mais sans succès, d'empêcher mon estomac de gargouiller, tout en rassurant Rick. Ma cordialité sonne faux, même à mes propres oreilles. J'espère réussir à trouver cinq minutes pour manger le sandwich que Janet est allée m'acheter et pour me passer le visage à l'eau fraîche. Moi, je ne joins jamais les mains pour m'immerger la figure dans l'eau qu'elles contiennent, comme j'ai vu d'autres femmes le faire, comme le fait tout le temps l'amie que je suis en train de perdre.

Marna

Ce matin, ma classe d'arthritiques est solennelle. En regardant leurs bras pâles qui se lèvent et se baissent en cadence, j'ai l'impression qu'on fait tous signe à Harvey pour lui souhaiter bonne route au cours d'une veillée funèbre aquatique. La musique de Glenn Miller ne convient pas à la gravité du moment, aussi notre lente valse d'un bord à l'autre de la piscine se déroule en silence. Selma ne desserre pas les dents de toute la leçon, et même avec sa notion du temps et de l'espace brouillée par la maladie d'Alzheimer, Louise sent l'atmosphère imprégnée de chagrin :

— Il est mort, hein ?

Tandis que les nageurs sortent de la piscine, elle me pose la question avec tant d'insistance que sa fille Betty, exaspérée et confuse, vient à mon secours. Elle dirige Louise vers le vestiaire et, sans prendre de gants, elle parle en notre nom à tous :

— Il est mort, maman. Harvey ne viendra plus jamais nager. Il est mort, comme papa. Il est mort.

Impossible de poursuivre mes leçons avec Laurel. À présent, l'idée de l'aider à devenir une personne moins timorée me fait battre le cœur à un rythme qu'aucun appareil ne pourrait mesurer. Je suis passée une fois à deux doigts de la noyer, et rien ne dit que cela ne pourrait pas se reproduire. Qui me dit que je ne vais pas encore une fois laisser l'une des multiples Marna qui m'habitent surgir de l'ombre, la poignarder dans le dos ou la noyer pour de bon ? Quand ces pensées noires recommencent à me travailler, je sens chaque cellule de mon corps bourdonner comme un câble électrique sous haute tension. Je me sens morte, comme Harvey, mais avec de l'adrénaline pure injectée dans les veines au lieu de formol.

Ces pensées, et le sombre plaisir que me donnent ces envies de meurtre, me laissent épuisée comme je ne l'ai jamais été. Je ne devrais pas me torturer la cervelle, me demander si Laurel et J.W. savaient ou non, s'il y a eu préméditation ou non. Quand la vengeance se met à siffler en moi, crache des gerbes d'étincelles puis disparaît comme elle était venue, je me sens si faible que je néglige même mon entraînement. Je file sous la douche pour me débarrasser du chlore, je me sèche les cheveux et je me rhabille. J'oublie de mettre mes lunettes et je marche dans un monde transformé en brouillard opaque. Que la cruauté des autres en vienne à vous faire sentir mauvaise, secrètement psychosée, ce n'est pas juste. C'est pourtant ce qui m'arrive, alors que J.W. et Laurel échappent à ce poisseux marécage. Au moins, leur faute a été provoquée par un sentiment moins haineux que la vengeance. Eux, au moins, ils brûlent du feu pur de la culpabilité.

Quand mes champions ont pris leurs serviettes et quitté la piscine, je sors de mon hébétude et je me dirige vers le vestiaire. Je reste sous la douche jusqu'à ce que les derniers bruits de voix se soient éloignés, jusqu'à ce que l'eau ruisselante ait détendu les tendons noués de ma nuque. Tous mes muscles sont douloureux, et pourtant je n'ai pas nagé. Je m'effondre intérieurement. Une serviette drapée autour de moi, l'autre recouvrant ma tête comme la cagoule d'un bourreau, j'ouvre la porte de mon casier.

— Marna? Hé, je ne voulais pas te surprendre.

Elle est là. Avec sa blondeur, son visage sérieux, sa présence d'esprit. La psy qui vous manipule pour vous convaincre que le haut est le bas et que le blanc est noir. Qu'il vaut mieux quitter votre mari pour lui laisser le champ libre.

— Hé, je répète en tirant un vieux tee-shirt de J.W. que j'ai mis pour dormir et que je n'ai pas quitté.

Lorsqu'on néglige de changer de vêtements, il paraît que c'est un signe de déprime, mais même le meilleur des thérapeutes peut oublier des choses. Laurel tient son petit sac à main contre son ventre, comme si elle était navrée de mon accueil, mais elle n'a pas son sac de sport.

— Peut-on parler une minute?

Je m'assieds sur le banc humide et froid pour mettre mon survêtement.

— Je ne peux plus te donner de leçons, Laurel.

Elle s'assied à côté de moi. Elle risque de gâcher sa jupe en lin mais elle n'a pas l'air de s'en soucier.

— Je suis venue te dire que moi non plus je ne peux pas continuer.

Je sens à sa voix qu'il y a autre chose derrière ses mots.

Je me sens lasse, si lasse. Quand je parle, ma voix est aussi atonale que mon mari est dépourvu d'oreille musicale.

— Je sais qui est l'autre femme.

— Oh, Marna.

C'est dit sur un ton si apitoyé, si faussement empathique que j'élève aussitôt la voix pour placer la discussion sous le signe de l'affrontement. Je veux lui foncer dedans, je veux renverser les tables. Je veux une bagarre, une vraie.

— Alors tu sais qui est sa femme, hein ?

— Crois-moi, je t'en prie. Il vient juste de me le dire. Je n'aurais jamais...

— Comment aurais-tu pu ne pas savoir ? Et tu essayais de me persuader tout le temps de laisser aller. « Laisse aller, Marna. » Tu m'a rabâché ça des dizaines de fois.

— Je ne savais pas...

— Comment se fait-il que toi, la grande thérapeute, tu t'es mise tout d'un coup à prêcher le renoncement ? C'est peut-être parce que tu y voyais un moyen de te débarrasser de l'épouse encombrante, non ?

— Non, non, non...

— Tu aurais pu partir bras dessus bras dessous avec ton homme parfait. C'était tentant, non ? Tu savais de quoi j'avais l'air, tu pouvais te comparer avantageusement à moi...

— Non, jamais !

La voilà qui sanglote maintenant, à tel point que son mascara supposément à l'épreuve de l'eau lui fait sous les yeux un masque de raton-laveur.

— J'étais peut-être aussi un cas intéressant à étudier, à classer dans le même dossier que ta Tracy ? Est-ce que tu aimes à ce point tirer les ficelles, diriger les gens comme des marionnettes, jouer à tes petits jeux d'analyste ?

Son manque d'agressivité me frustre. Quand on lance des couteaux qui volent bas, la moindre des choses est que l'adversaire riposte par des flèches empoisonnées. Je savais déjà qu'elle était de la race des perdantes. À cause de la mort de son frère.

À moins que, là aussi, elle n'ait déformé la vérité. En un éclair, je trouve quoi dire pour la blesser autant, sinon plus, que la trahison de mon mari avec ma meilleure amie ne m'a fait souffrir. Je sais que c'est mal, mais je le dis. C'est aussi facile que de jeter un bébé dans une piscine. Je le dis, quitte à m'en rendre malade. Je gagne.

— Est-ce que tu as vraiment essayé d'avertir Tim ? Ou voulais-tu lui prendre quelque chose, à lui aussi ?

~~~

Je reste assise sur le banc du vestiaire, les yeux fixés sur mes pieds nus. Ils sont pitoyables, mais ce sont des pieds forts, vigoureux. Coach me l'a dit une fois, et il ne parlait pas à tort et à travers : « Les pieds de Marna sont un cadeau du ciel. Ils ont brisé tous les records cette saison. »

Laurel a de petits pieds pour une femme de sa taille. C'est pourquoi elle devra toujours nager avec les épaules, parce que ses pieds ne suffisent pas à la propulser en avant. Ils ont l'air très féminins, très soignés avec leurs ongles vernis qui dépassent des lanières entrecroisées de ses sandales. Je n'en croyais pas mes yeux, mais ses sandales sont d'un tissu parfaitement assorti à sa robe. Quand elle est sortie du vestiaire, du Y et de ma vie, elle avait l'air absolument parfaite, au moins extérieurement. Je préférerais la détester pour ça, comme je la détestais au début, et lui reprocher d'être ce qu'elle est, lui reprocher même ce que je dis. Mais c'est un fait, j'ai vu à ses larmes qu'elle m'avait dit la vérité.

Je me lève et j'échappe un petit rire à mi-chemin entre la toux et le sanglot. Même si je suis seule, ça me gêne. Pourtant, si elle l'avait entendu, ce n'est pas le genre de chose dont Laurel me ferait grief. Je glisse mes pieds forts et rapides dans une paire de tongs en caoutchouc. Je roule mon maillot mouillé dans ma serviette et je sors du vestiaire. J'ai le sentiment d'être la plus grande perdante de la saison.

~~~

Je ne m'explique pas vraiment pourquoi, mais j'ai éprouvé le besoin de parcourir la maison entière en faisant mentalement l'inventaire de tout ce que nous possédons, essayant de me rappeler quand nous avons acheté telle table à café, telle bibliothèque. Je me creuse la tête pour me souvenir si un ensemble de plats était un cadeau d'Olive et Merle, si la cafetière était en solde dans le catalogue de chez Macy's quand je l'ai commandée. Puis je me demande de quoi je pourrais me passer, et ce que je lutterais pour sauver, le cas échéant.

Même exercice avec ma vie conjugale. Je tente de décider ce qui vaut la peine d'être sauvé. En premier viennent les souvenirs de notre appartement à Sacramento. Je revendiquerais à tout prix les souvenirs conservés dans nos albums de photos, ces jours heureux où je me sentais enfin à l'abri, protégée par mon union avec mon séduisant mari. Un jour, nous avons cessé de prendre des photos. Ce devait être un signe. Les albums vierges ont été oubliés sur une étagère, près de la télévision du salon, sous leur enveloppe de cellophane. Une fois émoussée la fierté d'avoir une maison bien à nous, nous avons arrêté de sortir l'appareil sous n'importe quel prétexte pour enrichir nos archives personnelles. Si nous avions eu les enfants que J.W. voulait tant, le garçon et la fille, nous aurions certainement pris des tonnes de photos. J.W. aurait fait des marques au crayon sur la porte de la cuisine pour mesurer leur croissance.

— Pourquoi as-tu sorti les albums, Marna ? me demande un soir mon mari, rentré tard du bureau.

— Pour les regarder.

— Il y a quelque chose à manger ?

— Désolée. J'ai un peu perdu la notion du temps.

Il soupire. Je ne trouve pas très correct qu'il s'attende à ce que je le serve comme avant. Il ne le dit pas, mais il espère que je vais continuer à m'acquitter de mes tâches quotidiennes. Peut-être même se dit-il que nous allons finir par reprendre des relations conjugales, comme disent les avocats. Il ne se doute pas que je peux dire : « Non, merci, pas ce soir. »

Ces derniers temps, quand je me languis de son corps couché auprès du mien, je me retiens pour ne pas aller le retrouver sur le divan de son bureau. Dans ma tête, j'essaie de faire la part des choses. Comme, par exemple, la différence entre l'amour fait par devoir et celui qui jaillit du désir, parce que l'autre est exactement la personne que vous attendez, quelqu'un qui vous fait sentir meilleure, plus forte. J'essaie de distinguer la forme de dépendance qui croît avec l'usage de celle qui est refuge momentané, épaule prêtée le temps de retrouver son souffle.

Je veux trouver ce moment exact où l'on peut lancer une personne qui apprend à nager dans le grand bain parce qu'on sait sans l'ombre d'un doute que oui, elle est maintenant capable d'assurer sa propre survie.

Je pense souvent à Harvey, quand il me disait que je n'étais pas comme les autres. « Mon incomparable petit poisson », disait-il. Et pour une raison qui a beaucoup plus à voir avec les sentiments que la raison, je me souviens de la joie de Laurel découvrant que j'habillais du dix. On aurait dit qu'elle venait de souffler la poussière sur une breloque oubliée depuis des lustres, découvrant avec ravissement une pierre précieuse étincelante.

« Tu es bien meilleure, bien plus forte que tu ne crois », me disait-elle quand j'affirmais que jamais, au grand jamais, je ne pourrais vivre sans la présence de J.W. dans ma vie. Maintenant, cette question me hante : « Suis-je oui ou non capable de vivre seule, d'affronter seule les cauchemars où T-Bone vient me tourmenter ? Et plus j'y pense, plus j'ai envie de relever le défi. Parfois, c'est seulement une tentation fugace, comme lorsque je jetais un rapide coup d'œil à la concurrente du couloir voisin pendant une compétition, me disant qu'elle se rapprochait trop, que c'était le temps pour moi de mettre le paquet.

Progressivement, j'ai compris que c'était un marathon et non un sprint. Je me suis dit qu'il valait mieux relever le défi avec ruse, réserver mes forces pour la dernière longueur et toucher le mur la première, victorieusement.

~~~

— Qu'est-ce qui se passe aujourd'hui, Marna ? me demande Roxie comme si nous nous étions parlé la veille et non pas après quatre mois de silence.

Elle s'éclaircit la gorge, prélude à la toux rauque de fumeuse qui lui donne, à cinquante-deux ans, la voix d'une femme de soixante-dix ans.

Je change le récepteur d'oreille.

— Roxie, tu devrais vraiment arrêter de fumer.

— Quoi ? C'est pour me dire ça que tu m'appelles en interurbain ?
~~~

— D'accord, d'accord.

— Alors quoi, Marna?

— Je me disais seulement que nous devrions parler... plus souvent.

— Je pensais que, quand tu avais envie de parler, tu appelais Olive.

Toute ma vie je me suis entraînée à cesser d'espérer qu'un jour je percevrais dans la voix de gorge de Roxie un faible signe, un léger indice, une infime trace de possessivité.

On dirait qu'elle ne m'écoute plus. Je l'imagine penchée sur la table de la maison mobile, secouant son paquet de cigarettes pour en faire sortir une. Il me semble entendre le frottement de l'allumette.

— Comment va le docteur Decker?

— Il ouvre un troisième bureau. Là-haut, sur la montagne.

— Génial.

— Pour lui, oui. Pour moi, c'est les horaires de quatre filles de plus à organiser.

— Quatre femmes, Roxie.

— Filles ou femmes, pour moi, c'est quatre horaires de plus.

— Roxie?

— Je suis toujours là.

— Tu n'as jamais pensé à acheter une vraie maison? Ce serait un meilleur investissement.

Roxie lève le ton :

— Je m'y connais en investissements. Pas question que je place mon argent dans une maison. Les fonds mutuels, c'est mon choix.

— Pour ta retraite?

— Je ne suis pas prête à lâcher mon boulot, j'ai encore le temps.

Il y a une pause, assez longue pour que Roxie jette sa cigarette et en allume une autre. En repensant à l'époque des boîtes de conserve cabossées et des vêtements trop grands, j'ai toujours conclu que refuser de fumer une cigarette jusqu'au filtre, c'était le seul luxe que s'accordait ma mère. Elle remplissait un cendrier de mégots à peine entamés, allait le vider dans la poubelle à l'arrière de la caravane et revenait à l'intérieur pour ouvrir un autre paquet.

— Ça compense pour les heures de travail, m'a-t-elle dit un jour où je comptais les mégots dans le cendrier. Comme ça, j'ai ma dose.

Comme une nageuse de marathon rassemblant ses forces pour les derniers cent mètres, je fonce, dépasse l'espoir, le doute, les poumons en feu et la possibilité de perdre :

— Roxie, je t'ai téléphoné pour une raison précise.

— Vas-y, parle, Marna. Sinon, ça va coûter une jolie somme à ton mari.

— Je gagne aussi de l'argent.

J'ai dit ça vite et fort, comme si je voulais la convaincre de quelque chose qu'elle refuse de croire.

— Rien de plus normal. Tu gagnes ton fric, lui le sien.

Roxie a énoncé son principe de vie numéro un : « DÉBROUILLE-TOI COMME UNE GRANDE. »

— J'envisage de quitter J.W.

Elle enchaîne, sans même reprendre son souffle :

— Bon, tu quittes cet homme. Première chose : te trouver un bon avocat. Je ne sais pas comment ça se passe en Ohio, mais ici, tu aurais droit à la moitié de tout ce que vous possédez. Tu entends, Marna, la moitié. Tu vas te trouver un avocat au courant de toutes les ficelles.

Inutile de lui dire que si je quitte cet homme je ne serai plus que la moitié d'un être humain, me réduisant en cendres et en relents de tabac froid comme les cigarettes qu'elle oublie dans ses cendriers.

— Je n'ai pas dit qu'on voulait divorcer tout de suite.

— Méfie-toi, c'est ce qu'ils disent tous.

Là, Roxie est sur son terrain. L'attaque comme moyen de défense, le premier direct du droit à la mâchoire pour prendre l'adversaire par surprise. Je pensais ne pas avoir hérité des qualités de ma mère, il me semblait que nous étions aussi étrangères l'une à l'autre qu'une enfant échangée avec sa mère subrogée. Mais elle m'a tout de même légué ça, cet instinct combatif qui m'a toujours empêchée, parfois à mon détriment, de renoncer à me battre.

— Bon, je voulais juste te le dire... Il me semblait que tu devais le savoir.

Je n'en suis pas sûre — trois mille kilomètres de lignes téléphoniques peuvent déformer la perception — mais j'ai l'impression que Roxie pousse un soupir.

— Marna ?

— Je suis là.

— Combien coûte un aller-retour de Sacramento à Cincinnati ? J'aimerais voir votre jolie maison avant qu'elle soit vendue.

— Qu'est-ce que ça veut dire ?

J.W. s'encadre dans la porte de la cuisine. Entre deux doigts de la main, il tient l'étui rond en plastique de mes pilules contraceptives. Comme il a refusé de cesser de se servir de la salle de bains principale pour se raser et prendre sa douche, il a dû les récupérer dans la poubelle que j'ai remplie à ras bord de médicaments périmés, de vieux rasoirs et de tubes à moitié vides. Si ce n'était la colère qui étincelle dans ses yeux, mon mari est plus agréable à regarder que jamais : son visage est rasé de près, un tee-shirt moelleux d'un blanc immaculé est glissé dans l'élastique de son short. Il est si beau et si cher à mon cœur en ce moment même que je risque de fléchir et d'oublier le scénario que je rédige dans ma tête depuis une semaine. Je me retourne pour lui verser du café.

— Ce sont mes pilules. J'avais l'intention de t'en parler.

J'ajoute du lait et je pose la tasse sur la table.

— Et tu as une bonne explication pour ça, Marna ?

— On a tous ses secrets, pas vrai ?

— De quoi parles-tu ? Tu m'as menti.

Il jette l'étui sur la table, qui roule et atterrit près de sa tasse.

— Je n'étais pas sûre de pouvoir... partager des enfants avec toi et être une bonne mère.

— Tu m'as menti !

— Toi aussi, J.W. On est quittes.

— C'était différent, c'était...

— Parce que tu n'as pas fait exprès de me faire mal, c'était différent ? Eh bien, moi non plus, je n'ai pas fait ça pour te blesser, mais pour m'éviter de l'être.

— Mentir pendant des années, tu ne trouves pas ça blessant ?

Jamais je ne l'ai vu aussi enragé. Enragé, mais sans la sereine fermeté d'un bon père qui veut protéger son enfant des dangers de ce monde.

— Tu n'as jamais voulu m'écouter quand j'ai essayé de t'expliquer...

— Tu m'as dit que c'était un problème gynécologique !

— Non, pardon. Je t'ai laissé croire que c'était ça, mais je ne l'ai pas dit.

— On est en train de jouer sur les mots.

— Tu voulais absolument que le problème vienne de moi. C'est comme ça que tu me vois : un problème ambulant en quête de solution.

— Faux.

— Pas consciemment, je sais que tu ne le penses pas. Mais de toutes les autres manières, c'est criant.

— Oh, merde.

J.W. s'effondre sur une chaise. Touché à vif, il perd sa fausse raideur et se dégonfle sous mes yeux comme un ballon à l'hélium après une journée dans les airs. Un dernier reproche s'échappe de sa bouche dans un sifflement pitoyable.

— Oh, merde, Marna.

Il répète ces mots comme s'il était plus furieux envers lui qu'envers moi.

— Quand je pense que j'ai passé toute notre vie commune à te protéger.

Je m'assieds de l'autre côté de la table, face à lui.

— Tu l'as fait. Et je t'ai aimé pour ça. Tu as été bon pour moi, J.W., je le sais.

— Tu pouvais avoir des enfants? Ce n'était pas un problème de...

— Je pouvais. Je suis désolée, mais je pensais que si tu avais su la vraie raison, tu m'aurais quittée. Tu voulais tellement des enfants.

J.W. ne dit rien, la tête entre les mains.

— Écoute, J., tu peux encore avoir des enfants, tu as encore l'âge.

Il m'interrompt.

— Toi aussi, Marna.

— Oui, mais...

— C'est pour ça que tu jettes tes pilules? Tu en veux, maintenant?

L'espoir fait vibrer sa voix. Il pense que tout n'est pas perdu. Il est en train d'oublier où nous en sommes, où notre mariage en est.

— Je les jette parce que je n'en ai plus besoin.

— Tu veux dire que...

— Je veux dire que nous ne coucherons plus jamais ensemble.

— Tu...

— Et qu'il est préférable que nous nous séparions.

Il me regarde comme si une Marna inconnue venait de se superposer à l'ancienne.

— Je vois, dit-il.

Je jurerais pourtant qu'il nage dans la confusion.

— J'ai besoin de me débrouiller seule, maintenant. Pendant un certain temps, jusqu'à ce que j'évolue...

— Que vas-tu faire, Marna ?

Il n'achève pas le reste de sa phrase, mais je l'entends aussi clairement que j'entends démarrer puis rugir la tondeuse du voisin : Que vas-tu faire, Marna ? « Que vas-tu faire sans moi ? »

— Je ne sais pas trop encore.

C'est exact, je n'en sais strictement rien.

— Vas-tu retourner en Californie ?

— Non. J'ai un travail ici, J. J'ai une vie.

Je cache un secret inoffensif parce que personne ne le connaîtra jamais. D'ailleurs, même s'il était connu, qui pourrait-il blesser ? Ce secret, c'est que j'ai une amie ici. Ou plutôt, je l'avais.

~~~

Après avoir passé en revue le moindre coin de la maison, avoir trié, nettoyé et rempli de vieux vêtements et de vaisselle dépareillée de quoi remplir deux coffres de voiture pour les donner à une œuvre de bienfaisance, il m'a semblé que la grande penderie de la chambre principale, à présent presque vide, m'ordonnait d'aller me reconstituer une garde-robe. J'ai dû me donner du courage en dialoguant avec moi-même, disant à Marna l'as de pique qu'une femme de presque trente-sept ans doit parfois porter autre chose que des salopettes et des pantalons de jogging. Pas besoin d'être psychologue pour comprendre que l'envie de vider ses armoires et d'acheter de nouveaux vêtements symbolise un nouveau départ. C'est la version humaine de la mue chez les crustacés ou les oiseaux. Une nouvelle Marna est prête à prendre le devant de la scène. C'est elle qui me pousse à prendre ce genre d'initiative.

Un dimanche, je pars pour le centre-ville de Cincinnati, décidée à faire de mon mieux pour choisir quelques vêtements neufs. Les
~~~

modèles d'automne sont déjà dans les rayons mais il fait encore si chaud que je suis attirée vers le coin des soldes, où de jolies robes et des chemisiers sans manches sont entassés sous des pancartes promettant des rabais de cinquante pour cent à la caisse. Je me sens mal à l'aise d'être au coude à coude avec des étrangères qui se bousculent pour décrocher les meilleures affaires. J'utilise seulement une fois le salon d'essayage, jetant à peine un coup d'œil dans le miroir avant de retirer la petite robe jaune que j'ai choisie et de fuir vers la caisse. Mon visage est congestionné, mes cheveux ont besoin d'une bonne coupe : il est clair que je suis totalement, absolument démunie des qualités ordinaires d'une consommatrice de goût.

Revenue chez moi, je jette les sacs sur le lit pour examiner mes achats. Une robe-chasuble en coton bleu parsemé de marguerites blanches qui me fait ressembler à la reine mère d'un royaume hawaïen déchu. Je pensais la porter à la maison au lieu de mon éternel short mais ce n'est décidément pas l'image que je comptais donner à la nouvelle Marna. Impossible de l'échanger. Je la range dans un coin vide de la grande penderie : un autre don charitable en perspective. Un pantalon en tissu élastique, style corsaire. Il me va bien mais je n'ai pas de chemisier assorti et il n'est guère mis en valeur avec une paire de baskets. Encore un coup manqué. Il reste un chemisier que j'ai raflé sur le portant après qu'une cliente l'ait rapporté. Je ne l'ai pas essayé et il est dix fois trop petit.

Le visage enfoui dans la robe jaune, la seule que j'ai essayée, je verse des larmes si abondantes que je vais être forcée de la mettre dans la machine avant de la porter. Assise sur le lit au milieu de mes achats, je rumine l'échec de mon expédition dans les magasins. J'entends la voix de Laurel qui me taquine affectueusement : « Marna, ta garde-robe est une insulte au bon goût, et je m'y connais. »

Je l'ai chassée de mon esprit parce que j'avais honte de l'avoir frappée droit dans son point le plus sensible, la mort de Tim. Maintenant, elle doit me détester, me haïr peut-être, bien qu'il me semble invraisemblable que Laurel puisse haïr quelqu'un. Le mot *haine* lui convient aussi peu qu'un jeans rapiécé. J.W. mis à part, elle a été pour moi une amie aussi précieuse que Debbie, je m'en rends compte maintenant que ma colère est retombée. Il y a à peine un an, j'étais encore persuadée que J.W. suffisait à remplir ma vie. Mais mon mari ne m'a jamais emmenée faire la tournée des boutiques. Il n'a jamais épilé mes sourcils et piqué des fous rires interminables en parlant de la couleur des cheveux de Della. Et en treize ans, J.W. n'est jamais venu me voir nager, rien que pour le plaisir d'admirer mon style. Mon mari ne pense pas à ce genre de choses.

Mon amie, oui.

J.W. et moi, nous avons trouvé la forme de paix qui s'installe quand on décide de sauver le meilleur d'une relation, comme ces tombes indiennes protégées du sacrilège par des lois spéciales. En Californie, cela arrive souvent. Quand une excavatrice déterre des squelettes, les anciens de la tribu arrivent comme par enchantement pour rassembler les restes et prier avant de les transporter dans une autre terre sacrée.

J'ai assisté une fois à cette cérémonie, au cours d'une expédition sur le terrain avec ma classe de l'école secondaire. L'atmosphère est calme et sereine. Les os des ancêtres ne sont touchés que par des mains aimantes. Elles nettoient les restes de leur poussière et les disposent exactement dans la position où ils ont été trouvés dans leur nouvelle sépulture. C'est comme si on faisait tout pour que les ancêtres ne s'aperçoivent pas que leur sommeil a été troublé. C'est aussi une marque d'amour et de respect des vivants envers les morts.

Un jour, alors que j'étais assise sur le sol de la cuisine, au milieu de boîtes destinées à l'appartement que J.W. a loué au centre-ville, j'ai décroché le téléphone pour appeler Laurel. Entre mes doigts, il semblait aussi fragile que les os blanchis des cimetières indiens. Nous avons parlé et, quand j'ai raccroché, j'ai replacé l'appareil sur son socle aussi délicatement que j'ai pu.

Laurel

Je ne me sens pas du tout outillée pour voir Tracy aujourd'hui. Je ne l'aurais pas été davantage si Marna n'avait pas appelé et demandé à me voir ce soir après le travail — « En terrain neutre », a-t-elle dit, comme s'il allait y avoir un règlement de compte à O.K. Corral. Quelle Marna sera-t-elle cette fois-ci ? La jeune femme affligée, cette rose blanche fanée et brunissante, ou bien le vaporisateur de poison ? Comment pourrais-je lui en vouloir, quel que soit ce qu'elle a besoin d'être ? Si elle veut encore m'invectiver, le moins que je puisse faire, c'est de l'accepter.

J'espère que la séance d'aujourd'hui sera calme ; je ne vais certainement pas essayer de défricher davantage de terrain avec Tracy. Je sais être honnête avec moi-même et repérer les moments où mon intuition — malgré toutes mes années de pratique, malgré mon expérience — peut perdre de son acuité. En fait, j'ai même envisagé de l'adresser à un autre thérapeute. Je commence à me demander si, même au mieux de ma forme, même moins triste, honteuse ou menacée, je serais capable de soigner Tracy. Il doit sûrement y avoir un spécialiste qui en sait plus que moi sur ces troubles. Peut-être que Tracy trouverait la voie pour sortir du labyrinthe où elle s'est perdue. Je ne suis plus capable de rien déchiffrer — chez Tracy, Jake, Marna ou moi-même. Tout a été éclaboussé et noyé dans l'échec. Comment ai-je pu penser que je réussirais à aider qui que ce soit ?

Tout le monde peut mentir avec des mots, mais le corps, lui, dit la vérité. Je surveille donc en continu le message transmis par mon corps pour m'assurer qu'il n'est pas en contradiction avec mes paroles. Je me penche en avant et je plonge dans le regard fixe de Tracy. Ses mains s'agitent dans le vide puis se reposent sur ses genoux, tranquilles comme des bébés assoupis. Elle s'est rongé les ongles ; non vernis, non taillés, un peu sales, ils ont l'air d'appartenir à une grande fille de dix ans.

— Je ne pourrais pas me préoccuper de vous davantage que je ne le fais déjà, Tracy, croyez-le bien. J'ai pensé que ce serait peut-être une bonne idée d'appeler quelqu'un en renfort. Vous avez fait des progrès, mais je sais combien ce que vous vivez est difficile. Peut-être qu'un autre thérapeute vous aiderait à vous en sortir plus rapidement que moi.

Il ne m'était jamais arrivé d'adresser un de mes patients ailleurs ; je n'ai jamais pensé qu'un autre puisse faire ce qu'il m'aurait été impossible d'accomplir.

Sous le choc, les yeux de Tracy s'écarquillent de douleur, sombres tout à coup comme une amande amère.

— Je ne peux plus venir ici ?

À ce moment-là, je ne sais pas si elle est Tracy, l'adulte à qui je m'adressais, ou la petite fille aux crayons et aux révélations furtives.

— C'est seulement le bébé que tu veux voir, dit-elle encore et, du coup, je sais qui est dans la pièce avec moi.

Je lui demande :

— Est-ce que papa et maman veulent seulement le bébé ?

Tracy est en larmes. Elle essaie de se retenir.

— Je vais être sage, je vais être sage. Je ne veux pas aller dans ma chambre.

— Où est-ce que tu veux aller ?

— Ici. Je veux rester ici avec toi.

Elle renifle et son visage blafard et décomposé se froisse encore une fois, comme un vieux Kleenex.

— Papa n'aime pas quand on pleure. Il est en colère contre moi et contre le bébé. Elle pleure, Clementine.

— Alors, qu'est-ce que tu vas faire ?

Je respire aussi doucement que possible, délicatement, prudemment. D'ordinaire, la petite fille gémit plus qu'elle ne parle.

— Je peux grimper dans le lit de Clementine, je suis grande. C'est haut, mais j'arrive à monter. Je vais lui dire : « Tais-toi, tais-toi, tais-toi. » Papa et maman crient : « Taisez-vous ! Du calme ! » Papa déteste les bébés quand ils pleurent tous les deux en même temps, il a horreur de ça et maman lui dit : « Tais-toi. »

— Tu dois avoir très peur, dis-je. Ça fait peur quand les adultes se disputent.

— Moi, je peux empêcher Clementine de pleurer. Maman dit que, quand j'ai envie de pleurer, il faut que je pleure dans mon oreiller pour pas faire de bruit. C'est comme ça que les grands pleurent, maman dit. Alors je donne mon oreiller à Clementine pour qu'elle pleure comme ça. Et papa ne sera pas fâché.

Tracy frissonne. Une rivière claire coule de son nez sur sa lèvre ; elle l'essuie avec la paume de sa main en laissant une traînée. Elle a les cheveux ébouriffés et je vois à son short et à son tee-shirt qu'aujourd'hui encore elle n'est pas allée travailler. Peut-être me suis-je trompée en la tenant éloignée de l'hôpital. Quelle ligne de conduite compromettra le moins son emploi ? Je n'en sais rien.

Là-bas dans le couloir, une porte claque violemment et le bruit se répercute dans la quiétude de la fin d'après-midi. J'ouvre la bouche pour rassurer Tracy en lui disant que ce n'est pas notre porte, mais elle s'est faite toute petite d'un coup, comme si quelqu'un avait bondi dans la pièce, et elle a une expression tellement horrifiée que je me retourne, presque persuadée que mes sens me trompent et qu'on est entré.

Tracy étouffe un cri. Son corps est secoué de violents tremblements, sa tête ballottée d'avant en arrière, comme si quelqu'un l'avait empoignée et remuée avec force, et moi — j'y suis obligée, je ne peux pas laisser cette crise-là se passer d'elle-même — je me lève et place une main sur chacune de ses épaules pour stopper les secousses.

— Tracy ! Tracy ! Ça va, tout va bien. Arrête, tu vas te faire mal.

L'un de ses bras m'échappe et elle envoie voler sa main dans un geste sauvage, balayant la corbeille de fruits, la lampe et la boîte de mouchoirs en papier, qui se trouvent projetés contre le mur pour finir par terre. Le pied de lampe se brise en mille morceaux bleus qui sont autant de parcelles de ciel.

Janet ouvre la porte du bureau d'un geste brusque et énergique : le choc que je lis sur son visage me rappelle que rien de tel ne s'était jamais produit ici.

— Non ! hurle Tracy. Non ! Pardon ! Pardon !

— Appelez l'urgence, dis-je à Janet. Faites venir une ambulance.

Elle jette un œil aux dégâts par terre, puis me regarde, essayant d'évaluer les risques que je peux courir.

— Je vais bien ! Allez-y, appelez-les !

— Non, papa, non ! sanglote Tracy, toujours secouée de tremblements. Pardon !

« Je regrette, oh, mon Dieu, pardon ! » J'ai dit ces mots des centaines de fois, dans des rêves noirs et presque éveillés où on me noie et où je me noie, pénitente et punie. Le visage de Tim à sa mort ne me hante plus, mais je rêve maintenant de celui de Marna, de sa douceur devenue haineuse par ma faute, et de ce que je n'ai pas su voir. Aujourd'hui, je suis face à elle et les mots sont plus pauvres que jamais. Je n'ai aucune idée de ce que je dois faire, sauf la regarder droit dans les yeux et accepter son jugement. Je lui dois bien ça.

— Je ne sais pas très bien pourquoi je suis ici, dit-elle lentement, après un long silence.

Nous sommes dans un restaurant, pas *Applebine's* (qui, j'imagine, ne peut pas tenir lieu de terrain neutre puisque Marna et moi y sommes souvent allées ensemble), mais dans un endroit plus tranquille à la clientèle élégante, plus à mon goût qu'à celui de Marna, aurais-je dit. Nous ne nous sommes pas souri ni embrassées ; tandis que j'approchais de la petite table à laquelle elle s'était déjà assise, chacune évitait le regard de l'autre. Un garçon s'est présenté et nous avons commandé un verre de *zinfandel* dans un silence de mort. Marna porte une simple robe bain de soleil jaune ; elle doit être neuve car elle est parfaitement à sa taille, et je suis triste ou jalouse — c'est irrationnel — parce que ce n'est pas moi qui l'ai aidée à la choisir. Marna est pâle mais elle a une nouvelle coupe, et ses cheveux accrochent les reflets dorés de sa robe. Pas de bague de fiançailles ni d'alliance. Elle surprend le regard que j'ai lancé à ses mains.

— Il faut que je te dise quelque chose, poursuit-elle après le signe de tête final du garçon, qui a fait claquer son carnet en le refermant.

Elle baisse les yeux sur ses mains, puis les relève sur moi.

Je croise son regard et j'attends, ménageant un espace pour la suite.

— J'ai voulu te noyer, dit-elle, d'une voix morne, éteinte.

— C'est compréhensible. Tu en as encore envie probablement, dis-je, sincère. Je penserais la même chose à ta place. C'est normal.

— Non, tu ne comprends pas, s'emporte-t-elle un court instant, me faisant penser à la braise sur laquelle on souffle. Tu parles comme une psy. Ce que j'essaie de te dire, c'est que j'ai voulu te tuer, littéralement. Pendant le dernier cours...

Le souvenir de ce moment me revient tout de suite, bien sûr, mais mon côté rationnel refuse encore d'y croire et insiste pour voir les choses logiquement.

— Quand tes mains étaient...

— Oui, dit-elle. C'est à ce moment-là. J'avais deviné pour toi et J.W. J'ai maintenu ta tête sous l'eau... Je te dois des excuses.

Et elle a la bonne grâce de me regarder en face. Découvrir que cet instinct combatif qu'elle chérit pouvait se changer en pulsion meurtrière l'a visiblement beaucoup affectée.

Je n'hésite pas longtemps, seulement le temps pour le garçon de déposer nos verres de vin avec minutie et d'allumer la chandelle placée devant le mur bordeaux à côté d'un petit vase de dahlias éclatants. J'imagine qu'il ne sera pas content en découvrant que nous ne commanderons pas de repas.

— Je le savais, d'une certaine manière. Et je l'ai rêvé aussi, mais j'ai réussi à me sortir ça de la tête. Tu vois, je me disais que je te faisais trop confiance mais, en fait, c'était le contraire : je n'avais pas assez confiance en toi pour te demander tout de suite ce qui se passait. Écoute, Marna, je ne prétends pas savoir ce que tu as besoin d'entendre mais, juste au cas où, laisse-moi te dire que je comprends, et que je ne t'en veux pas. Tu ne m'as pas tuée, comme tu peux le constater, alors ne traîne pas cette culpabilité supplémentaire avec toi. Tu en as déjà assez à trimbaler comme ça.

— Il n'y a pas que ça, dit-elle, l'une de ses mains tripotant la bretelle de sa robe. Je regrette ce que j'ai dit à propos de Tim. Et Laurel...

La voix de Marna se raffermit, comme si elle en était arrivée à cette conclusion sans peine :

— Tu n'aurais pas pu le sauver. Tu le sais... hein? Tu ne pouvais pas sauver Tim.

Je ne panique pas en entendant son nom. Je sais quel est ce moment qu'elle porte à bout de bras, qu'elle retourne dans tous les sens, qu'elle fait briller comme la perle noire de la culpabilité. Je ne veux pas qu'elle ait à souffrir davantage à cause de moi, de ce qu'elle m'a dit à propos de Tim.

— Je sais. Je pense à Tim de plus en plus souvent. Pas à sa noyade — et tu as raison pour ça. Je me souviens de lui avant l'inondation, de toutes ces années où il avait été mon grand frère, vivant.

Marna ne comprend pas.

— Maintenant que je sais nager, enfin, presque, il n'est plus mon frère mort noyé. C'est mon frère, tout simplement. Tu vois ?

— Soigne-toi toi-même, dit-elle doucement comme pour conjurer un sort.

— Oui, lui dis-je. C'est exactement ça.

Le temps passe trop lentement et, dans le trop grand silence, on croirait entendre les battements d'un cœur fatigué. J'ai le sentiment que nous avons tout dit, et je m'apprête à reculer ma chaise, à prendre mon sac et à essayer de partir avec grâce quand Marna dit :

— J.W. et moi, on s'est séparés.

— Oh, Marna, non. Je ne le vois plus, je ne le reverrai plus. Je te le jure. Il est venu chez moi pour m'apprendre la vérité juste avant qu'on se voie pour la dernière fois, toi et moi — je veux dire dans le vestiaire du YMCA — et je n'ai eu aucune…

— Tu n'y es pas. Il ne me quitte pas pour toi. C'est moi qui ai demandé qu'on se sépare. Pour moi. C'est la seule chose à faire pour moi comme pour lui.

— J'espère qu'il ne pense pas… et que tu ne penses pas… Enfin, je n'aurais pas pu retourner avec lui de toute façon, Marn, pas après avoir découvert qu'il avait été malhonnête avec moi. Mais en fait, il a dit quelque chose de tout à fait juste à la fin. C'était ma faute, à moi aussi.

— Quand j'y réfléchis comme il faut, ce n'est pas à cette conclusion que j'arrive, dit Marna.

Elle est visiblement sincère. Elle ne détourne pas les yeux, ni n'avale sa salive, ni ne montre aucun des signes qui trahissent un manque de franchise pour l'œil exercé.

— Ça serait confortable pour moi de rester en dehors de tout ça mais ça ne nous aidera ni l'une ni l'autre. Écoute : je n'avais pas parlé à Jake de ma peur panique de l'eau. Je savais qu'il me croyait parfaite; non pas que je me pense parfaite, mais tu sais, c'était agréable et je voulais avoir toutes les qualités à ses yeux. Il nous comparait, Marna, même si nous ne le savions ni toi ni moi, et parce que j'ai fait de la rétention d'information, eh bien, il a vu en moi la perfection, qui n'existe pas plus chez moi que chez les autres. Je savais qu'il voulait quelqu'un de fort et d'indépendant et... tout ce qui va avec... Alors j'ai enterré la partie de moi qui ne collait pas avec le tableau. Si seulement j'avais été vraie avec lui, j'aurais été orientée différemment quand je cherchais un moniteur de natation, c'est sûr.

Elle sourit.

— Reconnais au moins que personne d'autre n'aurait enduré ce que tu m'as fait endurer.

— Ça, certainement pas. Mais j'étais tout près d'y arriver, non? Peut-être qu'un jour, je finirai d'apprendre à nager.

Marna hésite longtemps. Elle regarde ses mains, me regarde, repose les yeux sur ses mains. Le moment est aussi délicat qu'un pétale de fleur.

— Peut-être qu'il vaut mieux ne pas trop reporter ces leçons.

Je hausse les épaules et secoue la tête.

— Je comprends que tu ne veuilles plus avoir affaire à moi, mais... tu me manques. Ce qui me laisse un goût amer, ce sont tous ces secrets, ces détours qu'on fait pour se protéger et protéger les autres — quelle ironie quand même, que ce soit finalement plus destructeur que ne l'aurait été la vérité. J'attendrai.

— Est-ce que tu voudrais... Enfin, je veux dire, je pourrais...

— Tu es sûre?

Le garçon s'approche et Marna me regarde tout en lui parlant.

— Je pense qu'on voudrait voir la carte?

La seule réponse à laquelle je parvienne, c'est un signe de tête. « Oui. »

~

La mère de Tracy, Camilla, et moi sommes dans une de ces petites pièces sans caractère du Auburn-Drake Memorial Hospital où les médecins s'entretiennent avec les membres de la famille d'un malade enfermé dans l'aile psychiatrique. Je fais partie du personnel paramédical, ce qui ne veut pas dire grand-chose, sauf que je peux voir des patients dans les locaux de l'hôpital et qu'ils me seront confiés pour le suivi. Hier après-midi, quand elle est arrivée en ambulance de mon bureau, le médecin des urgences a donné un sédatif à Tracy et l'a fait admettre. J'ai téléphoné à l'hôpital pour les alerter aussi vite qu'on avait claqué les portières de l'ambulance derrière Tracy, maintenue par deux ambulanciers.

Je suis en train d'inciter Camilla à parler, avec plus de vigueur qu'il ne le faudrait, car elle est engluée dans la culpabilité et le chagrin.

— Son père la secouait, il ne savait plus ce qu'il faisait. Tracy était montée dans le petit lit et elle tenait l'oreiller plaqué sur le visage du bébé. Il l'a attrapée et il l'a secouée comme un prunier. Elle hurlait et lui aussi, et puis il l'a plus ou moins jetée par terre et il est allé voir Clementine. Il a fallu qu'on fasse partir Tracy quand on a vu que sa sœur ne reviendrait pas. On ne pouvait pas la garder à la maison, pendant qu'on emmenait le bébé à l'hôpital, je veux dire, et après ça, Walter ne supportait plus de la voir, alors je l'ai envoyée chez ma sœur jusqu'à ce que ce soit fini.

— De quoi est mort le bébé ?

— À l'hôpital, ils ont dit que c'était la mort subite du nourrisson.

Camilla est une femme de cinquante-cinq ans peut-être, usée par les soucis, les mains veinées, le cou encore plus ridé que le visage. Elle est arrivée ici dans les dix minutes qui ont suivi mon coup de téléphone ce matin. Je pense qu'elle ne se rend même pas compte qu'elle tient toujours ses clés de voiture. Je tire deux ou trois mouchoirs en papier de la boîte posée sur le bureau, ouvre sa main et les y mets à la place des clés. Elle les prend mais ne s'en sert pas, laisse ses larmes couler.

— Mais, c'était vraiment... l'oreiller ?

— Oui, chuchote-t-elle. L'oreiller. Walter ne supportait pas d'entendre pleurer un bébé... Ça lui portait sur les nerfs.

— Qu'est-ce que vous avez dit à Tracy ? Que sait-elle de tout ça ?

— Walter pleurait et hurlait qu'elle avait tué sa sœur, mais quand on est allés la chercher chez ma sœur, on lui a dit que non, que ce n'était pas comme ça qu'elle était morte. Elle-même n'était qu'un bébé ; elle venait juste d'avoir quatre ans.

— Quels sentiments est-ce que vous avez éprouvés pour Tracy après ce drame ?

— Rien n'a changé, je l'ai toujours aimée de la même manière, dit Camilla, avec dans la voix un appel au pardon, bien qu'elle soit sur la défensive. Vous pouvez l'aider ?

— Pensez-vous vous être remise de la mort de votre bébé ?

— Non, murmure-t-elle. Ça aurait voulu dire qu'elle n'avait jamais été là avec nous. Et c'est ma faute. Ma faute. C'est moi qui ai donné l'idée de l'oreiller à Tracy. Je n'en ai jamais parlé à personne.

— Maman... dis-je en hésitant, à l'heure du poulet et des pâtes, le lendemain soir dans sa cuisine.

Je rêve beaucoup de Tim ces temps-ci. Je ne sais pas ce que j'attends de ma mère. J'essaie seulement de dire quelque chose, n'importe quoi.

— Quand Tim est mort... Pardonne-moi, maman. Je ne te l'ai jamais dit — mais j'ai tout vu. J'ai vu l'eau le soulever et l'emporter comme une brindille. J'ai toujours pensé que peut-être, si j'avais réussi à crier, j'aurais pu... Mais il était tellement fragile, et ça s'est passé tellement vite. Pardonne-moi.

Les yeux de ma mère s'emplissent de larmes immédiatement et les miennes leur répondent tout aussi rapidement. Nous n'avons fait aucune allusion directe à la mort de Tim depuis des années, bien que son ombre soit plus présente et plus réelle parfois qu'un être de chair. Il aurait plus de quarante ans aujourd'hui ; il serait sûrement marié et ma mère serait grand-mère.

— J'aurais pu le prévenir...

Ces mots sont tellement difficiles à dire.

— Oh, ma chérie, tu avais six ans. Il ne t'aurait jamais entendue. Tu ne te rappelles pas tout le bruit que ça faisait ? Non, c'était à moi, sa mère...

Elle se penche en avant, le cou et les épaules ployés sous l'insupportable poids du souvenir.

— C'est de ma faute, de ma faute, gémit-elle. C'est moi qui l'ai envoyé à la voiture avec ces boîtes. Je n'aurais jamais cru que ça pouvait monter aussi haut, aussi vite, je n'aurais jamais imaginé... Pourquoi est-ce que je ne vous ai pas tous mis dans la voiture pour ficher le camp ? On aurait pu être partis, on aurait pu être loin déjà.

Elle tremble.

— Je ne crois pas que ton père m'ait jamais pardonné.

Je me lève et, en deux pas, je suis debout près d'elle. J'attire sa tête contre ma poitrine et je berce ma mère pendant qu'elle sanglote.

— Non, maman, ça n'est pas juste. Ce n'est pas de ta faute.

Elle hoche la tête en signe de dénégation.

— Il y a des choses dont on ne se remet pas… On continue à vivre, mais on ne s'en remet pas. Peut-être que j'aurais réussi si ton père l'avait pu, lui.

— Maintenant, il faut qu'on y arrive toutes les deux, maman. Nous deux. Il est temps de le laisser aller.

Je me balance légèrement pour la bercer et je la sens contre moi, un petit être de chair mouillé de nos larmes à toutes deux.

Marna

Une médaille d'or pour Roxie. Elle est partante pour à peu près n'importe quoi.

Elle a apporté en Ohio deux maillots qu'elle porte alternativement, les jours où elle m'accompagne au Y. Elle suit mes champions dans l'eau et fait les exercices des bras et des jambes sur un air de valse comme un entraîneur chevronné, ce qu'elle est d'une certaine manière. Je ne pense pas avoir été ce type de gamine qui hurle sans arrêt : « Maaan ! Regarde-moi faire, maman ». Mais aujourd'hui, en observant Roxie, je me souviens de ce qu'elle m'a dit, un jour où elle était assise au bord de la piscine du Gold Strike, les pieds au frais, la cigarette à la main : « Allez, Marna, montre-moi ce que tu sais faire. »

Elle m'a demandé ça une seule fois. Elle n'était pas ce genre de mère à mendier des exploits à ses rejetons. À l'époque, je devais avoir trois ou quatre ans, et, trop heureuse de l'invitation, je lui en ai donné pour son argent, et même plus, avec des culbutes, des plongeons arrière et des traversées de la piscine sous l'eau sans reprendre une seule fois ma respiration.

« Cinglée, cette gamine, a-t-elle dû dire à T-Bone ou Don Ray. Un vrai bébé poisson. »

Bien entendu, j'étais trop jeune à l'époque pour me souvenir aujourd'hui de tels détails. C'est Roxie qui m'a raconté ça un jour où nous prenions un repas dans un restaurant ouvert vingt-quatre heures sur vingt-quatre, au bord de l'autoroute. Le choix de Roxie, à cause de la section fumeurs. Je n'ai aucune idée de ce qui l'a poussée à évoquer des souvenirs. Quand elle a repoussé son assiette de similithon à moitié pleine, je lui ai demandé ce qui avait motivé sa visite à Cincinnati.

— Oh, je crois que maintenant, j'en ai vu assez pour me faire une idée, Marna.

Elle m'a si peu habituée à ce genre d'inspection maternelle que j'en reste bouche bée.

— Ton J.W., j'ai toujours trouvé qu'il était ton gardien plus que ton mari. La prochaine fois, trouve-toi un homme avec un vrai nom.

Elle allume une cigarette. Au début de sa visite, j'essayais d'évaluer combien elle en fumait par jour même si elle sortait sur la terrasse, devant la cuisine, par respect pour la qualité de l'air de notre jolie maison à vendre. Maintenant, je me fiche du nombre de paquets qu'elle fume et des pièces à conviction de plus en plus flagrantes que je ramasse çà et là. Roxie a toujours pris soin d'elle à sa manière, c'est-à-dire seule.

Sa remarque a mis le doigt sur un bobo, une ecchymose de l'âme qui révèle en elle quelqu'un de meilleur, même si cela réveille une vieille douleur.

— Il voulait... des enfants, dis-je. Et moi, je n'étais pas prête.

— Tu ne m'as jamais demandé qui était ton père, me dit-elle en exhalant un nuage de fumée comme un dragon réduit à la taille d'une femme.

— J'ai toujours cru que tu ne voulais pas...

— Je vais t'en parler maintenant, Marna. Pourquoi et comment c'est arrivé. Tu en feras ce que tu voudras, mais laisse-moi en dehors de ça. Compris ?

Je hoche la tête.

— J'avais seize ans, bon, ça, tu le sais. L'important, c'est que tous ceux vers qui je me suis tournée quand je suis tombée enceinte — tes grands-parents, et même la conseillère de l'école, madame Machin Truc...

— Madame Kendrix. Elle était encore là quand je fréquentais l'école.

— Alors, c'est un scandale, parce que cette incompétente n'aurait jamais dû occuper ce poste.

— Pourquoi ? Qu'est-ce qui est arrivé ?

— Ils m'ont tous dit que je devais avorter. Que c'était la seule solution pour une fille comme moi.

— Lui aussi ? C'était ce qu'il voulait ?

— Oui. Je ne vais pas te peindre la vérité en rose, Marna. Quand ce garçon m'a dit comment nous allions régler le problème — et crois-moi, sa famille en avait les moyens — je n'ai plus jamais vu les hommes de la même façon. Quelque chose s'était brisé en moi.

J'attends. Devant moi, j'ai Roxie comme je ne l'ai jamais vue. Je suis sidérée, envoûtée. Est-il possible que je commence à aimer ma mère, cette fumeuse à la chaîne au langage cru, noceuse de surcroît ?

— Comme tu sais, je ne raffole pas de la religion, mais je me suis dit : « Pas question, Roxanne. Tu ne vas pas avorter parce que les autres ont décidé que c'était la seule solution valable pour toi. Tu vas mettre cet enfant au monde, en prendre soin, l'élever, et ça prendra ce que ça prendra. » Et depuis, je me suis toujours débrouillée seule.

Elle écrase sa cigarette, secoue le paquet, en allume une autre. Selon mes calculs, c'est la sixième. Exact d'après le cendrier. Roxie pointe vers moi son index replié comme si elle appuyait sur une gâchette.

— Bon, tu veux savoir son nom ? Il vit toujours à Sacramento, si tu veux le connaître.

Ai-je besoin de connaître le nom de cet homme ? Ai-je besoin d'appeler Sacramento et de mendier son numéro à une opératrice grincheuse ? Ai-je besoin de lui parler, de remplir les pointillés avec le visage d'un homme qui a refusé ma naissance ? J'ai dit un jour à Laurel que j'avais inventé mon père en me racontant toutes sortes d'histoires sur lui, sur la façon dont Roxie l'avait chassé de sa vie. Je pensais qu'elle avait hâte que je débarrasse le plancher, moi aussi. Mais ce que je prenais pour de l'impatience n'était qu'une manière de m'inculquer l'instinct de survie. Roxie avait fait de son mieux, à sa manière.

— Non, dis-je à cette femme qui doit s'envoler pour la Californie dans deux jours et dont l'absence me remplit déjà d'une tristesse imprévue. Non, dis-je à Roxie, ma mère depuis toujours. Je sais tout ce que je voulais savoir.

~~~

— Et tu n'as pas voulu savoir, Marna, même par curiosité ?

J.W. me regarde à la dérobée, comme il faisait au ciné-parc dans notre adolescence, au cas où il y aurait sur l'écran un rebondisse-
~~~

ment, un retournement de situation qui nous oblige à interrompre nos caresses et à rectifier notre tenue vestimentaire.

— Marnie, vite, mets tes lunettes. Le type est revenu ! me disait-il.

À travers la table, je lui tends le saladier comme au temps où nous vivions ensemble.

— Ce que je brûlais d'envie de savoir, elle me l'a dit. La question la plus importante à mes yeux à moi, elle y a répondu.

À la façon détendue dont nous discutons, calés dans nos chaises, un étranger pourrait croire que nous formons encore un vrai couple. J.W. me prend le saladier des mains.

— Je garderai le secret, d'accord ?

Je souris.

— L'énigme de la méthode Roxanne Dalton pour exprimer son inctinct maternel est résolue.

— Tu as tant changé, me dit soudain J.W., penché vers moi. Parfois, je dois y regarder à deux fois, comme si je ne te connaissais pas depuis toujours, comme si je te voyais pour la première fois.

— C'est ce *spritz, glitz* ou *ritz* qu'ils m'ont mis dans les cheveux, dis-je en ébouriffant mes boucles.

— Non, ce n'est pas ta coiffure, Marn.

Je le sens intimidé. Je voudrais qu'il retrouve sa belle assurance, son aisance, cette confiance en lui sur laquelle j'ai toujours pu compter.

— Finalement, je préfère les cheveux courts. C'est plus facile à coiffer après la piscine.

Je tends le bras et tire le col froissé de sa chemise.

— Savais-tu que les hommes sont admis dans les boutiques de nettoyage à sec ?

Il rougit, mon séduisant ex-mari. Il passe sa main dans sa chevelure et détourne les yeux.

— Je fais tout de travers, Marn. Avec toi, tout baignait dans l'huile à la maison. Dire que je tenais ça pour acquis. Nom d'un chien, maintenant, j'apprécie.

— Mieux vaut tard que jamais.

J'ai parlé d'un ton rapide et désinvolte, pour conjurer une vieille impression de déjà vu. Je sens revenir l'ancienne pulsion, le courant marin qui vous entraîne au large alors que le rivage est la seule sécurité possible.

Il insiste :

— Olive et Merle t'aiment toujours autant, tu sais.

— Moi aussi, je les aime. Je les aimerai toujours et ils le savent. Toi aussi, j'espère.

— As-tu mis la nouvelle porte-moustiquaire de la terrasse ?

— Elle est encore dans le garage.

— Je peux la mettre en place, si tu veux.

— Ne fais pas ça.

— Mais la prochaine visite de l'agent immobilier est le...

— Inutile, je te dis.

— Marn ?

— J.W., ne me donne pas envie de tout recommencer.

— C'était si terrible entre nous ? Moi aussi, tu sais, j'ai changé...

— Je ne veux pas que tu changes. Je t'ai aimé pour ce que tu étais. Ce que tu es. Même quand toi et...

— Je m'en veux. Je m'en veux tellement.

— Peux-tu arrêter de t'en vouloir et m'écouter ?

C'est la fin de l'été. Les soirées sont déjà fraîches ; les feuilles mortes jonchent l'allée, qu'on aperçoit de la fenêtre. Je pose ma main sur celle de J.W.

— Tu étais pour moi une sorte de police d'assurance, J. Un sauveteur à son poste nuit et jour, le tube de survie à la main. J'ai fini par penser que je ne pouvais pas survivre sans toi.

— Je pensais que c'était ce que tu voulais, que ça empêcherait tes cauchemars de revenir.

— C'est vrai. Mais qu'est-ce qui arrive à un nageur débutant quand on lui retire le tube de survie ? Il coule à pic, J.W.

— Tu coulais à cause de moi, c'est ce que tu essaies de me dire ?

— N'interprète pas mes paroles de travers, dis-je, exaspérée. J'essaie de décrire une situation, pas de porter le blâme sur qui que ce soit.

Je pose ma main sur la sienne, mêle mes doigts aux siens.

— Tu ne peux pas savoir ce que c'est de feindre toute sa vie qu'on est digne d'être aimée.

— Oh, Marn...

— Laisse-moi parler ! Tu fais semblant, les gens ont l'air de t'aimer — comme toi, J. — mais tu as la terreur de les laisser aller. Ton existence dépend de l'amour que ton mari te manifeste à chaque minute. Tu finis par perdre toute identité.

— Tu es digne d'être aimée, Marn. Tu l'as toujours été.

— Mais je ne le croyais pas ! Je pensais qu'il me fallait briser des records, faire la lessive, redresser ta cravate pour avoir le droit d'être aimée... C'est... si pathétique.

— Quand je te regarde, je ne vois absolument rien de pathétique.

C'est probablement la chose la plus gentille, la plus pure que J.W. m'ait jamais dite. Je ne l'échangerais pas pour tous les cheveux raides, les petits pieds ou les yeux d'aigle du monde. J'en conserverai précieusement le souvenir parmi les autres trésors que je découvre en moi-même, tous ces petits morceaux de Marna qui brillent comme des coquillages dans le sable à marée basse.

— Tu sais quoi, J.W. ? Jusqu'à maintenant, les seuls moments où je me sentais quelqu'un de valable, c'est quand j'étais dans l'eau. Et aussi quand tu m'as aimée.

J.W. secoue la tête.

— Non, écoute. À ce moment-là, c'était bon pour moi. Quand je nageais, j'avais confiance en moi.

— Tu pourrais traverser la Manche à la nage, Marna.

Il y a une pointe de tristesse dans sa voix. Je me mets à rire.

— Plus maintenant, mais je peux encore battre mes octogénaires du Y.

J.W. accepte volontiers une crème glacée pour le dessert, d'autant plus que j'ai acheté sa préférée, celle aux brisures de chocolat à la menthe. Je l'aide à mettre dans le coffre de sa voiture quelques boîtes remplies de bricoles. Nous nous disons au revoir au bout de l'allée, là où est plantée la pancarte de l'agence immobilière. On s'embrasse, rapidement, avec une certaine distance.

— Alors, comme ça, nous savons ce que nous faisons, Marna ?

— Autant qu'il est possible, je crois, dis-je, en baissant les yeux.

Je pense alors au Y, à mes leçons avec Laurel. Il y a en moi des zones dénuées de doute, d'incertitude ou de terreur et je veux qu'il le sache.

— Tu viendras au Y, J.W. ? Voir mes champions, mes petits vieux ? Je sais que je suis exactement à ma place là-bas. Et je suis un bon professeur.

Il a pour moi le même regard éperdu d'admiration et de fierté que lorsque je venais de gagner une médaille d'or.

— Tu es un bon professeur hors de l'eau aussi.

~~~

Laurel a tant fréquenté la piscine ces temps-ci que son premier maillot une pièce, un Speedo rouge, commence à montrer des signes de fatigue. Le chlore a rendu le tissu presque transparent. Quand je le lui fais remarquer, comme il se doit entre femmes soucieuses de leur apparence, elle se met à loucher en disant :

— Ouais, je suis sûre que je rends ces braves gens fous de désir.

Et elle désigne mes vieux nageurs qui sortent cahin-caha de la piscine après leur leçon. Aujourd'hui, c'est à Laurel que Selma demande de l'aider à défaire ses bretelles mais, au début de la leçon, j'ai fait des nœuds pour resserrer les extrémités étirées et ils sont trop serrés.

— Marn ? Tu peux me donner un coup de main ?

Je stabilise Frankie dans son fauteuil roulant et je vais aider Laurel.

— Trop de cuisiniers, ça gâte la sauce, grogne Selma.

— Trop de nœuds, ça gâche un maillot, dis-je en écho.

Je m'occupe de desserrer les nœuds tandis que Laurel tire l'étoffe trop tendue. À nous deux, nous réussissons à libérer Selma de ses liens et elle se dirige vers le vestiaire.

La piscine est à nous. C'est le moment pour Laurel de travailler ses mouvements des bras.

— Tu vas nous faire de beaux bras d'honneur, dis-je pour la taquiner.

— Marna, tu es horrible. Arrête ça, dit-elle en m'éclaboussant.

— Ouais, bon, on y va. Tu ne dois pas oublier que tes mouvements de pieds et ton bras inférieur te permettent de flotter pendant que tu prends ta respiration. Tu sais que tu dois respirer vite parce que, sinon, tu coules.

— Non, je ne coule pas. Je ne pense pas que je vais couler.

— Je veux dire que ça t'inquiète...

— Pas du tout. J'ai mon sauveteur personnel, ici, alors je ne m'en fais pas.
~~~

Laurel essaie de nouveau, répétant les mouvements des bras en style libre dans la largeur de la piscine, puis elle s'arrête net.

— Je crois que ça ne va pas.

— Bien deviné. Laisse-moi y penser. Regarde ce que je fais. Je vais décomposer le mouvement au ralenti.

Je traverse la piscine dans sa largeur, aller et retour. Je me concentre sur l'extension et la contraction de mes muscles. Je compte pour donner le rythme : « Bras-respirer-bras-bras, bras-respirer-bras-bras », sur une mesure à quatre temps.

— Essaie encore.

Quand elle bouge les bras, je compte. Mais elle perd le rythme en respirant, rabattant trop vite son bras droit dans l'eau au lieu de le laisser la tirer, dans un long mouvement ample. Elle touche le bord, se tourne vers moi et attend mon jugement.

— Sois moins hésitante dans tes mouvements. Ils s'équilibrent les uns les autres. Ils te donnent ton assise dans l'eau. Quand un bras tire, l'autre soulève. Ton rythme est tout déglingué. Compte toi-même, un deux trois quatre.

Laurel hoche la tête et se remet à l'œuvre. Elle compte et cette fois, ça a l'air de marcher. Ses bras tirent droit, ses pieds la propulsent avec plus de force. Sa tête pivote sur le côté en souplesse, il n'y a plus ni hâte ni hésitation dans ses gestes. Elle se met debout et retire ses lunettes de plongée.

— Cette fois, je crois que je l'ai.

— C'est mon avis.

J'ai appris à doser mes compliments avec Laurel. Trop de louanges, et elle reste incrédule ou se demande si je ne veux pas masquer un défaut en ménageant sa sensibilité. Mais si je ne force pas la note, elle rayonne de fierté.

— Je nage, me dit-elle. Je nage enfin.

Nager. J'y repense un peu plus tard en aidant Eric à retirer les flotteurs. Quand j'étudiais à Sacramento State, j'ai lu dans un livre sur l'éducation que la plupart des gens apprennent mieux lorsqu'une aptitude — résoudre un problème de maths ou réussir un virage culbute — est taillée sur mesure pour eux. Devant une classe de vingt personnes ou face à une seule élève, mon instinct m'a toujours dicté de demander à mes apprentis nageurs de me regarder exécuter ce que je voulais qu'ils apprennent. Observer le rythme de métronome d'un bon nageur aide le débutant à équilibrer ses mouvements. C'est ce que j'ai fait avec Laurel.

Il y a un rythme pour tout apprentissage. On commence par regarder quelqu'un qui possède parfaitement une technique, un expert en la matière. Puis, la démonstration faite, on passe soi-même à l'action, même si c'est imparfait.

Laurel est un excellent professeur. Elle sait quand exprimer sa confiance. Elle sait quand se retirer et me laisser m'exercer.

D'une certaine façon, elle m'a aussi appris à nager.

NAGER

On doit ensuite mettre l'accent sur la règle suivante : toujours nager avec un compagnon.

Johnny est prêt à prendre un bon départ... chaque nouvelle technique qu'il apprendra est conçue pour lui permettre de sauver sa propre vie ou celle des autres.

Johnny apprend à nager
(American Red Cross)

Laurel

J'ai fait une tentative pour me désengager du traitement de Tracy, mais son psychiatre n'a pas voulu prendre le relais. « Pas question, a-t-il dit. Vous faites ça mieux que je ne pourrais le faire. »

Et donc six jours par semaine, pendant les cinq semaines qu'a duré son séjour à l'hôpital, j'ai commencé ma journée là-bas avec Tracy. C'est une poupée aux cheveux noirs que j'avais apportée qui l'a finalement sortie de sa torpeur.

Elle m'a laissé la poser sur ses genoux et en a caressé les cheveux attachés par un petit ruban rose.

— Tu veux parler à Clementine ? ai-je dit. C'est bien d'exprimer ses sentiments, même quand on pense que ça n'a plus d'importance.

Tracy, sans maquillage et les doigts toujours boudinés, a pris la poupée et a commencé à la bercer. Elle l'a bercée et elle s'est balancée, encore et encore, en pleurs d'abord puis en silence, et elle s'est mise à parler.

Nous avons encore beaucoup de travail à faire ensemble, Tracy, Camilla et moi. Et même le pauvre, l'infortuné Rick. Toutes les deux semaines maintenant, je remplace l'une des deux séances individuelles hebdomadaires de Tracy par une séance familiale, nous réunissant eux trois et moi. Elle est tellement contente d'être sortie de l'hôpital, tellement reconnaissante à Rick d'être resté avec elle, peut-être même est-elle surprise qu'il l'ait fait. Si je n'incluais pas Rick dans ces séances, l'histoire de ces femmes s'écoulerait par-dessus lui comme une rivière dont la moindre petite épave viendrait le frapper au passage derrière la tête ; et leur bonheur enfin retrouvé le contournerait pour le laisser seul sur son îlot, perdu et oublié.

Moi, je n'ai évidemment pas oublié Jake. Et je ne l'oublierai certainement jamais. Je sais qu'il m'aimait, qu'il m'aime probablement encore, comme je l'aime. Marna ressent sans doute la même chose. Nous avons sûrement raison toutes les deux. Mais j'ai choisi, et je sais avec quoi je ne pouvais pas vivre et avec quoi je veux vivre. Hier, je suis tombée sur lui en sortant de la pharmacie. Deux coins de rue plus à l'ouest et on aurait pu être dans le stationnement du *McDonald's* où on s'était rencontrés ; et peut-être que cette fois-ci, mon café n'aurait pas été renversé et qu'une histoire différente aurait commencé. Ou peut-être que rien ne serait arrivé du tout. En tout cas, notre histoire nous a changés tous les deux même si, à la sortie des rapides que nous avions pris ensemble, notre rivière a bifurqué.

— Laurel, comment vas-tu ? a-t-il dit, et j'ai lu dans ses yeux qu'il voulait vraiment savoir.

Il était toujours aussi bel homme, l'air solide avec son jeans et son chandail molletonné pour toute protection contre la morsure bleu azur du froid matinal d'octobre.

— Je vais très bien. Et toi ?... Je voulais te dire que je suis désolée pour toi et Marna.

— Oui. Merci. Elle me manque. Ça sera réglé la semaine prochaine, elle t'a dit ?

— Je sais. Tu voyages toujours autant ?

— Peut-être plus qu'avant. C'est une bonne manière de fuir, hein ? a-t-il commenté d'un air un peu désabusé. Et toi, tu les as prises, ces vacances ?

— Justement, c'est prévu pour la fin du mois. Une semaine...

— C'est bien. Je suis content pour toi.

— J'espère que tu seras heureux, Jake. Je... Je ne regrette pas de t'avoir connu.

— Tu sais, moi non plus. Mais ça n'a pas été facile d'en arriver là. Salue ta mère de ma part, d'accord ?

J'ai acquiescé, puis l'ai embrassé sur la joue pour lui dire au revoir, et il m'a embrassée lui aussi.

À midi au bain libre, j'ai pensé que j'ennuierais Marna en lui parlant de cette rencontre, mais je l'ai fait quand même. Pas de secrets entre nous.

— Merci, Laurie, m'a-t-elle dit simplement. Ça va. Je te le dirais si ça n'allait pas, mais ça va.

Je savais qu'elle était sincère. Elle s'est laissée glisser dans le couloir voisin du mien et, sur les deux premières longueurs, je l'ai sentie se freiner pour régler son allure sur la mienne, pour que nous soyons réunies dans cette communion qui est la nôtre. Je pense qu'elle voulait me faire savoir qu'elle ne me cachait plus rien ; ensuite, elle m'a devancée et, à la fin de l'heure, elle avait probablement fait deux fois plus de longueurs que moi. Mais un peu avant, elle s'était remise à mon diapason, faisant en sorte que nos mains touchent le bord au même moment, ensemble.

Nous endurons toutes de ces crues de chagrin et toutes nous subissons nos noyades. La culpabilité nous tire au fond, comme le feraient des semelles plombées, mais nous réussissons à remonter à la surface d'une manière ou d'une autre et à respirer. À respirer et à continuer, à recommencer toujours. Selon Marna, c'est la première règle d'or, et je me suis rendu compte que c'était aussi la plus importante du manuel de la vie. On aime et on perd ce qu'on aime et on poursuit son chemin. Parfois, on rit et il y a même certaines périodes qui parviennent à transfigurer notre culpabilité et à nous donner une raison d'être, faisant briller notre étoile un moment, dans le pardon et l'abandon, le respect et l'harmonie.

Nous les femmes comprenons cela et nous nous aidons mutuellement pour apprendre à nager.

Marna

Je ne donne plus vraiment de leçons de natation à Laurel. Bien sûr, on se rencontre à la piscine comme d'habitude. Nous nous mettons en maillot, nous prenons notre douche et nous allons vers l'eau. Parfois, un de ses patients annule un rendez-vous et elle arrive un peu plus tôt. Elle se mêle alors à mes vieux champions, les taquine et écoute patiemment leurs doléances au sujet de la nouvelle série d'exercices que j'ai mise au point à partir d'une cassette de vieux succès disco trouvée dans une pile de soldes. Je fais alors semblant de me fâcher et je les menace de Tina Turner s'ils ne baissent pas un peu le ton. Tous ensemble, nous sommes heureux.

Tôt un matin, J.W. est venu, ce qu'il n'avait jamais fait quand nous étions mariés. Il est entré sans bruit et il s'est assis dans les gradins, juste pour regarder. J'ai alors pensé à Harvey, à son excitation s'il avait pu rencontrer le séduisant agent de la CIA en chair et en os. Je me suis sentie un peu triste pour ces pans de mon univers que j'avais perdus, ces vieux rameaux qui ont fait place à de nouvelles branches. Après ma leçon, nous avons parlé brièvement mais à cœur ouvert. J'ai senti qu'il ne voyait pas seulement l'ancienne Marna, la nageuse la plus rapide, mais aussi une nouvelle femme. Quelqu'un qu'il ne veut pas comme épouse, mais comme amie ou même sauveteur, si jamais il a besoin de secours. Mais cela, j'en doute. J.W. est bon et fort, et les hommes réagissent différemment à leurs moments de détresse. Ils les enfouissent au fond d'une poche, dissimulés à la vue et au toucher de tous.

Laurel et moi, nous faisons des longueurs ensemble. Elle n'est pas encore capable d'accumuler les kilomètres, loin de là, et elle ne le sera sans doute jamais. Mais nous nageons côte à côte, parfois dans le même couloir quand la piscine est bondée. Nager nous donne à toutes les deux une paix qu'on ne trouve nulle part ailleurs. En général, quand elle est dans l'eau la première, comme aujourd'hui, je longe le bord de la piscine pour observer ses mouvements. Au besoin, je m'agenouille à l'extrémité du couloir et je lui attrape la main quand elle touche le bord.

— Tu tiens tes épaules trop hautes, lui dis-je en roulant les miennes. Décontracte-toi un peu.

Elle me regarde, aveuglée par ses lunettes de plongée embuées, et me fait signe de la tête qu'elle a compris. Puis, elle s'élance et continue. Je la suis du bord de la piscine pendant quelques longueurs, évaluant son style. Elle se débrouille très bien. Même sans mes conseils elle serait dans la bonne voie, mais je continue à ajuster çà et là. Pour elle, c'est du temps de gagné.

J'enlève mon short et me glisse dans le couloir voisin du sien. D'abord, je reste à son rythme, avec de larges mouvements de bras, retenant mes pieds. Puis, mon coach intérieur — c'est l'expression de Laurel — m'ordonne de foncer, de donner tout ce que j'ai. Je fonce, je trouve ma cadence et je nage mon kilomètre et demi de réchauffement à mon rythme, déroulant mes propres pensées.

Laurel et moi, nous projetons de partir aux Bahamas, mais j'ai mis une condition : qu'elle promette de nager dans l'océan. Jusqu'à présent, elle refuse net, mais j'ai déjà entendu ça. On a conclu un marché : j'accepte qu'elle me fasse essayer une de ces paires de lentilles cornéennes souples, et elle me suit dans l'océan. J'ai nagé dans les vagues déferlantes du Pacifique, dans les eaux bleues et fraîches de la côte nord de Californie, mais j'imagine l'Atlantique qui baigne les Bahamas comme une mer plus chaude, plus verte. Nous avons envisagé d'emmener nos mères en voyage. Laurel pense que la sienne serait d'accord mais, côté Roxie, je ne me fais pas trop d'illusions. Nous discutons au téléphone deux fois par mois, et c'est déjà un énorme pas en avant. Ce serait peut-être prématuré de lui demander de passer des vacances entières avec moi. À faire de la natation, pardessus le marché.

En dépassant la marque du kilomètre, je rêve à l'océan. Nager en pleine mer est si différent de l'entraînement en piscine. On peut être la plus rapide entre quatre murs remplis d'eau chlorée, rien ne dit qu'on survivra à l'océan. Pour une bonne raison : quand les vagues arrivent, elles ne se demandent pas si vous êtes prête ou non à les recevoir. Elles vous renversent ou vous balaient, c'est un fait. Il faut savoir ruser avec elles, savoir quand plonger en dessous, quand refaire surface.

Il y a peu de grosses vagues sur les plages des Bahamas, ce qui est préférable pour Laurel. Je nous imagine exhibant nos bikinis, barbotant dans des eaux turquoise, bercées par un doux ressac. Je me demande si elle sait que l'océan à exactement le même degré de salinité que l'utérus.

À la fin de mon entraînement, quand l'heure de nage libre est presque écoulée, je me mets de nouveau au rythme de Laurel. Elle me sent à côté d'elle, même si elle se concentre pour garder ses épaules basses. Il y a toujours en moi un soupçon de combativité qui me pousse à vouloir toucher le mur avant quelqu'un d'autre, mais je passe par-dessus. À l'unisson, nos bras se soulèvent et tirent. Et nous touchons la cible ensemble, liées comme des jumelles jusqu'à la fin de notre course.

~~~

Nous trouvons toutes notre façon particulière de nager, notre rythme propre. Il faut pour cela surmonter la crainte de respirer dans un élément étranger, combattre le cauchemar de la noyade possible. Et après avoir appris à flotter, après en avoir ressenti le plaisir traître, il faut mettre ses muscles en action, apprendre à pousser des pieds, à se propulser dans les eaux profondes, où l'on ne peut ni voir le fond ni toucher le bord.

Et là, nos bras nous tirent en avant.

Alors, à la fois surprises et anxieuses de sauver nos vies, nous nageons.
~~~